중학생이 되기 전,
"한국사"
지금 스마트러닝과 함께 나 혼자 공부한다!

PC로 만나기 ▶ bookdonga.com에 접속하세요.

모바일 기기로 만나기 ▶ 표지는 물론 교재 곳곳에 위치한 **QR코드**를 찍어 보세요.

▶ 한국사 자료 분석 강의

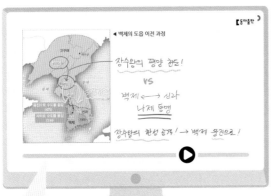

지도와 도표를 함께 해석하며 어려운 한국사 개념도 쉽고 재미있게 학습할 수 있어요.

중등 한국사에는 낯선 지도와 도표가 등장해요. 어떻게 공부해야 할까요?

교재 곳곳에 자료와 함께 삽입된 QR코드를 찍어 보세요!

놀라워요! 다양한 자료를 이해하기 쉽게 해석해 주는 이런 강의를 기다렸어요.

▶ 10일 완성, 한국사능력검정시험 대비 강의

10일이면 충분해요. 교재를 바탕으로 마련된 동영상 강의와 함께 학습하며 한국사능력검정시험에 도전해 보세요!

한국사능력검정시험 대비 10일 완성 워크북 부록은 어떻게 공부해야 하죠?

전문 한국사 선생님이 준비한 한국사능력검정시험 대비 동영상 강의와 함께 공부해요.

친절한 개념 설명부터 기출 문제 풀이, 꼭 나올 예상 문제까지 제대로 준비되어 있군요!

중학생이 되기 전,
동영상 강의와 함께 공부의 힘을 키우는
초등 고학년 필수 초고필 시리즈

국어 독해 지문 분석 강의 / 수능형 문제 풀이 강의

- 지문 분석 강의를 통해 작품을 제대로 이해
- 수능형 문제 풀이를 들으며 어려운 독해 문제도 완벽하게 학습

국어 문법 문법 강의

 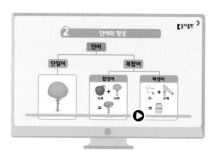

- 어려운 문법 지식도 그림으로 쉽고 재미있게 강의
- 중등 국어 문법을 위한 초등 국어 기초 완성

국어 어휘 어휘 강의

 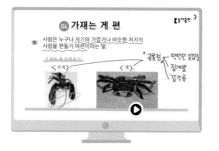

- 관용 표현과 한자어의 뜻이 한 번에 이해되는 강의
- 각 어휘의 유래와 배경 지식을 들으며 재미있게 이해

유리수의 사칙연산 / 방정식 / 도형의 각도 수학 개념 강의

 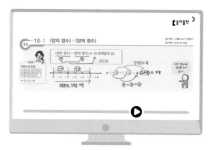

- 25일만에 끝내는 중등 수학 기초 학습
- 초등 수학과 연결하여 쉽게 중등 수학 개념 설명

한국사 자료 분석 강의 / 한국사능력검정시험 대비

 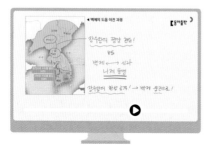

 자료 분석
한국사 개념을 더욱 완벽하게 학습할 수 있는
한국사 자료 분석 강의

 한국사능력 검정시험
- 개념 학습, 기출 문제, 모의 평가로 구성된 한국사능력검정시험 대비 특강
- 효과적인 10일 스케줄 강의 구성

초고필

지금

한국사

를 해야 할 때

2권 조선 ~ 대한민국

중학생이 되기 전, 한국사를 제대로 해야 할 때

1 중학교와 초등학교의 한국사는 무엇이 다를까요?

중학교에서는 초등학교 사회 교과서 안에 있었던 한국사(역사), 지리, 경제, 일반 사회 등의 학습 영역을 깊이 있게 배우게 된답니다.

또한 중학교에서는 '사회'에서 분리된 '역사' 과목을 새롭게 만날 수 있습니다. 중학교 역사는 고조선부터 시작되는 우리 역사를 다루는 '한국사'와 인류의 탄생부터 시대별 세계의 모습을 다루는 '세계사'로 나뉩니다.

두 권으로 이루어진 중학교 역사 교과의 학습량과 깊이가 만만치 않습니다. 한국사의 흐름과 기초 개념이 제대로 잡혀 있지 않은 친구들은 자칫 한국사가 수학, 국어보다 더 어렵고 지루한 과목이 되어버릴 수 있습니다.

그래서 중학생이 되기 전 미리 한국사의 기초를 잘 다지는 것이 꼭 필요하답니다!

" 초등 사회 교과서가 중등 역사와 사회로! "

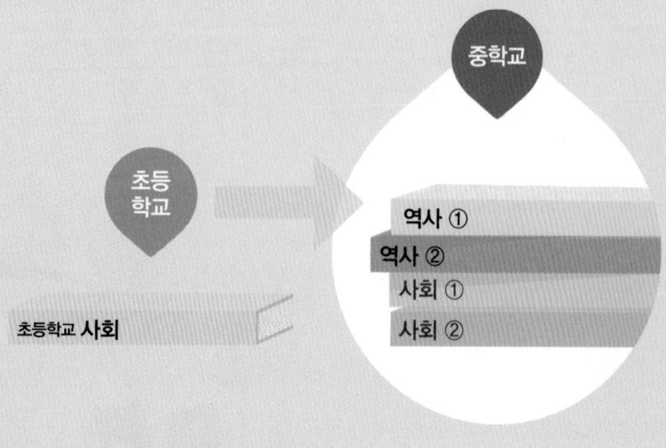

초등학교 → 중학교

초등학교 **사회**

중학교
- 역사 ①
- 역사 ②
- 사회 ①
- 사회 ②

2 초등학교 사회 교과서에서는 한국사를 다루지 않았나요?

초등학교 사회 교과는 한국사(역사), 일반 사회, 지리 등의 영역이 통합적으로 구성되어 있습니다. 3학년 교과서에는 1개 단원으로 선사 시대의 생활 모습을 다루고, 5학년에서는 1학기 동안 한국사의 내용을 압축적으로 가르치고 있습니다. 하지만 두 권으로 이루어진 중학교 역사 교과서에는 초등학교에서 접하지 못했던 새로운 내용과 낯선 용어, 어려운 자료가 등장한답니다.

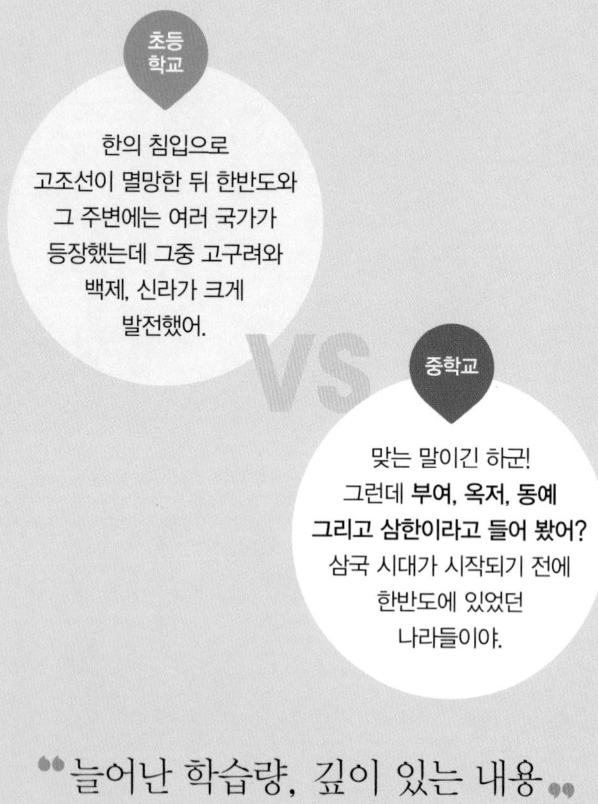

초등학교

한의 침입으로 고조선이 멸망한 뒤 한반도와 그 주변에는 여러 국가가 등장했는데 그중 고구려와 백제, 신라가 크게 발전했어.

VS

중학교

맞는 말이긴 하군! 그런데 **부여, 옥저, 동예** 그리고 **삼한**이라고 들어 봤어? 삼국 시대가 시작되기 전에 한반도에 있었던 나라들이야.

" 늘어난 학습량, 깊이 있는 내용 "

3 한국사를 제대로 공부하려면 무엇을 해야 하나요?

한국사는 한반도에 살았던 사람들이 남긴 자취를 바탕으로 이루어진 이야기입니다.

먼저 시대의 흐름에 따라 한국사의 기본 개념을 익히는 것이 꼭 필요합니다. 그리고 시대마다 중요한 역사적 사건을 살펴보며 사건이 일어난 원인과 결과를 정리하는 연습을 해봅시다. 또한 지도와 유물, 유적의 모습 등 다양한 자료에서 이야기하는 것이 무엇인지를 파악해야 합니다. 물론 그 속에서 여러분들이 한국사에 대한 흥미를 갖고 낯선 한국사의 용어와 친해지려는 노력도 필요하답니다.

4 왜 초고필 한국사를 지금 시작해야 할까요?

'초고필, 지금 한국사를 해야 할 때'는 초등학교 사회의 부족한 부분을 채워 여러분들에게 중학교 한국사에 대한 자신감을 키워주고자 만들어졌습니다. 기존 초등학교 개념을 바탕으로 중학교 개념을 쉽고 효과적으로 학습할 수 있도록 엄선된 지문과 문제들을 준비했습니다. 또한 낯선 한국사 내용은 여러분들의 눈높이에 맞춰 쉽게 서술하고, 생소한 자료는 혼자서도 쉽게 학습할 수 있도록 QR코드를 활용한 맞춤 동영상 강의와 함께 공부할 수 있습니다.

자칫 중학교에서 한국사와의 첫 만남이 어렵게 느껴지기 전에 이제 제대로 된 한국사 학습을 시작해 보세요.

❝한국사 학습, 기본 개념부터 차근차근!❞

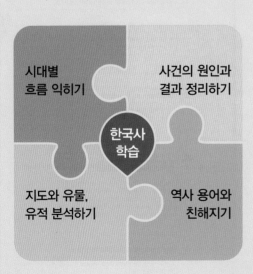

시대별 흐름 익히기

사건의 원인과 결과 정리하기

한국사 학습

지도와 유물, 유적 분석하기

역사 용어와 친해지기

중학교 한국사

초고필 지금, 한국사를 해야 할 때

초등학교 사회

❶ 학습 눈높이를 맞춘 친절한 한국사 개념 설명

❷ QR 동영상 강의로 해결하는 한국사 자료 분석

❝한국사 자신감이 쑥쑥!❞

이 책은 이렇게 **활용**하세요!

도입

❶ 만화로 만나 보는 한국사
내가 만화의 주인공이 되어 함께 한국사 여행을 떠나 보세요. 시작부터 흥미로운 한국사 학습을 할 수 있어요.

❷ 흐름 잡는 한국사 연표
단원에서 배울 중요한 역사적 사건을 연표로 확인하고, 한국사 흐름을 미리 살펴보세요.

 QR코드를 찍어보세요. 지도부터 도표까지 한국사에 자주 등장하는 자료를 친절한 강의와 함께 학습할 수 있어요.

한국사 학습

❸ 한국사 읽기
여러분들의 눈높이에 맞춘 한국사 개념을 바탕으로 중학교 한국사 흐름을 완성해 보세요.

❹ 한국사 확인 문제
다양한 유형과 중학교 수준의 문제까지 풀어 보며 날마다 배운 한국사 개념을 제대로 이해했는지 확인해 보세요.

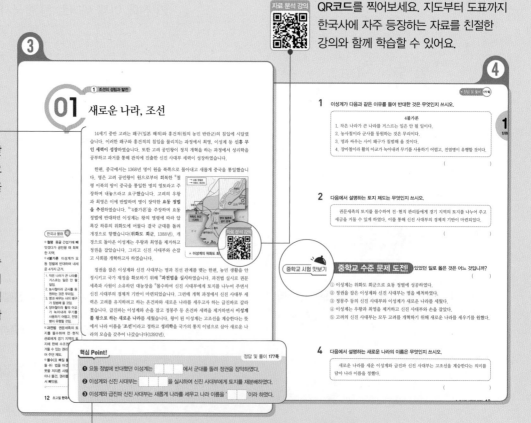

오늘 배운 한국사 개념을 다시 한번 정리해 볼 수 있어요.

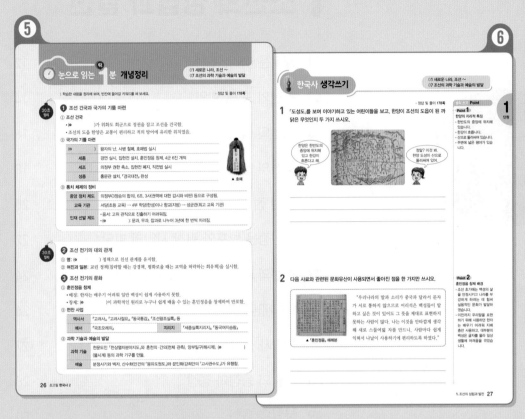

정리 / 탐구

❺ 1분 개념정리

여러분들의 시간을 절약
하려고 준비했어요.
딱 1분 만에 한국사 개념
정리 끝!

❻ 한국사 생각쓰기

긴 문장도 술술, 한국사 개
념을 제대로 익혔다면 다
양한 한국사 생각쓰기 문
제에 도전해 여러분의 생
각을 정리해 보세요.

한국사능력검정시험 대비 **부록**

10일 완성 워크북

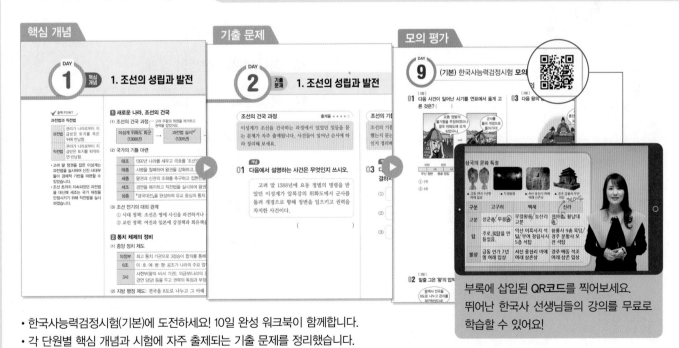

- 한국사능력검정시험(기본)에 도전하세요! 10일 완성 워크북이 함께합니다.
- 각 단원별 핵심 개념과 시험에 자주 출제되는 기출 문제를 정리했습니다.
- 모의 평가를 통해 시험에 도전하는 여러분의 실력을 최종 점검할 수 있습니다.

부록에 삽입된 QR코드를 찍어보세요.
뛰어난 한국사 선생님들의 강의를 무료로
학습할 수 있어요!

차례

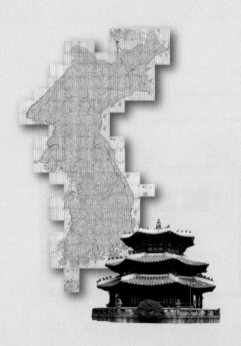

1 조선의 성립과 발전

2 조선 사회의 변동

3 근대 국가 수립 노력과 국권 수호 운동

차례

4 민족 운동의 전개와 대한민국의 발전

1

조선의 성립과 발전

{ 중학교에서는
조선의 성립 이후부터 임진왜란과 병자호란까지
문물제도의 정비를 통한 정치와 문화의
발전 과정을 자세히 배우게 됩니다.

1 조선의 성립과 발전

고려 말 혼란스러운 상황에서 고려를 개혁하고자 한 세력들이 새로운 나라 조선을 건국하였어요. 조선의 건국 과정과 조선 초기 왕들이 나라의 기틀을 다지기 위해 한 노력에 대해 알아봐요.

≫ 조선 초기에는 어떤 제도가 시행되었을까?

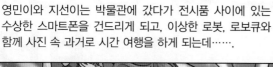

영민이와 지선이는 박물관에 갔다가 전시품 사이에 있는 수상한 스마트폰을 건드리게 되고, 이상한 로봇, 로보큐와 함께 사진 속 과거로 시간 여행을 하게 되는데…….

대체 어떤 사진을 본 거야?

로보큐, 빨리 나가!

영민이 네가 먼저 나가!

이건 조선 시대 신분 증명패인 호패 아니야?

박물관에 전시되어 있는 걸 분명히 봤는데…….

조선을 건국한 이성계의 뒤를 이어 왕이 된 태종은 호패법을 실시했어.

호패법?

인구를 파악하고 세금을 거두어 국가 재정을 안정시키기 위해서 실시한 거야.

거기! 옷과 머리 모양이 그게 뭐요?

수상한데, 호패 좀 보여 주시오.

호, 호패요?

우린 그런 게 없는데…….

그럼 같이 관아로 갑시다!

그건 안 돼요!

거기 서라!

빨리 도망가자!

1388년
위화도 회군

1392년
조선 건국

1443년
훈민정음 창제

1592년
임진왜란

1636년
병자호란

1
단원

헉헉~ 겨우 따돌렸다~

급하게 도망치느라 아무 사진이나 눌러 버렸어.

빨리 뛰었더니 힘이 다 빠졌어.

우리 일단 좀 쉬었다 가자~

근데 어디서 맛있는 냄새 나지 않아?

저기 국밥이 있어. 맛있겠다.

로봇도 국밥을 먹을 수 있어?

에휴~ 이번에는 청나라 놈들이 쳐들어 왔다지요?

지난번에는 왜구들이 쳐들어오더니만. 쯧쯧.

왜구들이라면 임진왜란을 겪은 후인가?

아직 조선 시대인가 보네.

지금은 병자호란을 겪고 있나 봐.

청이 조선에 군신 관계를 요구했지만 조선이 끝내 거절하자 청이 조선을 공격한 일이지?

조선이 이겼어?

당시 왕인 인조가 남한산성에서 끝까지 맞서 싸웠지만, 결국 삼전도에서 굴욕적인 항복을 하고 말았어.

헉, 그럴 수가.

이곳은 위험하니 이제 돌아가자. 내가 사진을 고를게.

급해서 실수한 거라니까!

로봇은 영 못 믿겠단 말이지.

이 사진이 틀림없어.

야호! 이제 집으로 간다!

그 사진은 박물관 사진이 아닌 거 같은데……

01 새로운 나라, 조선

14세기 중반 고려는 왜구(일본 해적)와 홍건적(원의 농민 반란군)의 침입에 시달렸습니다. 이러한 왜구와 홍건적의 침입을 물리치는 과정에서 최영, 이성계 등 **신흥 무인 세력이 성장**하였습니다. 또한 고려 공민왕이 정치 개혁을 하는 과정에서 성리학을 공부하고 과거를 통해 관직에 진출한 신진 사대부 세력이 성장하였습니다.

한편, 중국에서는 1368년 명이 원을 북쪽으로 몰아내고 새롭게 중국을 통일했습니다. 명은 고려 공민왕이 원으로부터 회복한 ●철령 이북의 땅이 명의 영토라고 주장하며 내놓으라고 요구했습니다. 고려의 우왕과 최영은 이에 반발하며 명이 장악한 **요동 정벌을 추진**하였습니다. ●'4불가론'을 주장하며 요동 정벌에 반대하던 이성계는 왕의 명령으로 압록강 하류의 위화도에 머물다 결국 군대를 돌려 개경으로 향했습니다(**위화도 회군**, 1388년). 개경으로 돌아온 이성계는 우왕과 최영을 제거하고 정권을 잡았으며, 신진 사대부와 손잡고 사회를 개혁하고자 하였습니다.

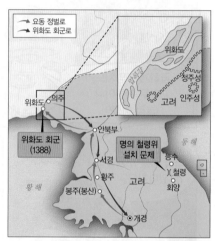

▲ 이성계의 위화도 회군 과정

정권을 잡은 이성계와 신진 사대부는 명과 친선 관계를 맺는 한편, 농민 생활을 안정시키고 국가 재정을 확보하기 위해 ●**과전법을 실시**하였습니다. 과전법 실시로 권문세족과 사원이 소유하던 대농장을 ●몰수하여 신진 사대부에게 토지를 나누어 주면서 신진 사대부의 경제적 기반이 마련되었습니다. 그런데 개혁 과정에서 신진 사대부 세력은 고려를 유지하려고 하는 온건파와 새로운 나라를 세우고자 하는 급진파로 갈라졌습니다. 급진파는 이성계와 손을 잡고 정몽주 등 온건파 세력을 제거하면서 **이성계를 왕으로 하는 새로운 나라**를 세웠습니다. 왕이 된 이성계는 고조선을 계승한다는 뜻에서 나라 이름을 '**조선**'이라고 정하고 **성리학**을 국가의 통치 이념으로 삼아 새로운 나라의 모습을 갖추어 나갔습니다(1392년).

한국사 용어 퀵!

● **철령** 몽골 간섭기에 빼앗겼다가 공민왕 때 회복한 지역.

● **4불가론** 이성계가 요동 정벌에 반대하며 내세운 4가지 근거.

1. 작은 나라가 큰 나라를 거스르는 일은 안 될 일임.
2. 농사철이라 군사를 동원하는 것은 무리임.
3. 명과 싸우는 사이 왜구가 침범해 올 것임.
4. 장마철이라 활의 아교가 녹아내려 무기를 사용하기 어렵고, 전염병이 유행할 것임.

● **과전법** 권문세족의 토지를 몰수하여 전·현직 관료에게 경기 지역의 토지에 한해 수조권(세금을 거둘 수 있는 권리)을 나누어 주던 제도.

● **몰수**(沒 빠질 몰, 收 거둘 수) 법을 어겼거나 잘못을 저지른 사람의 재산이나 물건, 권리를 나라에서 빼앗음.

핵심 Point!

정답 및 풀이 **177쪽**

❶ 요동 정벌에 반대했던 이성계는 [   ][   ][   ]에서 군대를 돌려 정권을 장악하였다.

❷ 이성계와 신진 사대부는 [   ][   ][   ]을 실시하여 신진 사대부에게 토지를 재분배하였다.

❸ 이성계와 급진파 신진 사대부는 새롭게 나라를 세우고 나라 이름을 '[   ][   ]'이라 하였다.

1 이성계가 다음과 같은 이유를 들어 반대한 것은 무엇인지 쓰시오.

> **4불가론**
> 1. 작은 나라가 큰 나라를 거스르는 일은 안 될 일이다.
> 2. 농사철이라 군사를 동원하는 것은 무리이다.
> 3. 명과 싸우는 사이 왜구가 침범해 올 것이다.
> 4. 장마철이라 활의 아교가 녹아내려 무기를 사용하기 어렵고, 전염병이 유행할 것이다.

(   )

2 다음에서 설명하는 토지 제도는 무엇인지 쓰시오.

> 권문세족의 토지를 몰수하여 전·현직 관리들에게 경기 지역의 토지를 나누어 주고 세금을 거둘 수 있게 하였다. 이를 통해 신진 사대부의 경제적 기반이 마련되었다.

(   )

중학교 시험 맛보기

3 이성계가 새로운 나라를 건국하는 과정에서 있었던 일로 옳은 것은 어느 것입니까?

(   )

① 이성계는 위화도 회군으로 요동 정벌에 성공하였다.
② 정권을 잡은 이성계와 신진 사대부는 명을 배척하였다.
③ 정몽주 등의 신진 사대부와 이성계가 새로운 나라를 세웠다.
④ 이성계는 우왕과 최영을 제거하고 신진 사대부와 손을 잡았다.
⑤ 고려의 신진 사대부는 모두 고려를 개혁하기 위해 새로운 나라를 세우기를 원했다.

4 다음에서 설명하는 새로운 나라의 이름은 무엇인지 쓰시오.

> 새로운 나라를 세운 이성계와 급진파 신진 사대부는 고조선을 계승한다는 의미를 담아 나라 이름을 정했다.

(   )

02 조선의 도읍, 한양

왕위에 오른 이성계는 **한양**을 새로운 나라의 *도읍으로 정하였습니다. 한양은 한반도의 중앙에 위치하고 한강이 흐르고 있어 **육상과 해상 교통이 편리**했으며, 산으로 둘러 싸여 있어 **방어에도 유리**했습니다. 또한 산과 강의 모양이 좋아 *풍수지리적으로 봐도 *명당이라 할 수 있었습니다. 실제로 한강 유역은 일찍이 삼국 시대부터 고구려, 백제, 신라가 저마다 차지하여 나라를 발전시키고자 하였고, 고려 시대 때도 몇 차례 수도로 정하자는 논의가 이루어졌을 정도로 장점이 많은 곳이었습니다.

이성계는 한양에 도성을 건설할 책임자로 정도전을 임명했습니다. 정도전은 이성계를 도와 조선을 건국하는 데 큰 역할을 했던 신진 사대부 세력으로 건국 초기 조선의 여러 제도와 문물을 정비하는 데 공이 컸습니다. 그는 대표적인 성리학자 중 한 명으로 그에 의해 건설된 한양의 궁궐과 건축물에는 **유교 이념**이 잘 나타나 있습니다.

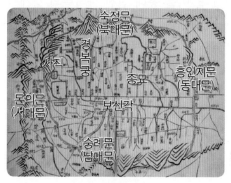

▲「도성도」

한양의 중심지에 경복궁을 짓고 **궁궐의 좌우에는** *종묘와 사직을 지었습니다. 유교 이념에서는 왕실의 번영을 위해 조상을 잘 모시고, 농사일을 보살펴 백성을 배부르게 하는 것이 중요시되었기 때문입니다. 또한 유교 사상의 주요 덕목인 '인, 의, 예, 지'에 따라 동쪽의 흥인지문, 서쪽의 돈의문, 남쪽의 숭례문, 북쪽의 숙정문 등 4개의 대문을 도성에 만들었습니다. 한양에는 관료, 수공업자, 상인, 주민들이 모여 살았으며, 무당이나 승려들은 한양 안에서 살 수 없었습니다. 또한 한양 밖 10*리 정도는 함부로 나무를 베거나 땔나무를 하지 못하도록 했습니다.

이렇게 건설된 도읍 한양은 조선 2대 왕인 정종 때 개경으로 도읍을 옮기며 잠시 수도의 역할을 잃었지만, 조선 3대 왕인 태종 때 다시 한양으로 돌아와 이후 약 500년 동안 10만의 인구가 사는 **조선 왕조의 중심지**가 되었습니다.

핵심 Point!

정답 및 풀이 **177쪽**

❶ 이성계는 [ ][ ]을 조선의 새로운 도읍으로 정했다.

❷ 한양은 [ ][ ] 이념이 충실히 반영되어 건설되었다.

❸ 정도전은 한양의 중심지에 경복궁을 짓고 궁궐의 좌우에 [ ][ ]와 [ ][ ]을 지었다.

1 조선 건국 후 새로운 도읍으로 결정된 곳은 어디인지 쓰시오.

( )

중학교 시험 맛보기

2 다음 보기 에서 한양이 가지고 있는 도읍으로서의 장점을 모두 골라 기호를 쓰시오.

보기

ㄱ 한반도의 중앙에 위치해 있다.
ㄴ 육상 교통과 해상 교통이 편리했다.
ㄷ 주변에 산이 없어 적을 공격하기에 유리했다.
ㄹ 산과 강의 모양이 좋아 풍수지리적으로 명당이었다.

( )

3 한양 도성의 건설에 대한 설명으로 옳은 것은 어느 것입니까? ( )

① 불교 사상이 충실히 반영되어 건설되었다.
② 도성에는 무당이나 승려도 함께 거주하였다.
③ 도성의 대문이 동쪽과 서쪽에 하나씩 두 개가 있다.
④ 수도 건설의 책임자로 성리학자인 정도전이 임명되었다.
⑤ 농사를 관장하는 땅과 곡식의 신을 모시는 종묘를 세웠다.

4 다음에서 설명하는 곳은 어디인지 쓰시오.

정도전이 한양을 건설하면서 경복궁의 왼쪽에 지은 것으로 역대 왕과 왕비의 위패를 모시던 사당을 말한다.

( )

03 조선의 국가 기틀 확립

새롭게 나라를 세운 태조 이성계는 정도전 등 °소수의 공신들과 정치를 이끌어 나갔습니다. 이에 불만을 품은 태조의 다섯째 아들 이방원(태종)은 정도전과 세자 등을 제거하고(°왕자의 난) 권력을 잡은 뒤 왕위에 올랐습니다. 태종은 여러 공신과 왕족들이 거느렸던 °사병을 없애고 군사권을 장악하여 왕권을 강화하였습니다. 또한 °호패법을 실시하여 인구를 파악하고 세금을 거둬 국가 재정을 안정시키고자 하였습니다. 태종

▲ 호패

이름 / 출생 연도 / 과거 합격 연도 / 과거 종류

의 뒤를 이은 세종은 °집현전을 설치하여 학문의 발전에 힘썼고, 신하들과 함께 정책에 대해 토론하고 학문을 논하는 경연을 자주 열었습니다. 또한 황희, 맹사성과 같은 유능한 정승들을 등용하여 왕권과 °신권의 조화를 이루고자 하였습니다.

어린 단종을 몰아내고 왕위에 오른 세조는 왕 중심의 정책을 펼쳤습니다. 먼저 집현전과 경연을 폐지하고 조선 최고의 행정 기관인 의정부의 권한을 축소하였습니다. 또한 현직 관리에게만 °수조권을 주는 °직전법을 실시하여 국가 재정을 안정시키고, 군사 제도를 정비하여 국방을 강화하였습니다. 성종은 집현전을 계승한 홍문관을 설치하고 다시 경연을 열었습니다. 또, 세조 때부터 편찬되기 시작했던 『경국대전』을 완성하여 유교 중심의 통치 체제를 마련하였습니다. 『경국대전』은 국가 운영의 원칙을 담은 조선의 기본 법전입니다.

한국사 용어

●소수(小 적을 소, 數 셀 수) 적은 숫자.
예문 우리 반에서 소수의 친구들만이 내 편이 되어 주었어요.
●왕자의 난 조선 초 왕위 계승권을 둘러싸고 태조 이성계의 아들들 사이에서 일어난 두 차례의 난.
●사병(私 사사로울 사, 兵 병사 병) 개인이 거느린 군사.
●호패 조선 시대에 16세 이상의 모든 남자에게 발급한 신분 증명패.
●집현전 조선 세종 때 궁중에 설치한 학문 연구 기관.
●신권 신하의 권리.
●수조권 세금을 거둘 수 있는 권리.
●직전법 전·현직 관리에게 수조권을 준 과전법을 개혁하여 현직 관리에게만 수조권을 준 제도.

『경국대전』의 내용 중 일부

호전

땅을 사고팔면 100일 이내에 관청에 보고한다.

예전

남자는 15세, 여자는 14세가 되어야 혼인할 수 있다.

형전

반란죄를 제외하고는 자식이 부모의 죄를 고발할 경우 자식을 처벌한다.

핵심 Point!

정답 및 풀이 177쪽

❶ 태종은 □□□을 실시하여 인구를 파악하고 세금을 거두었다.

❷ □□은 경연을 자주 열고 황희나 맹사성 같은 유능한 정승을 등용하였다.

❸ 성종은 『□□□□』을 완성하여 유교 중심의 통치 체제를 마련하였다.

1 태종이 인구를 파악하기 위해 16세 이상의 모든 남자에게 발급한 오른쪽과 같은 신분 증명패를 무엇이라고 하는지 쓰시오.

( )

2 다음 ㉠과 ㉡에 들어갈 알맞은 말을 각각 쓰시오.

> 세종은 학문 발전에 힘쓰기 위해 (㉠)을(를) 설치하였고, 신하들과 함께 정책에 대해 토론하는 (㉡)을(를) 자주 열었다.

㉠ ( ), ㉡ ( )

중학교 시험 맛보기

3 세조가 실시한 직전법의 내용으로 알맞은 것은 어느 것입니까? ( )

① 현직 관리에게만 토지를 소유할 수 있는 땅 문서를 지급한다.
② 현직 관리에게만 토지에서 세금을 거둘 수 있는 권리를 준다.
③ 전직 관리에게만 토지에서 세금을 거둘 수 있는 권리를 준다.
④ 전·현직 관리 모두에게 토지에서 세금을 거둘 수 있는 권리를 준다.
⑤ 관리들이 가지고 있던 토지에서 세금을 거둘 수 있는 권리를 없앤다.

4 『경국대전』에 대한 설명이 옳으면 ○표, 틀리면 ×표를 하시오.

(1) 태조 때부터 편찬되어 세종 때 완성하였다. ( )
(2) 국가 운영의 원칙을 담은 조선의 기본 법전이다. ( )
(3) 땅을 사고팔면 10일 이내에 관청에 보고해야 한다는 내용이 있다. ( )

① 조선의 성립과 발전

04 조선의 통치 체제 정비

조선의 중앙 정치 제도는 왕 아래로 **의정부와 6조** 중심이었으며, 의정부는 *3정승이 *합의를 통해 나랏일을 처리하는 최고 통치 기구였습니다. 6조는 이조, 호조, 예조, 병조, 형조, 공조로 구성되어 있었으며, 의정부에서 결정된 여러 사항을 실질적으로 맡아 일하는 곳이었습니다. 또한 조선에는 **권력에 대한 감시와 비판을 위한 기구로 3사**가 있었습니다. 3사는 사헌부, 사간원, 홍문관으로 사헌부는 관

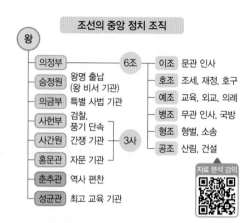

리를 *감찰하고 정책을 감시·비판하였습니다. 사간원은 왕의 옳지 못한 행동이나 잘못 등에 대해 비판하고 비로잡는 일을 하였고, 홍문관은 여러 문서를 관리하고 경연을 준비하며 왕의 *자문 역할을 하였습니다. 3사는 조선 시대 *언론 역할을 하며 국왕과 관료의 권력 독점을 막았습니다. 한편, 조선은 지방을 다스리기 위해 전국을 8도로 나누고 그 아래 부·목·군·현을 두었으며, 각 도에 관찰사를 파견하였습니다.

조선은 **초등 교육 기관으로 서당**이 있었으며, 서당은 대체로 마을마다 설치되어 기본적인 유학 공부를 할 수 있었습니다. 한성에 설치된 4부 학당이나 지방에 설치된 향교는 전문적인 유교 교육 기관이었으며, 더 높은 수준의 유학을 공부하기 위해서는 **최고 교육 기관인** *성균관에 입학해야 했습니다.

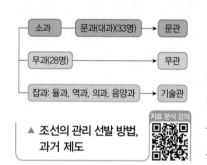

▲ 조선의 관리 선발 방법, 과거 제도

조선의 관리 선발 방법으로 **가장 중요한 것은 과거**였습니다. *음서제도 있었으나 개인의 능력이 중시되면서 음서 출신은 고위 관직으로 진출하기 어려웠습니다. 과거는 문관을 뽑는 문과, 무관을 뽑는 무과, 기술관을 뽑는 잡과로 나뉘었으며, 이 중 문과가 가장 중시되었습니다. 과거는 양인 이상이면 누구나 응시할 수 있었고, 보통 3년에 한 번씩 치러졌습니다.

한국사 용어 퀵!

● **3정승** 의정부에서 국가 중요 정책을 결정하는 영의정, 좌의정, 우의정.
● **합의**(合 합할 합, 意 뜻 의) 서로 의견이 일치함.
[예문] 상대팀과 **합의**하여 시합 날짜를 결정했어요.
● **감찰** 감시하고 감독함.
● **자문** 어떤 일을 잘 처리하려고 그 방면의 전문가에게 의견을 물음.
● **언론** 어떤 사실을 밝혀 알리거나 어떤 문제에 대하여 여론을 만드는 활동.
● **성균관** 조선 시대에 인재 양성을 위하여 서울에 설치한 국립대학 격의 유학 교육 기관.
● **음서제** 과거 시험을 치르지 않고 상류층 자손을 특별히 관리로 뽑는 제도.

핵심 Point!

정답 및 풀이 **177쪽**

❶ ⬜⬜⬜에서는 3정승이 합의를 통해 나랏일을 처리했다.

❷ 조선 시대 최고 교육 기관은 한양에 설치한 ⬜⬜⬜이다.

❸ 조선 시대에는 능력을 중시하여 주로 ⬜⬜를 통해 관리를 선발하였다.

1 조선 시대에 영의정, 좌의정, 우의정이 합의를 통해 나랏일을 처리한 조선 최고 통치 기구를 무엇이라고 하는지 쓰시오.

( )

2 조선 시대 3사 중 다음과 같은 일을 한 기구는 무엇인지 각각 쓰시오.

(1)

전하, 좌의정이 비리를 저질렀습니다. 탄핵하시옵소서.

( )

(2)

전하, 그것은 아니되옵니다.

( )

3 다음에서 설명하는 것은 무엇인지 쓰시오.

> 조선의 초등 교육 기관으로 대체로 마을마다 설치되어 기본적인 유학 공부를 할 수 있었다.

( )

4 조선의 과거 제도에 대한 설명으로 옳은 것은 어느 것입니까? ( )

① 잡과는 무관을 뽑는 시험이다.

② 조선 시대에 음서제는 없었다.

③ 과거는 보통 1년에 한 번씩 치러졌다.

④ 과거에서 가장 중시된 것은 문과이다.

⑤ 조선 시대 과거에는 문과, 무과, 승과, 잡과가 있었다.

05 조선 전기의 대외 관계

조선은 건국 초기에는 **사대교린의 원칙**에 따라 이웃 나라들과 교류하였습니다. 사대 외교는 **조공과 책봉**의 형식으로 이루어졌습니다. 교린 외교는 평소 자유로운 교류를 허용하며 좋은 관계를 유지하는 모습이었지만, 군사를 동원해 무력을 사용하는 강경책이 사용되기도 하였습니다.

조선은 **명에 대해 사대 외교 정책**을 펼쳤습니다. 태조 때 요동 정벌을 준비하며 한때 명과 갈등을 빚기도 하였으나 태종 이후 명과 친선 관계를 유지하였습니다. 조선은 명에 정기적으로 외교 사신을 파견하였으며 수시로 외교 사절을 보내기도 했습니다. 이를 통해 조선은 정치를 안정시키고 명으로부터 여러 선진 문물을 받아들일 수 있었습니다.

▲ 조선 초기의 대외 관계(사대 교린 원칙)

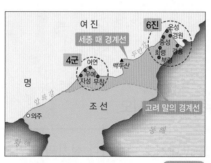

▲ 세종 때 여진족을 몰아내고 개척한 4군 6진

조선은 북쪽의 국경 지방을 안정시키기 위해 **여진에 교린 정책**을 펼쳤습니다. 국경 지방에 무역소를 설치하여 여진에게 교역을 허용하였으며 여진족에게 관직과 토지를 주어 조선으로의 **귀순**을 장려하였습니다. 그러나 여진이 국경을 침입하면 군대를 동원해 이들을 무력으로 쫓아내기도 하였습니다. 세종 때에는 압록강과 두만강 부근의 여진족을 몰아내고 **4군 6진을 개척**하였으며, 남부 지방의 백성을 이곳으로 이주시켰습니다.

조선은 **일본에 대해서도 교린 정책**을 펼쳤습니다. 세종 때 왜구의 침략으로 백성들이 고통받자 무신 이종무로 하여금 왜구의 근거지인 **쓰시마섬을 토벌**하게 하였습니다. 이후 왜구의 침략이 줄어들고 일본 측이 다시 교류를 요청하자 조선에서는 남해안 지역의 세 항구(**3포**)를 열어 제한적으로 무역을 허락하였습니다.

핵심 Point!

정답 및 풀이 **177쪽**

❶ 조선은 건국 초기에는 ☐☐☐☐의 원칙에 따라 주변국들과 교류하였다.

❷ 세종 때 압록강과 두만강 지역의 여진족을 몰아내고 ☐☐☐☐을 개척하였다.

❸ 세종은 이종무로 하여금 왜구의 근거지인 ☐☐☐☐을 토벌하게 하였다.

1 조선이 이웃 나라에 펼친 외교 정책으로, 큰 나라를 받들어 섬기고 이웃 나라와는 친하게 지내는 정책을 무엇이라고 하는지 쓰시오.

( )

2 다음 지도에서 조선이 사대 외교 정책을 펼친 나라를 찾아 쓰시오.

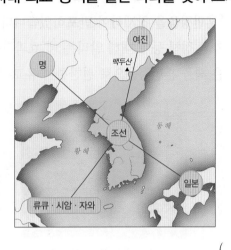

( )

중학교 시험 맛보기

3 조선이 여진에 대해 펼친 외교 정책에 대한 설명으로 옳은 것은 어느 것입니까?

( )

① 조선은 여진에 정기적으로 조공을 하였다.
② 조선은 여진과의 교역을 허용하지 않았다.
③ 조선은 3포를 열어 여진과 제한적 무역을 허용했다.
④ 조선은 여진이 국경을 침입하면 군대를 동원해 토벌하였다.
⑤ 조선은 세종 때에 여진족을 4군 6진 지역으로 이주해 살게 했다.

4 다음 ( ) 안에 들어갈 알맞은 섬을 쓰시오.

세종 때까지 왜구의 침략이 끊이지 않자, 조선 정부는 무신 이종무가 지휘하는 대규모 군대를 ( )에 보내 왜구를 토벌하도록 하였다. 조선군은 왜구 세력을 무찌르고 이들에게 항복을 받아냈으며 이후 왜구의 조선 침략이 점차 진정되었다.

( )

06 훈민정음 반포와 편찬 사업의 발달

조선 시대 이전까지는 우리말을 표현하기 위해 한자를 사용하였습니다. 한자는 배우기 어려워 지배층만 사용하였고, 대부분의 백성은 글자를 몰라 어려움을 겪었습니다. 이에 세종은 모든 말을 소리대로 쓸 수 있고 누구나 쉽게 배울 수 있는 ●훈민정음을 창제하여 반포하였습니다(1446년). 훈민정음은 한자를 모르는 백성에게 국가의 정책 등에 대해 알리는 데 효과적이었습니다. 또한 조선 왕조는 『삼강행실도』와 같은 책을 훈민정음으로 편찬하여 유교적 윤리 사상을 보급하는 데에도 이용하였습니다.

"우리나라의 말과 소리가 중국과 달라서 문자가 서로 통하지 않으므로 어리석은 백성들이 말하고 싶은 것이 있어도 그 뜻을 제대로 표현하지 못하는 사람이 많다. 나는 이것을 안타깝게 생각해 새로 스물여덟 자를 만드니, 사람마다 쉽게 익혀서 나날이 사용하기에 편리하도록 하였다."

▲ 『훈민정음』 해례본

조선은 건국 초부터 조선 건국의 정당성을 내세우기 위해 **역사서의 편찬을 중시**했습니다. 고려의 역사를 정리해 『고려사』와 『고려사절요』를 편찬하였고, 고조선부터 고려 말까지의 역사를 정리한 『동국통감』을 편찬하였습니다. 또한 새 왕이 즉위하면 이전 왕의 통치 기록을 정리하여 **『조선왕조실록』**을 편찬하였습니다.

조선은 유교적 질서 확립을 위해 제사, 혼례, 군사, 장례, 사신 접대 등 국가 행사에 필요한 다섯 가지 ●의례를 정리하여 **『국조오례의』**를 편찬하였습니다. 또한 국방을 강화하고 나라를 다스리는 데 필요한 지리 정보를 얻기 위해 『세종실록지리지』와 『동국여지승람』 등의 지리지, 전국 지도인 「팔도도」와 세계 지도인 「혼일강리역대국도지도」 등을 만들었습니다.

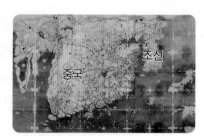

▲ 「혼일강리역대국도지도」 우리나라 최초의 세계 지도임.

한국사 용어 퀵!

● **훈민정음** 백성을 가르치는 바른 소리라는 뜻으로, 1443년에 세종이 창제한 우리나라 글자를 이르는 말.

● **『삼강행실도』** 유교 윤리를 보급하기 위해 충신, 효자, 열녀의 이야기를 담아 그림과 한글, 한자로 적어 편찬한 책.

● **훈민정음 해례본** 한글을 만든 이유와 한글의 자음과 모음을 만든 원리 등을 상세하게 설명한 글.

● **의례(儀** 거동 **의, 禮** 예도 **례)** 행사를 치르는 일정한 법식. 또는 정하여진 방식에 따라 치르는 행사

예문 오늘날에는 편의성을 중시하게 되면서 **의례**가 간단해지고 있어요.

핵심 Point!

정답 및 풀이 **178쪽**

❶ 세종은 모든 말을 소리대로 쓸 수 있는 ☐☐☐☐을 창제하여 반포하였다.

❷ 조선은 새 왕이 즉위하면 이전 왕의 통치 기록을 정리하여 『☐☐☐☐☐☐』을 편찬하였다.

❸ 조선은 국가 행사에 필요한 다섯 가지 의례를 정리하여 『☐☐☐☐☐』를 편찬하였다.

• 정답 및 풀이 178쪽

1 조선 시대 세종이 만들었으며 백성을 가르치는 바른 소리라는 뜻을 가진 문자를 무엇이라고 하는지 쓰시오.

( )

2 다음 보기 에서 세종이 위 **1**번 답의 문자를 만든 까닭을 찾아 기호를 쓰시오.

보기

㉠ 지배층만 사용할 수 있는 문자가 필요했기 때문에

㉡ 높은 관리들이 우리글을 만들 것을 계속 요구했기 때문에

㉢ 우리나라에서 한자를 사용하는 것을 중국이 금지했기 때문에

㉣ 어려운 한자를 익히지 못한 백성이 글을 몰라 어려움을 겪었기 때문에

( )

중학교 시험 맛보기

3 조선 시대 편찬된 서적들에 대한 설명으로 옳은 것은 어느 것입니까? ( )

① 조선은 지리지를 편찬하지 않았다.

②『세종실록지리지』는 조선의 역사를 정리한 책이다.

③ 국가 운영의 기본 원칙을 담은 법전으로『국조오례의』가 있었다.

④ 국가 행사에 필요한 다섯 가지 의례를 정리하여『동국통감』을 편찬하였다.

⑤ 새 왕이 즉위하면 이전 왕의 통치 기록을 정리하여『조선왕조실록』을 편찬하였다.

4 다음에서 설명하는 지도의 이름은 무엇인지 쓰시오.

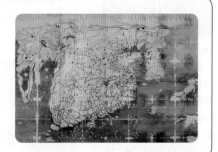

1402년에 그려진 지도로, 우리나라 최초의 세계 지도이다. 중국이 지도의 중앙에 실제보다 크게 그려져 있고, 다른 대륙은 실제보다 작게 그려져 있다.

( )

07 조선의 과학 기술과 예술의 발달

조선 초기에는 나라를 부강하게 만들고 백성들의 삶을 안정시키기 위해 **과학 기술의 발전**에 힘썼습니다. 조선은 천체의 움직임, 기후 변화 등의 천문학이 왕의 권위를 높이고 농사에 도움이 되었기 때문에 중시하였으며, 태조 때에는 『천상열차분야지도』라는 천문도를 만들었습니다. 세종 때에는 천체 관측 기구인 **혼천의와 간의**를 제작하였고, **앙부일구(해시계)와 자격루(물시계)**를 만들어 시간을 측정하였습니다. 그리고 한성을 기준으로 한 역법서인 『칠정산』을 편찬하였습니다. 당시 자기 영토를 기준으로 하는 역법을 가진 곳은 이슬람 지역과 중국, 조선뿐이었습니다.

▲ 천상열차분야지도 각석

▲ 혼천의

▲ 간의

▲ 앙부일구

▲ 자격루

조선의 지배층인 양반은 선비다운 기품을 갖추기 위해 예술에도 관심을 쏟았습니다. 이 당시 양반들은 유학을 중시하며 검소하게 생활하였는데, 이 영향으로 화려한 청자 대신 **분청사기와 백자** 등이 유행하였습니다. 회화에서는 **산수화와 문인화**가 많이 그려졌습니다. 당시 그려진 산수화 『몽유도원도』는 세종의 아들이었던 안평 대군이 꿈에서 본 무릉도원(이상 세계)의 모습을 당시 도화서 화원이었던 안견에게 시켜 그린 그림이고, 강희안이 그린 문인화 『고사관수도』는 커다란 바위에 기대어 엎드려 유유자적하게 물을 바라보고 있는 선비의 모습을 그린 작품입니다.

▲ 『몽유도원도』

한국사 용어 퀵

● 『천상열차분야지도』세계에서 가장 오래된 천문도 중 하나로, 태조 때 만들어졌으며 은하수, 적도 등이 새겨져 있음.

● **역법** 천체의 주기적 현상을 기준으로 계절을 구분하고 날짜의 순서를 정하는 방법.

● **분청사기와 백자** 분청사기는 회색 계열의 바탕흙 위에 백토를 발라 구워낸 자기이고, 백자는 하얀색의 바탕흙 위에 투명한 유약을 발라 구워 만든 자기임.

▲ 분청사기   ▲ 백자

● **문인화**(文 글월 문, 人 사람 인, 畵 그림 화) 전문적인 화가가 아닌 사대부층 사람들이 취미로 그린 그림.

● **도화서** 조선 시대 그림 그리는 일을 담당하던 관청.

핵심 Point!

정답 및 풀이 **178쪽**

❶ 태조 때에 천문도인 「⬜⬜⬜⬜⬜⬜⬜⬜」가 제작되었다.

❷ 세종 때에는 한성을 기준으로 하는 역법서인 「⬜⬜⬜」이 만들어졌다.

❸ 「⬜⬜⬜⬜⬜」는 안평 대군이 꿈에서 본 무릉도원을 안견이 그린 그림이다.

1 다음에서 설명하는 천문도를 무엇이라고 하는지 쓰시오.

> 태조 때에 만들어진 천문도로, 은하수, 적도 등이 새겨져 있으며 세계에서 가장 오래된 천문도 중 하나이다.

(   )

2 조선의 과학 기술에 대한 설명으로 옳지 <u>않은</u> 것은 어느 것입니까? (   )

① 앙부일구와 자격루를 만들어 시간을 측정하였다.

② 중국을 기준으로 한 역법서인 『칠정산』이 만들어졌다.

③ 혼천의와 간의 등 다양한 천문 관측 기구가 제작되었다.

④ 천문학은 왕의 권위를 높이고 농사에 도움을 주기 때문에 중시되었다.

⑤ 나라를 부강하게 만들고 백성들의 삶을 안정시키기 위해 과학 기술을 발전시켰다.

3 조선 시대에 유행한 다음 자기의 종류는 무엇인지 각각 쓰시오.

(1)

(   )

(2)

(   )

4 다음 작품에 대한 설명으로 옳은 것을 보기 에서 모두 골라 기호를 쓰시오.

보기

> ㉠ 작품 이름은 「고사관수도」이다.
>
> ㉡ 도화서 화원이었던 안견이 그린 그림이다.
>
> ㉢ 조선 시대에 많이 그려진 문인화 중 하나이다.
>
> ㉣ 세종의 아들이었던 안평 대군이 꿈에서 본 무릉도원의 모습이다.

(   )

눈으로 읽는 1분 ^딱 개념정리

01 새로운 나라, 조선 ~
07 조선의 과학 기술과 예술의 발달

| 학습한 내용을 정리해 보며, 빈칸에 들어갈 키워드를 써 보세요.   • 정답 및 풀이 **178쪽**

30초 정리

1 조선 건국과 국가의 기틀 마련

① 조선 건국
- (❶   )가 위화도 회군으로 정권을 잡고 조선을 건국함.
- 조선의 도읍 한양은 교통이 편리하고 적의 방어에 유리한 위치였음.

② 국가의 기틀 마련

(❷)	왕자의 난, 사병 철폐, 호패법 실시
세종	경연 실시, 집현전 설치, 훈민정음 창제, 4군 6진 개척
세조	의정부 권한 축소, 집현전 폐지, 직전법 실시
성종	홍문관 설치, 『경국대전』 완성

▲ 호패

③ 통치 체제의 정비

중앙 정치 제도	의정부(3정승의 합의), 6조, 3사(권력에 대한 감시와 비판) 등으로 구성됨.
교육 기관	서당(초등 교육) → 4부 학당(한성)이나 향교(지방) → 성균관(최고 교육 기관)
인재 선발 제도	• 음서: 고위 관직으로 진출하기 어려워짐. • (❸): 문과, 무과, 잡과로 나누어 3년에 한 번씩 치러짐.

30초 정리

2 조선 전기의 대외 관계

① 명: (❹   ) 정책으로 친선 관계를 유지함.
② 여진과 일본: 교린 정책(침략할 때는 강경책, 평화로울 때는 교역을 허락하는 회유책)을 실시함.

3 조선 전기의 문화

① 훈민정음 창제
- 배경: 한자는 배우기 어려워 일반 백성이 쉽게 사용하지 못함.
- 창제: (❺   )이 과학적인 원리로 누구나 쉽게 배울 수 있는 훈민정음을 창제하여 반포함.

② 편찬 사업

역사서	『고려사』, 『고려사절요』, 『동국통감』, 『조선왕조실록』 등		
예서	『국조오례의』	지리지	『세종실록지리지』, 『동국여지승람』

③ 과학 기술과 예술의 발달

과학 기술	천문도인 「천상열차분야지도」와 혼천의·간의(천체 관측), 앙부일구(해시계), (❻) (물시계) 등의 과학 기구를 만듦.
예술	분청사기와 백자, 산수화(안견의 「몽유도원도」)와 문인화(강희안의 「고사관수도」)가 유행함.

26 초고필 한국사 2

• 정답 및 풀이 **178쪽**

1 「도성도」를 보며 이야기하고 있는 어린이들을 보고, 한양이 조선의 도읍이 된 까닭은 무엇인지 두 가지 쓰시오.

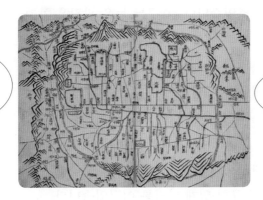

한양은 한반도의 중앙에 위치해 있고 한강이 흐른다고 해.

정말? 이것 봐. 한양 도성이 산으로 둘러싸여 있어.

생각 쓰기 **Point**

Point 1
한양의 지리적 특징
• 한반도의 중앙에 위치해 있습니다.
• 한강이 흐릅니다.
• 산으로 둘러싸여 있습니다.
• 주변에 넓은 평야가 있습니다.

_____

_____

_____

2 다음 사료와 관련된 문화유산이 사용되면서 좋아진 점을 한 가지만 쓰시오.

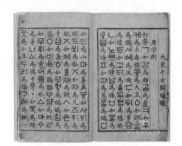
▲ 『훈민정음』 해례본

"우리나라의 말과 소리가 중국과 달라서 문자가 서로 통하지 않으므로 어리석은 백성들이 말하고 싶은 것이 있어도 그 뜻을 제대로 표현하지 못하는 사람이 많다. 나는 이것을 안타깝게 생각해 새로 스물여덟 자를 만드니, 사람마다 쉽게 익혀서 나날이 사용하기에 편리하도록 하였다."

Point 2
훈민정음 창제 배경
• 조선 초기에는 백성의 삶을 안정시키고 나라를 부강하게 하려는 데 힘써 실용적인 문화가 발달하였습니다.
• 이전까지 우리말을 표현하기 위해 사용하던 한자는 배우기 어려워 지배층만 사용하고, 대부분의 백성은 글자를 몰라 일상생활에 어려움을 겪었습니다.

_____

_____

_____

08 사림의 등장과 성장

15세기 중엽 세조가 왕이 되는 과정에서 공을 세운 이들이 **훈구 세력을 형성**하였습니다. 훈구는 높은 관직을 차지하고 토지와 노비를 늘리는 과정에서 비리와 부정을 저질렀습니다. 이에 성종은 훈구를 견제하고 왕권을 안정시키기 위해 김종직을 비롯한 **사림을 등용**하였습니다. 사림은 지방에서 성리학 연구와 교육에 힘쓴 학자들로, 주로 **3사**에 배치되어 훈구의 권력 독점과 비리를 비판하고 도덕과 의리에 바탕을 둔 **왕도 정치를 강조**하였습니다. 성종은 훈구와 사림을 조정하며 균형 있게 나라를 이끌었습니다.

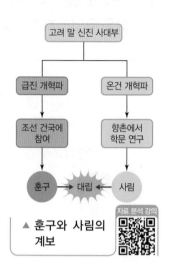

▲ 훈구와 사림의 계보

성종이 죽고 연산군이 즉위하자 훈구는 사림을 공격하였습니다. 연산군 또한 자신의 잘못된 정치를 비판하는 사림을 못마땅하게 여겼고, 이에 사림들을 탄압하는 **사화가 발생**하였습니다(무오사화, 갑자사화). 이후 폭정을 일삼던 연산군이 쫓겨나고 중종이 왕위에 오르자(중종반정, 1506년), 반정을 이끌었던 훈구는 다시 권력을 독점하고 재산을 늘려나갔습니다. 중종은 훈구를 견제하기 위해 조광조를 비롯한 사림을 등용하였습니다. 조광조는 왕에게 높은 도덕성을 요구하며 추천에 의해 인재를 등용하는 제도인 **현량과 실시**, 도교 행사를 주관하던 관청인 **소격서 폐지**, 거짓 공으로 공신이 된 사람들의 공신 자격을 취소하는 **위훈 삭제**를 주장하였습니다. 이에 훈구는 크게 반발했고 조광조의 급진적인 개혁에 부담을 느꼈던 중종이 훈구에 동조하며 또다시 사화가 발생하였습니다(기묘사화).

전하~ 왕도 정치를 행하시고, 개혁을 하시옵소서.

어휴~ 듣기 싫어!

조광조   중종

이후 명종 때 **외척** 간의 권력 싸움에 휘말려 한 번 더 사화가 발생하여 사림은 큰 피해를 입었습니다(을사사화). 그러나 사림은 꾸준히 정계에 진출하였고 선조 때에 이르러서는 **중앙 정치를 주도**하게 되었습니다.

한국사 용어

● **훈구** 대대로 나라나 군주를 위하여 드러나게 세운 공로가 있는 집안이나 신하.
● **3사** 사헌부, 사간원, 홍문관을 말하며 언론 기능을 담당함.
● **왕도 정치** 왕이 높은 도덕성을 바탕으로 신하와 협력하여 백성을 바르게 다스리는 정치.
● **사화** 사림이 훈구로부터 받은 정치적 탄압.

| 무오사화: 사림 김종직이 왕을 비판했다고 몰아 처벌함. |
| 갑자사화: 연산군의 친어머니 폐위에 찬성한 사람들을 처단함. |
| 기묘사화: 사림 조광조의 개혁에 반발하여 일어남. |
| 을사사화: 왕실 외척 사이에서 벌어진 권력 다툼임. |

● **위훈**(僞 거짓 위, 勳 공훈) 거짓 공훈.
● **외척** 어머니 쪽의 친척.

핵심 Point!

정답 및 풀이 **178쪽**

❶ 성종은 [　][　]을 등용하여 훈구를 견제하려 하였다.

❷ 사림은 주로 [　][　]에 배치되어 훈구의 권력 독점과 비리를 비판하였다.

❸ [　][　][　]는 현량과 실시, 소격서 폐지, 위훈 삭제를 주장하였다.

• 정답 및 풀이 178쪽

1 다음에서 설명하는 정치 세력은 무엇인지 쓰시오.

> 세조가 왕이 되는 과정에서 공을 세우며 형성된 정치 세력으로 높은 관직을 차지하고 많은 토지와 노비를 소유하면서 권력을 장악했다.

(   )

2 사림에 대한 설명으로 옳지 <u>않은</u> 것은 어느 것입니까? (   )

① 왕도 정치를 강조하였다.
② 왕권을 안정시키기 위해 성종이 등용하였다.
③ 지방에서 성리학과 교육에 힘쓴 학자 출신이다.
④ 훈구를 견제하기 위해 여러 차례 사화를 일으켰다.
⑤ 주로 3사에 배치되어 훈구의 권력 독점과 비리를 비판하였다.

3 다음 보기 에서 조광조가 주장한 개혁 정책으로 옳은 것을 모두 고른 것은 어느 것입니까? (   )

보기
㉠ 위훈 삭제   ㉡ 3사 폐지
㉢ 소격서 폐지   ㉣ 현량과 실시

① ㉠, ㉡   ② ㉠, ㉢   ③ ㉡, ㉣
④ ㉠, ㉢, ㉣   ⑤ ㉡, ㉢, ㉣

4 다음 보기 의 사건들을 일어난 순서대로 기호를 나열하시오.

보기
㉠ 갑자사화   ㉡ 중종반정
㉢ 을사사화   ㉣ 기묘사화

(   ) → (   ) → (   ) → (   )

09 붕당의 출현

사화를 거치면서 왕보다 신하를 중심으로 나라가 운영되었으며, 선조 때 정치의 주도 세력인 사림이 지방 양반들의 여러 의견을 모아 정책에 반영하며 정치를 이끌어 나갔습니다. 그러나 정치 개혁 과정에서 사림은 •이조 전랑의 임명 문제를 둘러싸고 갈등을 빚었습니다. 이조 전랑은 벼슬 자체는 높지 않았지만 3사의 관리와 자신의 •후임자를 추천할 수 있는 권한이 있어 매우 중요한 자리였습니다.

선조 때 이조 전랑의 후보로 김효원이 올랐는데 심의겸이 김효원은 을사사화와 관련된 명종의 외척과 친분이 있다 하여 반대하였습니다. 후에 이조 전랑 자리에 심의겸의 동생 심충겸이 후보로 오르자 김효원이 심충겸은 명종의 외척이라며 반대하였습니다. 이렇게 사림은 김효원을 따르는 '동인'과 심의겸을 따르는 '서인'으로 나뉘어 **붕당을 형성**하였습니다.

붕당은 학문적으로 비슷한 성향을 가진 사림이 모여 형성된 집단으로, 이황과 조식, 서경덕의 학문을 계승한 사람들이 동인을 이루고, 이이와 성혼의 학문을 따르는 사람들은 서인을 이루었습니다. 동인과 서인은 서로 건전한 비판과 토론을 통해 올바른 정치를 하려고 노력했습니다. 하지만 정치 주도권을 잡으려는 경쟁이 치열해지면서 붕당 사이의 대립은 점차 깊어졌습니다. 이후 동인은 **서인에 대한 입장 차이에 따라** •남인과 북인으로 나뉘었습니다. 광해군 때에는 북인이 정치를 주도했지만 서인을 중심으로 •인조반정이 일어나면서 북인은 정권에서 쫓겨났습니다. 인조반정 이후에는 **서인이 주도권을 잡고** 남인과 함께 나라를 이끌어 갔습니다.

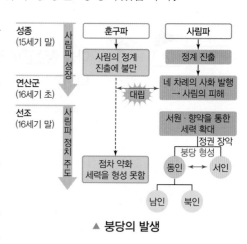
▲ 붕당의 발생

한국사 용어 퀵!

• **이조 전랑** 조선 시대 중앙 부서인 6조 중 하나인 이조의 관직.
• **후임자**(後 뒤 후, 任 맡길 임, 者 놈 자) 앞서 맡아보던 사람에 뒤이어 일을 맡아보는 사람.
[예문] 그는 자신의 **후임자**로 몇 명을 추천하였어요.
• **남인과 북인** 서인들이 동인들을 모함해서 죽인 일을 두고 서인을 강경하게 처벌하자는 쪽과 온건하게 처리하자는 쪽으로 동인이 나뉘는데 전자가 북인, 후자가 남인이 됨.
• **인조반정** 서인이 광해군을 몰아내고 인조를 왕으로 즉위시킨 정변.

핵심 Point!

정답 및 풀이 **178쪽**

❶ [____]의 임명 문제를 둘러싸고 갈등이 생기면서 붕당이 형성되었다.

❷ 이황의 학문을 계승한 사람들은 [__], 이이의 학문을 계승한 사람들은 [__]을 이뤘다.

❸ 동인은 서인에 대한 입장 차이에 따라 [__]과 북인으로 나뉘었다.

1 선조 때부터 정치의 주도 세력으로 자리 잡은 정치 세력은 누구인지 쓰시오.

(   )

2 다음의 그림을 참고하여 사림이 나뉘어 붕당을 형성하게 된 계기가 된 관직이 무엇인지 쓰시오.

(   )

중학교 시험 맛보기

3 붕당의 형성과 변화에 대한 설명으로 옳은 것은 어느 것입니까? (   )

① 인조반정으로 남인이 쫓겨났다.

② 광해군 때에는 서인이 정치를 주도했다.

③ 이황의 학문을 계승한 사람들은 서인이었다.

④ 붕당의 형성은 정치적·학문적 성향과 밀접한 연관이 있었다.

⑤ 인조반정 이후 북인이 주도가 되어 남인과 함께 나라를 이끌었다.

4 다음 ㉠ ~ ㉢에 들어갈 말이 <u>잘못</u> 짝지어진 것은 어느 것입니까? (   )

> (㉠)은 (㉡)에 대한 입장 차이에 따라 남인과 북인으로 나뉘었다. 광해군 때에는 (㉢)이 정치를 주도했지만 (㉣)을 중심으로 인조반정이 일어나면서 북인은 정권에서 쫓겨났다. 인조반정 이후에는 (㉤)이 주도가 되어 남인과 함께 나라를 이끌어 갔다.

① ㉠ – 동인   ② ㉡ – 서인   ③ ㉢ – 북인

④ ㉣ – 동인   ⑤ ㉤ – 서인

10

서원의 발달과 향약의 보급

사림이 수차례의 사화를 겪었음에도 선조 때에 정치 주도 세력으로 성장할 수 있었던 것은 **서원과 향약을 중심**으로 지방 사회인 향촌에서 영향력을 키워갔기 때문입니다.

사림은 지방 곳곳에 서원을 세워 지방의 양반 자제들을 교육하고 덕망 높은 유학자를 제사 지냈습니다. 서원은 교육이 이루어지는 강당, 제사를 지내는 사당, 학생들이 잠을 자고 밥을 먹는 동재·서재로 나뉘어져 있었습니다. 최초의 서원은 중종 때 주세붕이 세운 *백운동 서원

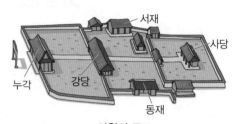

▲ 서원의 구조

인데 명종 때 이황이 건의하여 왕으로부터 '소수서원'이라는 현판과 토지, 노비, 서적 등을 하사받고 *사액 서원이 되었습니다. 이후 국가가 서원 건립을 장려하면서 전국에 많은 수의 서원이 설립되었습니다. 전국의 서원에서는 성리학이 깊이 연구되고 사람들이 의견을 나누며 학파를 형성해 **붕당의 근거지**가 되었습니다.

향촌에는 옛날부터 마을 사람들이 어려운 일을 당했을 때 서로 돕거나 농사일을 함께 하는 풍습이 있었습니다. 사림은 이런 공동체적 생활 풍습에 유교적 윤리 덕목들을 더하여 **향촌의 자치 규약인** *향약을 만들었습니다.

● **백운동 서원** 백운동은 성리학을 들여온 문신 안향의 고향으로 그 지역 군수로 부임한 주세붕이 안향을 모시는 사당을 짓고 그 옆에 학교를 세운 것에서 비롯됨.

● **사액 서원**(賜 줄 사, 額 현판 액) 국왕으로부터 서원의 이름을 쓴 현판을 하사받은 서원으로, 국가로부터 토지, 노비, 서적 등 여러 혜택을 받음.

院書修紹

▲ 소수서원의 현판

● **향약** 조선 시대 지방의 양반들이 만든 규약으로, 유교의 가르침을 바탕으로 향촌 사회의 주민들이 지켜야 할 규범을 정해 놓은 것.

향약의 4대 덕목
- 덕업상권 – 좋은 일은 서로 권한다.
- 과실상규 – 잘못을 저지르면 꾸짖는다.
- 예속상교 – 예의 바른 풍속으로 서로 교제한다.
- 환난상휼 – 어려운 일은 서로 돕는다.

중종 때 조광조가 중국의 향약을 소개했고, 이후 사림들은 향약을 향촌에 보급하려고 노력했습니다. 사림은 향약의 규정을 잘 지킨 사람에게 상을 주고, 어긴 사람에게는 벌을 주어 **성리학적 유교 윤리를 향촌에 보급**하였습니다. 그 결과 향촌 사회에서 사림의 영향력이 더욱 커졌습니다.

핵심 Point!

정답 및 풀이 **179쪽**

❶ ☐☐ 은 지방의 양반 자제들을 교육하고 덕망 높은 유학자를 제사 지내는 교육 기관이었다.

❷ 최초의 서원은 주세붕에 의해 세워진 ☐☐☐ 서원이었다.

❸ 사림은 향촌의 자치 규약인 ☐☐ 을 통해 성리학적 유교 윤리를 향촌에 보급하였다.

1 다음에서 설명하는 것은 무엇인지 쓰시오.

> 조선 시대 지방 양반의 자제들을 교육하고 덕망 높은 유학자에 대한 제사를 지내기 위해 만들어진 사립 교육 기관이다. 이곳에서 성리학이 깊이 연구되면서 사림의 학파의 형성에 영향을 미치고 붕당의 근거지가 되었다.

(   )

2 다음 서원의 구조를 보고, 해당하는 곳을 찾아 기호를 쓰시오.

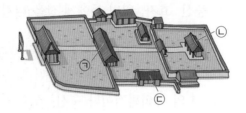

(1) 제사를 지내는 곳: (   )
(2) 교육이 이루어지는 곳: (   )
(3) 학생들이 잠을 자고 밥을 먹는 곳: (   )

3 백운동 서원에 대한 설명으로 옳은 것은 어느 것입니까? (   )

① 이황에 의해 설립되었다.
② 주세붕에 의해 사액서원이 되었다.
③ 가장 마지막으로 세워진 서원이다.
④ 왕으로부터 '소수서원'이라는 현판을 하사받았다.
⑤ 사액 서원이 되지 못해 국가의 지원을 받지 못했다.

4 다음 글자들을 조합하여 향약의 덕목 두 가지를 쓰시오.

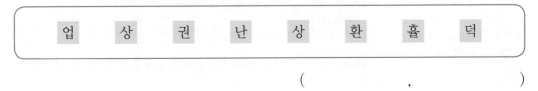

| 업 | 상 | 권 | 난 | 상 | 환 | 휼 | 덕 |

(,   )

11 성리학의 발전과 유교 윤리의 보급

조선은 나라의 **통치 이념인 성리학**을 정치뿐만 아니라 일상생활에도 ●보급하고자 노력하였습니다. 성종 때에는 왕실에서 제사, 혼례, 군사, 장례, 사신 접대 등의 국가적 행사를 유교적 예법에 따라 치르기 위해 예법과 절차 등에 그림을 곁들여 『**국조오례의**』를 편찬하였습니다. 또한 백성들에게 유교의 기본 윤리인 삼강오륜을 알리기 위해 『**삼강행실도**』를 편찬하고, 충신, 효자, 열녀 등에게 상을 내렸습니다.

사림은 어린 아이들에게 유학을 가르치기 위한 교재인 『**소학**』을 **널리 보급**하였습니다. 『소학』에는 일상생활 속의 예의범절이나 충신, 효자에 대한 이야기가 담겨 있어 이를 가르쳐 백성들이 성리학 원리에 따라 도덕과 품성을 익히고 실천할 수 있게 하였습니다. 또한 가정에서 지켜야 할 예의에 관해 쓴 책인 『**주자가례**』**를 보급**하여 가정에서 ●관혼상제 등 의례를 치를 때 유교의 예절과 법도를 익혀 실천하도록 하였습니다.

삼강오륜

삼강
임금과 신하 사이의 도리
부모와 자식 사이의 도리
남편과 아내 사이의 도리

오륜
임금과 신하 사이의 의리
부자 사이의 친함
부부 사이의 구별
나이에 따른 서열
친구 사이의 믿음

▲ 관례

▲ 혼례

▲ 상례

▲ 제례

이러한 노력의 결과 점차 많은 백성들이 유교 예법에 따라 여러 의례를 치렀고, 양반들은 **제사 지내는 것을 중시**하게 되면서 집 안에 ●가묘나 사당을 세우기도 하였습니다. 또한 가족과 친족의 혈통 관계를 밝혀 가문의 내력을 보여주는 **족보를 중시**하고 족보를 외우는 것이 양반의 필수적 교양처럼 여겨지게 되었습니다.

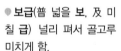
한국사 용어 쾕!

● **보급**(普 넓을 보, 及 미칠 급) 널리 펴서 골고루 미치게 함.

예문 나라에서는 우리 전통 음악인 국악의 **보급**을 위해 힘쓰고 있어요.

● **관혼상제** 관례, 혼례, 상례, 제례의 네 가지 예법. 관례는 성년식을 치르는 예법, 혼례는 혼인하는 예법, 상례는 장례를 치르는 예법, 제례는 제사 지내는 예법을 말함.

● **가묘**(家 집 가, 廟 사당 묘) 조선 시대 사대부들이 조상의 위패를 모셔놓고 제사를 지내던 집안의 사당.

핵심 Point!

정답 및 풀이 **179쪽**

❶ 나라에서는 백성들에게 삼강오륜을 알리기 위해 『☐☐☐☐』를 편찬하였다.

❷ 사림은 어린 아이들에게 유학을 가르치기 위한 교재인 『☐☐』을 널리 보급하였다.

❸ 가문을 중시하게 되면서 혈통 관계를 밝혀 가문의 내력을 보여주는 ☐☐를 중시하였다.

1 다음의 유교 윤리를 무엇이라고 하는지 각각 쓰시오.

(1)

임금과 신하 사이의 도리
부모와 자식 사이의 도리
남편과 아내 사이의 도리

(   )

(2)

임금과 신하 사이의 의리
부자 사이의 친함
부부 사이의 구별
나이에 따른 서열
친구 사이의 믿음

(   )

2 다음에서 설명하는 책의 이름을 쓰시오.

왕실에서 제사, 혼례, 군사, 장례, 사신 접대 등의 국가적 행사를 유교적 예법에 따라 치르기 위해 예법과 절차 등에 그림을 곁들여 편찬한 책이다.

(   )

3 다음 그림은 '관혼상제' 중 어떤 것에 해당하는지 각각 쓰시오.

(1)

(   )

(2)

(   )

중학교 시험 맛보기

4 조선의 성리학적 윤리의 보급에 대한 설명으로 옳지 않은 것은 어느 것입니까?

(   )

① 『소학』은 어린 아이들의 유교 교육 입문서였다.
② 유교적 윤리 질서가 강조되면서 족보가 편찬되었다.
③ 조선 시대 양반들은 집 안에 가묘나 사당을 세워 조상을 모셨다.
④ 왕이 왕실에서 지켜야 할 유교 예법을 정리한 『삼강행실도』가 편찬되었다.
⑤ 『주자가례』를 보급하여 가정에서 관혼상제를 유교적 절차에 따라 치르도록 하였다.

12 임진왜란의 발발

16세기에 일본이 조선에 무역 확대를 요구하며 자주 소란을 피우자, 조선은 일본과의 무역을 더욱 강하게 통제하여 두 나라의 갈등이 점차 깊어졌습니다. 이때 일본의 ⟡전국 시대를 통일하고 권력을 잡은 도요토미 히데요시는 내부의 불만 세력을 잠재우고 그들의 관심을 밖으로 돌리기 위해 **대륙(명)을 정복한다는** ⟡명분으로 조선을 침략하였습니다(임진왜란, 1592년). 당시 조선은 오랫동안 지속된 평화로 **국방력이 약화**되고 전쟁에 대한 대비가 충분하지 못했습니다.

⟡조총을 앞세운 일본군이 부산을 시작으로 순식간에 한양까지 쳐들어오자 선조는 의주로 피란길에 오르고 명에 지원군을 요청하였습니다. 조선의 관군은 연이어 패하였고, 일본군은 평양성을 점령하여 함경도 지방까지 북상하였습니다.

▲ 관군과 의병의 활약

한편, 육지의 불리한 상황과 달리 바다에서는 **조선 수군이 활약**을 하였습니다. 이순신이 이끄는 수군은 경상도 옥포에서 일본 수군을 상대로 첫 승리를 거둔 이후 한산도에서 ⟡판옥선과 ⟡거북선으로 ⟡학익진 전술을 사용하여 일본 수군을 크게 격파하였습니다. 조선 수군의 승리로 바다를 통해 무기와 식량을 운반하려던 일본군의 계획은 무너지게 되었고, 조선은 전라도의 곡창 지대를 지킬 수 있었습니다.

전국 각지에서는 ⟡의병이 일어나 일본군과 싸웠습니다. 의병은 주로 농민들이었고 곽재우와 같은 유학자와 휴정·유정과 같은 승려, 전직 관리 등이 의병을 이끌었습니다. 이들은 제대로 된 훈련을 받은 적은 없었지만 **고장의 지리에 익숙**하여 적은 수로도 효과적으로 일본군을 공격할 수 있었습니다.

한국사 용어 퀵!

● **전국 시대** 일본에서 부사들의 권력 다툼으로 혼란했던 시기.

● **명분** (名 이름 명, 分 나눌 분) 겉으로 내세우는 구실.

● **조총** 포르투갈과 교류하면서 전해진 총을 일본이 개량하여 만든 것.

● **판옥선** 조선군의 주력 전투함. 바닥이 평평하여 빠르게 방향 전환이 가능하였음.

● **거북선** 판옥선을 개조하여 만든 배. 적진에 돌진하여 적을 흩트려 놓는 역할을 함.

● **학익진** 이순신이 한산도 대첩에서 펼친 전술로, 학의 날개를 닮아서 학익진이라 함.

● **의병** 외적의 침입을 물리치기 위해 백성들이 자발적으로 조직한 군대.

핵심 Point!

정답 및 풀이 **179쪽**

❶ 조선은 전쟁에 대한 대비가 충분하지 못한 상황에서 1592년 ☐☐☐☐ 이 발발하였다.

❷ ☐☐☐ 이 이끄는 수군은 거북선을 바탕으로 일본 수군을 크게 격파하였다.

❸ ☐☐ 은 각 고장의 지리에 익숙하여 적은 수로도 효과적으로 일본군을 공격할 수 있었다.

1 다음 보기 에서 일본이 임진왜란을 일으킨 까닭을 골라 기호를 쓰시오.

보기

㉠ 명과 무역을 하기 위해서

㉡ 명으로부터 조선을 보호하기 위해서

㉢ 조선이 일본에 무리하게 무역을 요구해서

㉣ 일본 내부의 불만 세력의 관심을 밖으로 돌리기 위해서

( )

2 임진왜란이 발발할 당시 조선의 상황에 대해 바르게 말한 어린이에 ○표 하시오.

(1) 오랫동안 전쟁이 일어나지 않고 지속된 평화로 국방력이 약화되어 있었어.

( )

(2) 전쟁에 대비해 군대와 무기를 잘 정비해 놓고 있었어.

( )

3 다음과 같은 활약을 한 사람은 누구인지 쓰시오.

임진왜란 당시 조선 수군을 이끌며 거북선을 앞세워 옥포, 한산도 등에서 일본군에 큰 승리를 거둔 장군이다.

( )

중학교 시험 맛보기

4 임진왜란 중 일어난 의병에 대한 설명으로 옳은 것은 어느 것입니까? ( )

① 의병의 대다수는 조선의 고위 관리였다.

② 남해 바다에서 활약하여 전라도를 지켰다.

③ 오랫동안 훈련받았지만 임진왜란 때 크게 활약하지 못했다.

④ 포르투갈과의 교류를 통해 들여온 조총을 사용하여 훈련받았다.

⑤ 고장의 지리에 익숙하여 적은 수로도 효과적으로 싸울 수 있었다.

13 정유재란과 전쟁의 결과

일본의 대륙 침략을 막기 위해 명은 조선에 지원군을 보냈습니다. 조선 또한 의병을 관군으로 •편입하고 군사력을 정비하여 일본군과의 전투를 준비하였습니다. 조선과 명 연합군이 일본군을 물리쳐 평양성을 되찾고, 권율이 행주산성에서 승리(•행주 대첩, 1593년)를 거두는 등 일본은 전쟁에서 불리해졌습니다. 이에 일본은 휴전을 제의했고 3년에 걸쳐 명과 일본의 휴전 회담이 진행되었습니다. 그러나 회담은 결렬되었고 일본은 다시 조선을 공격하였습니다(**정유재란**, 1597년). 휴전 회담 기간 동안 군사력을 보강한 조선은 일본군의 침략을 잘 막아 냈습니다. 육지와 바다에서 크게 패배한 일본은 한반도 남쪽 남해안 일대에 성을 쌓고 주둔해 있다가 일본에서 **도요토미 히데요시가 죽자 조선에서 철수**하기 시작했습니다. 이순신은 철수하는 일본군을 노량 앞바다에서 가로막고 공격하여 크게 승리를 거두었고(•노량 해전, 1598년) 오랜 전쟁은 끝이 났습니다.

7년간의 전쟁으로 조선은 큰 피해를 입었습니다. 많은 사람이 부상을 입거나 목숨을 잃었으며, 일본에 포로로 끌려가 **인구가 크게 줄었습니다**. 농경지가 황폐해져 식량이 부족해지고 농민들의 생활은 힘들어졌습니다. 또한 세금을 제대로 걷지 못해 **나라 살림이 어려워졌습니다**. 경복궁, 불국사, •사고 등이 불타고 많은 도자기, 서적, 그림 등을 일본에 빼앗겼습니다. 노비 문서도 불타 없어지고, 전쟁 때 공을 세운 상민이나 천민이 신분 상승을 하면서 **신분 질서에 변화**가 나타났습니다.

한국사 용어 퀵!

● **편입**(編 엮을 편, 入 들입) 얽거나 짜 넣음.
● **행주 대첩** 임진왜란 때 행주산성에서 권율 장군이 일본군을 대파한 전투.
● **노량 해전** 노량 앞바다에서 이순신이 이끄는 수군이 일본과 벌인 마지막 해전. 이순신은 이때 적의 유탄에 맞아 전사함.
● **사고**(史 역사 사, 庫 곳집 고) 실록을 보관하던 곳. 한양의 춘추관, 충주, 성주, 전주에 실록을 보관하였으나 임진왜란 때 전주 사고를 제외하고 모두 불에 타 없어 짐.

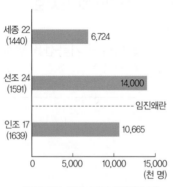

▲ 임진왜란 전후 인구 변화(추정)

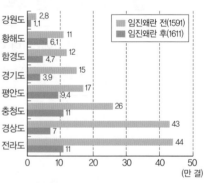

▲ 임진왜란 전후 세금을 거둔 토지 면적 변화

핵심 Point!

정답 및 풀이 **179쪽**

❶ 일본과 명 사이에 휴전 회담이 결렬되자 일본은 ☐☐☐☐ 을 일으켰다.

❷ ☐☐☐☐ 을 끝으로 임진왜란은 끝이 났다.

❸ 임진왜란으로 많은 사람이 목숨을 잃거나 일본에 포로로 끌려가 ☐☐ 가 크게 줄었다.

1 다음에서 설명하는 전쟁은 무엇인지 쓰시오.

> 명과 일본의 휴전 회담이 결렬되자 1597년 일본이 다시 조선을 침략한 사건

(   )

2 다음 보기 의 사건들을 일어난 순서대로 기호를 나열하시오.

> **보기**
> ㉠ 노량 해전   ㉡ 정유재란 발발
> ㉢ 도요토미 히데요시 사망   ㉣ 명과 일본 사이 휴전 회담

(   ) → (   ) → (   ) → (   )

3 다음 그래프를 보고 할 수 있는 말로 옳지 <u>않은</u> 것은 어느 것입니까? (   )

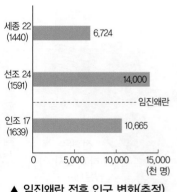

▲ 임진왜란 전후 인구 변화(추정)   ▲ 임진왜란 전후 세금을 거둔 토지 면적 변화

① 전쟁의 결과로 나라 살림이 크게 어려워졌을 거야.
② 전쟁 이후 국가가 거둘 수 있는 세금이 늘었을 거야.
③ 임진왜란이 일어나기 전에 비해 인구가 많이 줄었네.
④ 농경지가 황폐해져 세금을 거둘 수 있는 토지가 줄었어.
⑤ 임진왜란 때 많은 사람들이 목숨을 잃거나 일본으로 끌려갔어.

4 임진왜란 때 불에 탄 우리나라의 유적을 두 가지 고르시오. (   )

① 경복궁   ② 석굴암   ③ 첨성대
④ 불국사   ⑤ 황룡사 9층 목탑

14 광해군의 중립 외교

선조의 뒤를 이어 왕위에 오른 광해군은 **전쟁의 피해를 복구하기 위해 노력**하였습니다. 황폐화된 토지를 *개간하고 토지대장과 호적대장을 다시 작성하여 국가 재정을 늘렸으며, 국방력도 강화하였습니다. 질병으로 고통받는 백성들을 위해 허준으로 하여금 『*동의보감』도 쓰게 하였습니다.

한편 명은 임진왜란에 참전한 결과 나라의 힘이 약해졌고 이를 틈타 만주에서 **여진족이 *후금을 세우고** 세력을 키워나갔습니다. 광해군은 세력이 약해진 명과 강력한 후금 사이에서 **중립 외교**를 펼쳤습니다. 명은 후금과 대립하자 조선에 지원을 요청하였는데, 광해군은 임진왜란 때 도와줬던 명의 요청을 거절할 수도 없었지만 새롭게 세력을 확대해 나가는 후금과 적대적인 관계가 되는 것도 원하지 않았습니다. 그리하여 광해군은 명에 *강홍립이 이끄는 지원군을 보내면서 강홍립에게 후금과 맞서 싸우지 말고 기회를 봐서 항복할 것을 명령하였습니다. 강홍립의 지원군은 광해군의 명대로 **후금과 싸우지 않고 항복**하여 전쟁을 피할 수 있었습니다. 그러나 당시 임진왜란 때 조선을 도왔던 명에 대한 의리와 명분을 중시한 **서인 세력은 광해군에게 불만**을 품고 크게 반발하였습니다.

한국사 용어 퀵!

● **개간** (開 열 개, 墾 개간할 간) 거친 땅이나 버려둔 땅을 일구어 논밭이나 쓸모 있는 땅으로 만듦.
● **『동의보감』** 허준이 동양 의학 서적을 집대성해 편찬한 의서. 세계 기록유산으로 등재됨.

● **후금** 임진왜란 때 조선을 도왔던 명의 국력이 약해진 틈을 타 여진족의 지도자인 누르하치는 압록강 북쪽에 있던 여진 부족을 통일하고 '후금'을 건국함.
● **강홍립** 조선의 무신으로, 명의 장군이 후금에 패하여 도주하자 즉시 후금에 항복하고 출병이 조선의 본의가 아님을 해명함.

우리가 임진왜란 때 도와줬으니 지원군을 보내시오.

후금

전쟁은 하고 싶지 않은데……

명

조선

▲ 「양수투항도」 강홍립이 후금에 투항하는 장면을 그린 김후신의 작품.

결국 서인 세력은 광해군이 왕권 안정을 위해 이복동생인 영창대군을 죽이고 그 어머니인 인목대비를 폐위한 것을 구실로 삼아 **광해군을 쫓아냈고**, 인조가 왕위에 올랐습니다(인조반정, 1623년).

핵심 Point!

정답 및 풀이 **180쪽**

❶ 명의 국력이 약해진 틈을 타 만주에서 여진족이 ☐☐을 세웠다.

❷ 광해군은 전쟁 이후 질병으로 고통받는 백성들을 위해 허준으로 하여금 『☐☐☐☐』을 쓰게 하였다.

❸ 조선은 명과 후금 사이에서 ☐☐☐☐를 펼쳐 후금과의 전쟁을 피할 수 있었다.

1 다음 보기 에서 광해군이 전쟁의 피해를 복구하기 위해 한 일로 옳은 것을 모두 골라 기호를 쓰시오.

보기

㉠ 신분제를 폐지하였다.

㉡ 『경국대전』을 편찬하였다.

㉢ 황폐화된 토지를 개간하였다.

㉣ 토지대장과 호적대장을 다시 작성하였다.

(   )

2 다음 ( ) 안에 들어갈 알맞은 나라의 이름을 쓰시오.

명이 전쟁을 하면서 나라의 힘이 약해지자 이를 틈타 만주에서 여진족이 (   ) 을(를) 세우고 세력을 키워나갔다.

(   )

3 광해군의 중립 외교에 대한 설명으로 옳은 것은 어느 것입니까? (   )

① 서인 세력의 지지를 받았다.

② 인조반정의 결과로 나타났다.

③ 명과 후금을 모두 배척하는 외교 정책이다.

④ 중립 외교로 조선은 후금과의 전쟁을 피할 수 있었다.

⑤ 임진왜란 이후 일본과 명 사이에서 중립을 지키려 한 정책이다.

4 다음에서 설명하는 사건은 무엇인지 쓰시오.

광해군이 이복동생인 영창대군을 죽이고 그 어머니인 인목대비를 폐위한 것을 구실로 삼아 서인 세력이 광해군을 쫓아내고 새 왕을 추대한 사건을 말한다.

(   )

15 정묘호란과 병자호란

▲ 정묘호란과 병자호란의 전개

자료 분석 강의

인조반정으로 정권을 차지한 서인 세력은 명을 가까이하고 후금을 멀리하는 °**친명배금 정책**을 펼쳤습니다. 이에 후금은 광해군의 폐위 문제를 구실로 3만의 군대를 보내 조선을 공격하였는데 이를 **정묘호란(1627년)**이라고 합니다. 후금이 황해도에 이르자 인조는 강화도로 피신하였고, 의병이 일어나 후금에 맞섰으나 후금의 공격을 막아 내기에는 힘이 부족했습니다. 후금 또한 명과의 전쟁으로 조선에 오래 머물 수 없었기에 조선이 명과의 관계를 끊고 **후금과 형제 관계**를 맺는다는 조건으로 철수하였습니다.

그 후 세력이 더욱 강해진 후금은 나라 이름을 '청'으로 바꾸고 조선에 °**군신** 관계를 맺을 것을 강요하였습니다. 조선 내에서 이를 두고 청과 °**화의**를 주장하는 사람들과 명에 대한 의리를 내세우며 청과의 전쟁을 주장하는 사람들로 나뉘었습니다. 결국 조선이 끝까지 청의 요구를 거부하자 청 태종은 직접 10만 대군을 이끌고 조선을 공격하였습니다 (**병자호란**, 1636년). 청군은 6일만에 한양까지 쳐들어왔고 청군에 길이 막혀 강화도로 피란을 가지 못한 **인조는 남한산성으로 피신**했습니다.

인조는 남한산성에서 끝까지 청에 맞서 싸웠으나 군사들이 지치고 식량이 부족해져 위기에 처하자 신하들의 °**만류**에도 불구하고 항복을 결정했습니다. 인조는 성 밖의 °**삼전도**에서 신하의 옷을 입고 청의 황제에게 세 번 절하고 아홉 번 머리를 조아리는 **굴욕적인 항복**을 하였습니다. 병자호란의 결과로 조선은 **청과 군신 관계**를 맺게 되었습니다.

▲ **삼전도비** 청 태종이 인조의 항복을 받고 그 공을 자랑하기 위해 세웠음.

한국사 용어 쿡!

● **친명배금** 명과 친하게 지내고 후금을 멀리하는 외교 정책.
● **군신**(君 임금 군, 臣 신하 신) 임금과 신하 관계.
● **화의**(和 화목할 화, 議 의논할 의) 싸우던 것을 그치고 화해하자는 의논.
예문 싸움에서 불리해진 적국은 우리에게 **화의**를 청했어요.
● **만류** 붙들고 못 하게 말림.
● **삼전도** 조선 시대에 서울과 남한산성을 이어 주던 나루로, 병자호란 당시 인조가 이곳에서 당 태종에게 굴욕적인 항복을 함.

핵심 Point!

정답 및 풀이 **180쪽**

❶ 인조반정 이후 서인은 명을 가까이 하고 후금을 멀리하는 ☐☐☐☐ 정책을 펼쳤다.

❷ 정묘호란을 일으킨 후금은 조선과 ☐☐ 관계를 맺는다는 조건으로 철수하였다.

❸ 청은 조선에 군신 관계를 요구하였으나 조선이 이를 거부하자 ☐☐☐☐을 일으켰다.

1 다음에서 설명하는 사건은 무엇인지 쓰시오.

> 조선 인조 때인 1627년에 후금이 조선을 침략하여 벌어진 전쟁이다. 후금은 광해군 폐위 문제를 구실로 쳐들어왔다가 조선과 협상을 벌인 뒤 강화를 맺고 돌아갔다.

( )

2 다음 보기 의 사건들을 일어난 순서대로 기호를 나열하시오.

> **보기**
>
> ㉠ 병자호란   ㉡ 인조반정
> ㉢ 정묘호란   ㉣ 인조 강화도 피신

( ) → ( ) → ( ) → ( )

3 병자호란에 대한 설명으로 옳은 것은 어느 것입니까? ( )

① 전쟁이 일어나자 인조는 강화도로 피신하였다.
② 전쟁이 끝난 후 청과 형제 관계를 맺게 되었다.
③ 인조는 삼전도에서 굴욕적인 항복을 해야만 했다.
④ 조선이 청에 서로 교류할 것을 요구하여 벌어진 전쟁이다.
⑤ 청과의 화의를 주장한 사람들이 우세해지면서 벌어진 전쟁이다.

4 다음에서 설명하는 장소는 어디인지 쓰시오.

> 청이 군신 관계를 요구하며 쳐들어오자 인조가 끝까지 청에 맞서 싸운 곳이다.

( )

16 양난 이후의 조선의 대외 관계 변화

병자호란의 결과로 청에 인질로 끌려갔던 소현세자와 봉림대군(효종)은 명이 청에 멸망한 뒤 조선으로 돌아왔습니다. 이후 인조의 뒤를 이어 즉위한 효종은 오랑캐인 청에게 당한 굴욕을 갚아야 한다며 청을 공격하자는 **북벌 운동을 추진**하였습니다. 그리하여 효종은 성곽을 보수하고 군사력을 강화하였으며, 당시 정권을 잡고 있던 서인도 효종의 북벌 운동을 지지하였습니다. 그러나 청의 국력이 나날이 세지고 있었기 때문에 청을 공격한다는 것은 쉽지 않은 일이었습니다. 또한 오랜 전쟁과 무거운 세금으로 백성의 생활이 어렵고, 국가 재정도 넉넉하지 않아 북벌에 반대하는 주장도 생겨났습니다. 이러한 상황에서 적극적으로 북벌을 추진하던 **효종이 갑자기 사망**하면서 북벌은 제대로 시행되지 못했습니다.

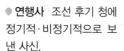

한국사 용어 쪽!

● **연행사** 조선 후기 청에 정기적·비정기적으로 보낸 사신.

● **부국강병** 나라를 부유하게 만들고 군대를 강하게 함.

● **에도 막부** 도요토미 히데요시가 죽은 후 도쿠가와 이에야스가 정권을 잡고 에도(현재의 도쿄 부근)에 막부(무사 정권)를 세웠음. 도쿠가와 이에야스는 자신은 임진왜란에 참전하지 않았다는 점을 내세워 조선과 국교 재개를 요청했음.

● **재개(再 다시 재, 開 열다 개)** 어떤 활동이나 회의 따위를 한동안 중단했다가 다시 시작함.
예문 두 나라는 교역을 다시 재개하기로 했어요.

● **통신사** 일본으로 보낸 사신으로, 학자, 화원, 역관, 의관, 악대 등 다양한 사람들로 구성되어 문화의 전파자 역할을 함.

▲ 연행사 「연행도」 부분

조선은 사대 관계에 따라 청의 두음인 베이징에 ●**연행사**를 보냈습니다. 연행사 일행은 이때 중국의 학자들과 만나 문화 교류를 하였고, 서양의 문물과 청의 과학 기술을 접하였습니다. 연행사는 청에 들어온 서양 문물을 조선에 전하는 중요한 역할을 하였습니다. 청의 우수한 문물을 본 조선의 학자들 사이에서는 청을 무조건 배척하기보다는 이들의 발달된 문물을 배워 ●**부국강병을 이루자**는 **북학론이 등장**하기도 하였습니다.

한편, 임진왜란 이후 일본에서는 도쿠가와 이에야스가 ●에도 막부를 세웠습니다(1603년). 에도 막부는 조선에 국가 교류의 ●재개를 요청하였고 조선은 왜란과 같은 전쟁을 막기 위해 국교를 재개하였습니다. 또한 에도 막부의 요청에 따라 ●**통신사를 파견**하여 조선의 발달된 문물을 일본에 전해 주었습니다.

▲ 통신사 「행렬도」 부분

핵심 Point!

정답 및 풀이 **180쪽**

❶ 병자호란 이후 조선에서는 청을 정벌해야 한다는 ☐☐ 운동이 일어났다.

❷ 조선의 지식인들 사이에서는 청의 발달된 문물을 배우자는 ☐☐☐이 등장하였다.

❸ 임진왜란 이후 조선은 일본과 국교를 재개하고 에도 막부의 요청에 따라 ☐☐☐를 파견하였다.

1 다음에서 설명하는 것은 무엇인지 쓰시오.

> 병자호란 이후 조선 내부에서는 오랑캐인 청에게 굴욕적인 항복을 한 것을 수치스러워하며 청을 정벌하여 이를 갚아야 한다는 움직임이 일어났다.

( )

2 다음 ( ) 안에 들어갈 왕은 누구인지 쓰시오.

> 청에 인질로 끌려갔다가 돌아온 후 왕이 된 ( )은(는) 성곽을 보수하고 군사력을 강화하며 적극적으로 북벌을 추진하였다. 하지만 갑작스럽게 사망하면서 북벌을 실행하지는 못했다.

( )

3 조선의 외교 사절단과 관련 있는 나라를 바르게 선으로 연결하시오.

(1) 연행사 •   • ㉠ 청

(2) 통신사 •   • ㉡ 일본

4 통신사에 대한 설명으로 옳은 것은 어느 것입니까? ( )

① 북벌 운동을 추진하며 파견되었다.
② 사대 관계에 따라 파견된 사신이다.
③ 조선의 발달된 문물을 일본에 전해 주었다.
④ 조선의 요청에 따라 일본이 조선에 파견한 사신이다.
⑤ 일본의 요청에 의해 구성되었지만 파견되지는 않았다.

| 학습한 내용을 정리해 보며, 빈칸에 들어갈 키워드를 써 보세요.　　　　　　　　　　　• 정답 및 풀이 **180쪽**

30초 정리

❶ 사림의 등장과 사화의 발생

(❶ 　　　　)	세조의 즉위를 도운 공신, 넓은 토지와 많은 노비 소유
사림	지방 출신의 학자, 왕도 정치 추구, 성종 시기 훈구 세력의 견제 위해 대거 등용됨.
사화	• 훈구가 사림을 정치적으로 탄압한 사건으로, 무오사화 → 갑자사화 → 기묘사화 → 을 사사화의 순으로 일어남. • 사림은 큰 피해를 입었으나 서원과 향약을 기반으로 꾸준히 성장함.
붕당	• (❷ 　　　　　　)의 임명 문제로 사림이 동인과 서인으로 나뉨. • 서인에 대한 입장 차이에 따라 동인이 남인과 북인으로 나뉨.

❷ 성리학적 질서의 보급

서원	• 덕망 높은 유학자에게 제사, 성리학 연구, 지방 양반의 자제 교육 • 성리학의 보급과 지방 문화의 발전에 이바지, 지방 사림의 세력 기반(붕당의 근거지)
(❸ 　　　　)	• 향촌의 자치 규약, 공동체 조직의 규약 • 향촌 사회에 유교 윤리 보급, 양반 중심의 성리학적 사회 질서 강화
성리학 보급 노력	• 국가 행사의 예법을 정리한 『국조오례의』와 백성에게 삼강오륜을 알리기 위해 『삼강행실도』를 편찬함. • 유교 교재인 『소학』과 관혼상제의 내용이 담긴 『주자가례』를 보급함.

30초 정리

❸ 왜란과 호란의 극복

① 임진왜란(1592년)과 조선의 대응

배경	도요토미 히데요시의 전국 시대 통일, 조선의 군사력 약화
임진왜란 발발	일본이 조선을 침략하자 선조가 의주로 피란을 가고, 왜군이 평양·함경도까지 진격함.
조선의 반격	• 바다에서는 (❹ 　　　　　)이 이끄는 수군이 여러 차례 승리함. • 의병이 익숙한 지형을 이용하여 적은 병력으로 일본군에 큰 타격을 줌.
결과	인구 감소, 국가 재정 궁핍, 많은 문화재 소실 등

② 병자호란(1636년)과 조선의 대응

광해군의 중립 외교	세력을 키운 후금과 임진왜란 때 조선을 도운 명이 대립하자 후금과 명 사이에서 중립 외교를 펼침.
(❺ 　　　　)	서인이 정변을 일으켜 광해군을 몰아내고 인조를 왕으로 세움.
호란의 발발	정묘호란 – 후금과 형제 관계, (❻ 　　　　　　) – 삼전도의 굴욕, 청과 군신 관계

한국사 생각쓰기

• 정답 및 풀이 **180**쪽

1 다음과 같은 사림의 성장과 붕당의 등장 과정에서 ○표와 같이 붕당이 형성된 까닭은 무엇인지 쓰시오.

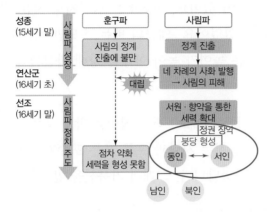

생각 쓰기 Point

Point 1
이조 전랑

• 조선 시대의 관직으로, 중앙 부서인 6조 중 하나인 이조의 관직입니다.

• 비록 관직이 낮았지만 여론 기관인 3사의 관리를 임명하고 자신의 후임을 추천할 수 있어서 그 권한이 매우 강했습니다.

1
단원

---

2 다음을 보고, 임진왜란으로 조선이 입은 피해는 무엇인지 두 가지 쓰시오.

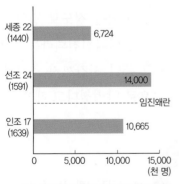

▲ 임진왜란 전후 인구 변화(추정)

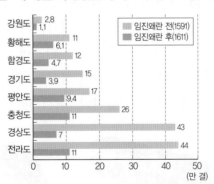

▲ 임진왜란 전후 세금을 거둔 토지 면적 변화

Point 2
임진왜란의 전개 과정

임진왜란 발발
⬇
한산도 대첩
⬇
명 참전
⬇
평양 탈환
⬇
행주대첩
⬇
명과 일본 사이 휴전 회담
⬇
정유재란 발발
⬇
명량대첩
⬇
도요토미 히데요시 사망
⬇
노량 해전

조선 수군은 어떤 무기를 사용했을까?

조선은 오래전부터 주변 바다를 안전하게 지키기 위해 배를 만드는 기술이 발달했어요. 조선 수군의 주력 전투함으로는 판옥선이 있어요. 판옥선은 널빤지로 지은 집이라는 뜻으로 바닥이 평평해서 빠르게 방향을 바꿀 수 있었어요. 왜군의 배는 속도만 빠르고 방향을 바꾸는 것에는 자유롭지 못했지요. 또한 판옥선은 높이가 높아 아래를 향해 화살을 쏠 수 있어서 적을 공격하기에 유리했어요.

거북선은 판옥선을 개조해서 만든 배예요. 적의 침입을 막기 위해 거북 등딱지 같은 것에 철 심을 박아 두고, 그 아래에는 노를 젓는 사람과 포를 쏘는 포수가 있도록 했어요. 뱃머리의 용 머리와 도깨비 머리는 공포심을 주었답니다. 그래서 거북선을 앞쪽에 배치했다고 해요.

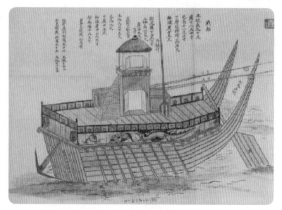

▲ 판옥선

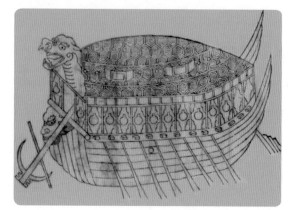

▲ 거북선

육지에서 싸울 때 일본의 조총은 조선군에 큰 피해를 주었어요. 하지만 조총은 사정거리가 50~100m밖에 되지 않았기 때문에 바다에서는 도움이 되지 않았어요. 한편 조선은 다양한 종류의 화포가 개발되어 있었어요. 화포의 사정거리는 800m~1km에 이를 정도로 길었지요. 조선의 화포로 왜군의 배는 쉽게 격침되었어요. 화포에 넣는 탄환에는 비격진천뢰라는 것이 사용되었어요. 비격진천뢰는 무쇠의 탄환 속에 화약과 쇳조각을 넣고 폭발 시간까지 조절할 수 있는 최첨단 무기로, 임진왜란 당시 비밀병기, 귀신폭탄, 시한폭탄으로 알려졌다고 해요.

▲ **천자총통** 왜란 당시 조선군이 사용한 가장 큰 화포

◀ **비격진천뢰** 폭발하면서 안에 있던 작은 철편이 사방으로 날아가 적에게 큰 피해를 줌.

2

조선 사회의 변동

중학교에서는
조선 후기 정치 운영의 변화 등
사회 변화 내용과 학문과 예술에 나타난
새로운 경향에 대해 자세히 배우게 됩니다.

2 조선 사회의 변동

조선 후기에는 정치의 문란으로 백성들의 삶이 힘들어져 농민 봉기가 일어났어요. 한편, 농업과 상업이 발달하면서 새로운 문화가 발달하기도 했어요. 조선 후기 사회 모습과 백성의 생활 모습이 어떻게 달라졌는지 살펴봐요.

≫ 조선 후기에는 어떤 문화가 발달했을까?

1724년	1776년	1811년	1860년	1861년
영조 즉위	정조 즉위	홍경래의 난	동학 창시	「대동여지도」 간행

01 통치 제도와 조세 제도의 개편

임진왜란과 병자호란을 겪는 동안 조선의 통치 체제에 여러 가지 변화가 나타났습니다. 기존에 국방 문제를 협의하는 임시 회의 기구였던 [●]비변사는 양난을 거치면서 국가의 모든 정책을 결정하는 **최고 회의 기구로 변화**하였습니다. 이에 따라 조선 전기 왕과 의정부, 6조를 중심으로 하는 행정 체제는 [●]유명무실해졌습니다.

임진왜란을 겪으면서 군대의 필요성이 높아져 중앙군으로 **훈련도감이 설치**되었습니다. 훈련도감은 조총을 다루는 포수, 활을 다루는 사수, 창과 칼을 쓰는 살수로 이루어진 삼수병으로 구성되었고, 나라로부터 돈을 받는 직업군인들로 이루어졌습니다. 훈련도감 설치 이후 수도 및 경기 일대에 어영청, 총융청, 수어청, 금위영을 추가로 설치하여 중앙군으로 **5군영 체제**를 갖추었습니다. 지방군도 양반에서 노비까지 모든 신분으로 구성된 **속오군으로 개편**되었습니다. 이들은 평상시에는 평소에 하던 일을 하다가 전쟁이 나면 전투에 동원되었습니다.

조세 제도에도 큰 변화가 나타났습니다. 기존에는 풍년과 흉년에 따라 다르게 걷었던 [●]전세를 풍년과 흉년에 상관없이 일정하게 걷는 **영정법**으로 바꾸었습니다. 농민의 부담을 가장 크게 줄여준 것은 [●]공납의 개편이었습니다. 기존에는 토산물의 생산이 줄거나 생산되지 않아도 웃돈을 주고 사서라도 반드시 토산물을 내야 했습니다. 이에 정부는 **대동법을 실시**하여 토산물 대신 토지 결수에 따라 쌀이나 옷감, 동전을 대신 내게 했습니다. 대동법의 시행으로 넓은 토지를 갖고 있는 사람은 부담이 늘고 토지가 없는 사람은 부담이 줄어들게 되었습니다. 군대에 가는 대신 2필의 군포를 냈던 [●]군역도 농민들에게는 큰 부담이었습니다. 이에 정부는 **균역법을 실시**하여 군포를 2필에서 1필로 줄였습니다. 균역법의 시행으로 부족해진 국가 수입은 [●]결작, 선박세, 소금세 등으로 보충하였습니다.

▲ 대동법 확대 실시

<한국사 용어 퀵!>

[●]**비변사** 16세기 국경 지역에서 자주 여진, 일본 등이 쳐들어오자 변방의 군사 문제를 처리하기 위해 설치한 임시 회의 기구.

[●]**유명무실**(有 있을 유, 名 이름 명, 無 없을 무, 實 열매 실) 보기에는 그럴 듯하지만 실제로는 아무 내용도 없음을 일컫는 말.

[●]**전세**(田 밭 전, 稅 구실 세) 논밭에 부과되는 세금.

[●]**공납** 백성이 그 지방에서 나는 특산물을 조정에 바치던 일.

[●]**군역** 조선 시대에 양인 남자라면 누구나 군대에 가야 했던 의무.

[●]**결작** 평안도와 함경도를 제외한 전국의 토지에 1결당 쌀 2두를 걷은 것.

핵심 Point!

정답 및 풀이 **181쪽**

❶ 임시 회의 기구였던 ☐☐☐ 는 양난을 거치면서 최고 회의 기구가 되었다.

❷ 왜란을 겪으면서 지방군을 모든 신분으로 구성된 ☐☐☐ 으로 개편하였다.

❸ 정부는 전세로 ☐☐☐ 을 실시하여 풍년과 흉년에 상관없이 일정한 세금을 걷었다.

1 **양난 이후 통치 체제 개편에 대한 설명이 맞으면 ○표, 틀리면 ×표를 하시오.**

(1) 비변사가 최고 회의 기구가 되면서 기존의 의정부, 6조 체제가 강화되었다.

(　　)

(2) 훈련도감은 삼수병인 포수, 사수, 살수로 이루어졌다. (　　)

(3) 속오군은 국가로부터 급료를 받는 직업 군인들로 이루어졌다. (　　)

2

단원

2 **임진왜란 이후 만들어진 중앙 5군영에 속하지 않는 것은 어느 것입니까? (　　　)**

① 수어청　　　　　　　　　② 장용영

③ 어영청　　　　　　　　　④ 총융청

⑤ 훈련도감

중학교 시험 맛보기

3 **대동법에 대한 설명으로 옳은 것은 어느 것입니까? (　　　)**

① 집집마다 정해진 토산물을 내게 한 제도이다.

② 풍년과 흉년에 따라 다르게 전세를 걷는 제도이다.

③ 결과적으로 토지를 많이 갖고 있는 사람들의 부담이 줄었다.

④ 토산물 대신 토지 결수에 따라 쌀, 옷감, 동전을 내게 한 제도이다.

⑤ 대동법의 시행으로 모자라는 국가 수입은 결작, 선박세, 소금세 등으로 보충했다.

4 **다음에서 설명하는 조세 제도는 무엇인지 쓰시오.**

> 군역이 문란해지면서 군역을 기피하는 현상이 퍼지고, 군역을 지는 농민들의 부담이 커져 정부는 농민이 군대에 가는 대신 내던 군포를 2필에서 1필만 내면 되도록 바꾸었다.

(　　　　　　　　)

02 붕당 정치의 전개와 변질

광해군 때에는 북인이 정치를 주도했지만 인조반정 이후 나라의 정치는 반정을 주도한 **서인이 중심이 되고 남인이 참여하는 방식**으로 운영되었습니다. 서인과 남인은 서로의 학문적 전통과 입장을 인정하고 정책에 대해 서로 비판과 견제를 하며 활발한 붕당 정치를 벌였습니다. 붕당 정치에는 양반 사대부들의 •**공론이 중시**되었고, 이에 따라 각 붕당은 서원을 중심으로 자기 붕당에 해당하는 양반 사대부들의 의견을 모아 나라의 정책에 반영하려 하였습니다.

효종께서는 둘째 아들이므로 대비께서는 1년 동안 상복을 입으셔야 합니다.

효종은 왕위를 이었으므로 장자의 예로 대우해서 3년 동안 상복을 입으셔야 합니다.

서인 / 남인

하지만 현종 때 일어난 **두 차례의** •**예송**으로 서인과 남인 간의 대립이 격해지면서 **붕당 정치가** •**변질**되기 시작했습니다. 예송은 '예를 둘러싼 논쟁'이라는 뜻으로 둘째 왕자였던 효종과 효종비가 죽으면서 치러진 장례에서 대비가 상복을 입는 기간을 두고 서인과 남인이 논쟁을 벌인 일입니다. 이는 단순히 장례 절차 때문에 벌어진 논쟁이라기보다 당시 각 붕당의 왕을 바라보는 입장 차이, 학문·정치적으로 세상을 보는 시각 차이 등이 얽혀서 나타났습니다.

숙종이 즉위하며 붕당 간의 대립은 더욱 심해졌습니다. **숙종은 여러 차례** •**환국**을 벌이며 집권당을 수시로 바꾸었고, 각 붕당은 서로 정권을 잡을 때마다 권력을 독점하고 상대 당을 정계에서 쫓아냈습니다. 이 과정에서 서인 세력은 **노론과 소론**으로 다시 나뉘어졌습니다. 3사의 언론 기능도 변질되어 공론보다는 자신이 속한 붕당의 이익에 따라 주장을 내세웠습니다. 이렇게 환국을 거치면서 붕당 정치는 본래의 제 기능을 잃고 나라의 정치 기강이 무너졌습니다.

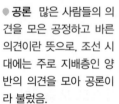
한국사 용어 콕!

●**공론** 많은 사람들의 의견을 모은 공정하고 바른 의견이란 뜻으로, 조선 시대에는 주로 지배층인 양반의 의견을 모아 공론이라 불렀음.

●**예송** 효종과 효종비가 죽으면서 자의 대비가 상복을 입는 기간을 두고 서인과 남인 사이에서 벌어진 두 차례의 논쟁.

●**변질**(變 변할 **변**, 質 바탕 **질**) 성질이 달라지거나 물질의 질이 변함.

예문 음식의 **변질**을 막기 위해서는 냉동 보관을 해야 해요.

●**환국**(換 바꿀 **환**, 局 판 **국**) 왕이 특정 붕당의 손을 들어 주어 정권을 잡은 붕당이 갑자기 바뀌는 정치 상황.

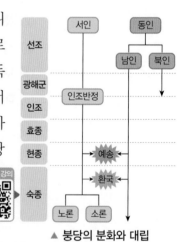

▲ 붕당의 분화와 대립

핵심 Point!

정답 및 풀이 **181쪽**

❶ 붕당 정치에는 양반 사대부들의 의견인 [　　] 이 중시되었다.

❷ 현종 때 일어난 두 차례의 [　　] 으로 붕당 간의 대립이 격해졌다.

❸ 숙종은 여러 차례 [　　] 을 벌이며 집권당을 수시로 교체하였다.

1 다음 왕들과 관련 있는 내용을 선으로 바르게 연결하시오.

(1) 현종 •

(2) 숙종 •

(3) 광해군 •

• ㉠ 환국

• ㉡ 북인 정권

• ㉢ 두 차례 예송

2 다음에서 설명하는 사건은 무엇인지 쓰시오.

> 둘째 아들로서 왕위에 오른 효종이 죽자 장례에서 대비가 상복을 입는 기간을 두고 서인과 남인이 주장하는 예법의 차이로 벌어진 사건이다.

(   )

3 다음 ㉠, ㉡과 같은 주장을 펼친 붕당은 무엇인지 각각 쓰시오.

효종께서는 둘째 아들이므로 대비께서는 1년 동안 상복을 입으셔야 합니다.

효종은 왕위를 이었으므로 장자의 예로 대우해서 3년 동안 상복을 입으셔야 합니다.

㉠ (   ), ㉡ (   )

4 환국에 대한 설명으로 옳은 것은 어느 것입니까? (   )

① 현종 때 벌어진 일이다.
② 두 차례 벌어진 예를 둘러싼 논쟁이다.
③ 활발하고 건전한 붕당 정치가 시행되었다.
④ 정권을 잡은 당이 상대 당을 정계에서 쫓아냈다.
⑤ 서인과 북인 사이에서 집권당이 수시로 교체되었다.

03 영조의 탕평책과 개혁 정치

숙종 때에 환국으로 정권을 잡은 서인 세력은 남인을 처리하는 일을 두고 강경하게 탄압하자는 **노론**과 온건하게 탄압하자는 **소론**으로 나뉘며 붕당 간의 대립이 더욱 심해졌습니다. 숙종의 다음 왕위 계승을 둘러싸고 노론은 숙빈 최씨의 아들(영조)을 지지하고, 소론은 희빈 장씨의 아들(경종)을 지지하며 두 세력이 대립하였습니다.

"다른 사람과 두루 친하되 편을 가르지 않는 것이 군자의 마음이요, 편을 짓기만 하고 다른 사람과 두루 친하지 못하는 것은 소인배의 사사로운 마음이다."

▲ 탕평비

영조는 즉위 과정에서 왕위 계승 문제로 인한 노론과 소론의 극심한 대립을 경험하였습니다. 그리하여 왕위에 오른 이후 붕당의 대립을 완화하고 왕권을 강화하기 위한 **탕평책을 실시**했습니다. 영조는 자신의 탕평책에 동의하는 탕평파를 육성하여 이들을 중심으로 나라를 다스렸습니다. 또한 붕당의 근거지인 **서원을 대폭 정리**하고 붕당 간 대립의 근원이 되었던 **이조 전랑의 권한을 약화**시켜 3사 관리의 추천권을 없앴습니다. 그는 탕평에 대한 강력한 의지를 내세우기 위해 **탕평비**를 세웠습니다. 이러한 탕평책으로 영조 때에는 어느 정도 정치 상황이 안정되고 왕권이 강화되었습니다.

이밖에도 영조는 백성들의 생활을 안정시키기 위한 여러 개혁 정치를 실시하였습니다. **균역법**을 시행하여 백성들에게 큰 부담이 되었던 군역 부담을 줄여주었고, 억울하게 사형을 당하는 일이 없도록 사형수에 대해 **삼심제**를 실시했으며, 가혹한 형벌을 금지하였습니다. 또한 첩의 자손에 대한 차별을 줄였고, 당시 청계천이 자주 범람하여 백성들이 피해를 입자 청계천을 대대적으로 정비하였습니다. 이렇게 백성의 생활을 안정시킨 영조는 『속대전』과 『동국문헌비고』 등을 편찬하여 문물제도를 정비하였습니다.

▲ 「준천시사열무도」 부분 영조가 청계천 공사를 지켜보는 모습

핵심 Point!

정답 및 풀이 **181쪽**

❶ 숙종의 다음 왕위 계승 문제로 [ ][ ]과 소론의 대립이 심해졌다.

❷ 영조는 붕당의 근거지인 [ ][ ]을 대폭 정리하였다.

❸ 영조는 백성이 억울하게 사형을 당하는 일이 없도록 [ ][ ][ ]를 실시하였다.

1 다음과 같은 비석을 세워 탕평 의지를 널리 알린 왕을 쓰시오.

"다른 사람과 두루 친하되 편을 가르지 않는 것이 군자의 마음이요, 편을 짓기만 하고 다른 사람과 두루 친하지 못하는 것은 소인배의 사사로운 마음이다."

▲ 탕평비

(   )

2 영조의 탕평책에 대한 설명이 옳으면 ○표, 틀리면 ×표를 하시오.

(1) 영조는 이조 전랑의 권한을 강화시켰다.   (   )

(2) 영조는 붕당의 근거지인 서원을 대폭 정리하였다.   (   )

(3) 영조는 탕평파를 육성하여 이들을 중심으로 나라를 다스렸다.   (   )

중학교 시험 맛보기

3 다음 보기 중 영조가 펼친 개혁 정치로 알맞은 것을 모두 고른 것은 어느 것입니까?

(   )

───── 보기 ─────

㉠ 균역법을 폐지하였다.

㉡ 청계천을 정비하였다.

㉢ 첩의 자손에 대한 차별을 줄였다.

㉣ 사형수에 대해 삼심제를 실시하였다.

① ㉠, ㉡   ② ㉠, ㉣   ③ ㉡, ㉢

④ ㉠, ㉢, ㉣   ⑤ ㉡, ㉢, ㉣

4 다음 글자들을 조합하여 영조 때 편찬된 서적을 두 가지를 쓰시오.

| 국 | 전 | 동 | 속 | 비 | 고 | 헌 | 대 | 문 |

(,   )

04 정조의 탕평책과 개혁 정치

영조의 뒤를 이어 왕위에 오른 정조는 영조의 정책을 이어 **더욱 강력한 탕평책**을 실시하였습니다. 그는 영조 때부터 세력을 키워온 ●외척 세력을 제거하고 붕당을 가리지 않고 능력 있는 인물을 등용하였습니다. 또한 기존에 왕실 도서관 역할을 하던 **규장각의 기능을 강화**하여 자신의 정책을 뒷받침하기 위한 기구로 삼았습니다. ●초계 문신제를 실시하여 젊고 유능한 인물이 규장각에서 정책 연구를 하도록 하며 개혁 세력을 키웠습니다.

정조는 왕권을 강화하기 위해 ●**장용영을 설치**하여 군사권을 장악하고자 하였습니다. 또한 정치·경제·군사적 기능을 갖춘 계획 도시로 수원에 **화성을 건설**하고 이를 중심으로 왕권을 강화하여 정치 개혁을 완성하려고 하였습니다. 화성은 거중기와 같이 다양한 기구를 사용하여 효과적이고 과학적으로 건설되었습니다. 현재 화성은 유네스코 세계 문화유산으로 등재되어 있습니다.

그밖에도 정조는 그동안 정치적 진출에 제한을 받던 ●서얼을 등용하고 노비에 대한 처우를 개선하였으며, 상인들의 자유로운 상업 활동을 보장하였습니다. 또한 여러 문물과 통치 제도를 정리하여 ●『대전통편』, 『탁지지』 등을 편찬하였습니다.

영조와 정조의 탕평책으로 왕권이 강화되면서 조선의 정치와 사회는 어느 정도 안정되었습니다. 그러나 탕평책은 왕이 강력한 왕권으로 붕당 간의 다툼을 잠시 억누른 것이었고, 붕당 자체를 없앤 것은 아니었습니다. 결국 **정치 권력이 왕과 그 주변의 소수 정치 세력에 집중**되었습니다.

한국사 용어 콕!

● **외척**(外 바깥 외, 戚 친척 척) 어머니 쪽의 친척.

● **초계 문신제** 1781년에 인재 양성을 위해 정조가 주도하여 규장각에 마련한 제도로, 새로운 인물이나 중·하급 관리 중에서 유능한 인재를 재교육하였음.

● **장용영** 1793년에 왕권강화를 위해 설치한 국왕호위 군대.

● **서얼**(庶 여러 서, 孼 첩의 자손 얼) 첩의 자손.

● **『대전통편』** 『경국대전』과 『속대전』 및 그 뒤의 법령을 통합하여 편찬한 법전.

● **『탁지지』** 호조(세금 및 국가 재정과 관련된 일을 담당한 기관)의 모든 사례를 정리하여 편찬한 책.

◀ 화성(경기 수원)
성벽에 공심돈, 옹성 등을 설치하여 군사적 기능을 강화하였고, 성 내부에는 도로를 내고 상업 시설을 마련하였음.

핵심 Point!

정답 및 풀이 **181쪽**

❶ 정조는 [　][　][　]의 기능을 강화하여 자신의 정책을 뒷받침하기 위한 기구로 삼았다.

❷ 정조는 [　][　][　][　][　]를 실시하여 젊고 유능한 인물을 개혁 세력으로 키우고자 했다.

❸ 정조는 정치·경제·군사적 기능을 갖춘 계획 도시로 [　][　]을 건설하였다.

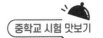 중학교 시험 맛보기

1 정조가 실시한 개혁 정치로 알맞지 <u>않은</u> 것은 어느 것입니까? ( )

① 상인들의 자유로운 상업 활동을 보장하였다.

② 서얼을 등용하고 노비에 대한 처우를 개선하였다.

③ 영조 때부터 세력을 키워온 외척 세력에 힘을 실어 주었다.

④ 규장각의 기능을 강화하여 자신의 정책을 뒷받침하기 위한 기구로 삼았다.

⑤ 초계 문신제를 실시해 젊고 유능한 인물을 교육하여 정책을 연구하도록 했다.

2 정조가 군사권을 장악하고 왕권을 강화하기 위해 설치한 국왕의 호위 군대는 무엇인지 쓰시오.

( )

3 다음에서 설명하는 성의 이름은 무엇인지 쓰시오.

정조가 정치·경제·군사적 기능을 갖춘 계획 도시로 건설한 것으로, 이를 중심으로 왕권을 강화하여 정치 개혁을 완성하려고 하였다. 이 성은 거중기와 같이 다양한 기구를 사용하여 효과적이고 과학적으로 건설되었다.

( )

4 다음 중 정조 때 편찬된 서적을 두 가지를 고르시오. ( )

① 『탁지지』 　　② 『속대전』 　　③ 『경국대전』

④ 『대전통편』 　　⑤ 『동국문헌비고』

05 세도 정치의 전개와 삼정의 문란

정조가 죽은 후 어린 순조가 왕위에 오르자 정치 세력 간 균형이 깨지면서 왕실과 혼인을 맺은 김조순 등 안동 김씨를 비롯한 몇몇 노론 가문이 권력을 장악하는 **세도 정치가 시작**되었습니다. 세도 정치는 순조, 헌종, 철종에 이르기까지 60여 년 동안 이어졌습니다. 세도 가문은 비변사 등 **주요 관직을 독차지**하고 왕과 가문의 자식을 혼인시키며 계속 자신들의 권력을 유지하였습니다. 결국 왕권이 크게 약화되고 정치 기강이 무너졌습니다. 세도 정치 시기의 왕들은 정치적 변화를 통해 왕권을 강화하고자 하였지만, 세도 가문의 위세로 실패하였습니다.

세도 가문을 비판하고 견제할 세력이 없어지면서 세도 가문은 온갖 **부정부패와 매관매직**을 저질렀습니다. 과거에 합격하기 위해서는 실력보다 뇌물이나 세도 가문과의 관계가 중요해졌고, 과거에 합격하더라도 높은 관직에 오르기 위해서는 세도 가문에 뇌물을 바쳐야 했습니다. 이렇게 합격한 관리들은 백성들을 수탈하여 보상받으려 하였고 결국 국가 재정의 바탕인 전정, 군정, 환정의 **'삼정'이 크게 문란**해졌습니다.

삼정 중 백성들을 가장 힘들게 한 것은 환곡이었습니다. 환곡은 본래 가난한 농민을 위해 식량이 모자라는 봄에 관청의 곡식을 백성들에게 빌려주었다가 가을이 되면 약간의 이자를 붙여서 갚도록 하는 제도였습니다. 그런데 환곡의 이자가 관청의 경비로 사용되면서 **고리대처럼 운영**되었고, 여기에 지방 관리들의 부정이 더해져서 백성들의 부담은 더욱 커졌습니다. 정부에서는 암행어사를 파견하여 삼정의 문란을 개선하려고 노력하였지만 근본적인 해결은 어려웠습니다.

한국사 용어 쏙!

● **세도 정치**(勢 권세 세, 道 도리 도, 政 정치 정, 治 다스릴 치) 19세기에 접어들면서, 국가가 한 명 혹은 소수의 권세가나 가문을 중심으로 운영되던 정치 형태.

● **매관매직**(賣 팔 매, 官 벼슬 관, 賣 팔 매, 職 직분 직) 돈이나 재물로 관직을 사고파는 행위.

● **고리대** 부당하게 비싼 이자를 받는 돈놀이.

● **암행어사** 조선 시대에 지방 정치를 감시하고 백성의 사정을 살피기 위하여 왕이 비밀리에 파견한 임시 벼슬.

▲ 전정의 문란   ▲ 군정의 문란   ▲ 환정의 문란

핵심 Point!

정답 및 풀이 **181쪽**

❶ 순조가 즉위하면서 몇몇 소수의 가문이 권력을 장악하는 ☐☐ 정치가 시작되었다.

❷ 세도 가문은 ☐☐☐ 등 주요 관직을 독차지하며 자신들의 권력을 유지하였다.

❸ 뇌물로 관직을 산 관리들이 백성들을 수탈하여 이를 보상받으려 하여 ☐☐ 이 크게 문란해졌다.

● 정답 및 풀이 181쪽

1 다음에서 설명하는 정치 형태는 무엇인지 쓰시오.

> 영조와 정조의 탕평책은 일시적으로 붕당 간의 대립을 억눌렀지만 근본적인 해결책은 아니었다. 그리하여 정조가 죽은 후 어린 순조가 왕위에 오르자 정치 세력 간 균형이 깨지면서 몇몇 소수의 가문이 세력을 장악하는 정치 형태가 나타났다.

(   )

2 위 **1**번 답의 정치 시기에 대한 설명으로 옳지 **않은** 것은 어느 것입니까? (   )

① 삼정이 문란해졌다.
② 부정부패와 매관매직이 성행하였다.
③ 몇몇의 노론 가문이 권력을 장악하였다.
④ 왕권이 약화되고 정치 기강이 무너졌다.
⑤ 탕평 정책이 실시되어 인재가 고루 등용되었다.

3 다음 ㉠, ㉡에 들어갈 알맞은 말을 각각 쓰시오.

> (㉠)의 문란
> 황무지에 세금을 부과하거나, 여러 가지 명목의 세금을 덧붙여서 정해진 양보다 몇 배 이상을 거두어들였음.

> (㉡)의 문란
> 어린아이나 죽은 사람에게도 군포를 거두었으며, 당사자가 군포를 내지 못하면 이웃이나 친척에게 부과하였음.

㉠ (   ), ㉡ (   )

4 다음에서 설명하는 제도는 무엇인지 쓰시오.

> 본래 봄에 관청의 곡식을 백성들에게 빌려주었다가 가을이 되면 약간의 이자를 붙여서 갚도록 하는 제도였다. 그런데 그 이자가 관청의 경비로 사용되면서 고리대처럼 운영되었고, 여기에 지방 관리들의 부정이 더해져서 백성들의 부담은 더욱 커졌다.

(   )

06 농민 봉기의 발생

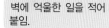

벽서
벽에 억울한 일을 적어 붙임.

소청
관청에 직접 억울함을 호소함.

조선 후기 세도 정치 시기에 **삼정의 문란**이 더욱 심해지면서 농민들의 삶은 •피폐해져 갔습니다. 게다가 **자연재해와 질병이 자주 발생**하여 농민의 삶을 더욱 어렵게 만들었습니다. 생활이 어려워진 이들은 고향을 떠나 떠돌아다니거나 산속으로 들어가 •화전민이 되었습니다. 농민들 중 일부는 자신의 불만을 밖으로 드러내 처음에는 정부를 비판하는 •벽서를 붙이거나 소청을 하여 탐관오리의 부정을 알렸습니다. 하지만 상황이 나아지지 않자 세금을 납부하지 않거나 농민을 수탈하는 지주들에게 소작료를 내지 않는 등 적극적으로 불만을 드러냈고, 결국 **농민 봉기로까지 확대**되었습니다.

19세기에 일어났던 대표적인 농민 봉기로는 홍경래의 난과 임술 농민 봉기가 있습니다. 평안도 지역의 몰락 양반인 홍경래는 어지러운 정치 상황과 **평안도 지역에 대한 차별**에 대항하여 중소 상공업자, 광산 노동자, 가난한 농민들과 함께 봉기를 일으켰습니다(홍경래의 난, 1811년). 이들은 청천강 이북 지역을 5개월 동안 장악할 정도로 규모가 커졌지만, 결국 관군에 패하여 진압되었습니다. 홍경래의 난은 **이후 농민 봉기에 큰 영향**을 미쳤습니다.

• 홍경래의 난이 일어난 지역
• 농민 봉기가 일어난 지역

홍경래의 난 (1811년)

백두산

용천·박천·송림
곽산
정주
함흥
황주
동해
한성
광주
청안·회덕·상주·선산
공주·은진·고산·개령·안동
익산·전주·거창·밀양·울산
부안·함양·단성·진주·창원
함평·순천·남해
장흥
제주
황해
남해

진주 농민 봉기 (1862년)

▲ 19세기에 일어난 농민 봉기

자료 분석 강의

1862년(임술년)에 경상도에서 일어난 **임술 농민 봉기를 시작으로 농민 봉기가 전국으로 확산**되었습니다. 특히 탐관오리들의 수탈이 극심했던 진주는 한때 농민들이 진주성을 점령하기도 하였습니다. 이들은 삼정의 문란을 해결할 것을 요구하였고 정부는 •삼정이정청을 설치하는 노력을 보였으나 큰 효과를 보지 못하며 사회 문제는 더욱 심각해져 갔습니다.

한국사 용어 퀵!

• **피폐**(疲 지칠 피, 弊 해질 폐) 지치고 쇠약해짐.
예문 산업화로 인해 농촌이 피폐해졌어요.

• **화전민**(火 불 화, 田 밭 전, 民 백성 민) 산에 불을 지펴 들풀과 잡목을 태우고 그 자리에다 농사를 짓는 사람.

• **벽서**(壁 벽 벽, 書 쓸 서) 벽에 억울한 일을 적어 붙이는 일 또는 그 글을 말함.

• **삼정이정청** 1862년(철종 13) 삼정의 문란을 고치기 위해 임시로 만든 관청.

핵심 Point!

정답 및 풀이 **182쪽**

❶ 세도 정치 시기 삶이 어려워진 농민들이 산속으로 들어가 ☐☐☐ 이 되기도 하였다.

❷ ☐☐☐ 는 평안도 지역에 대한 차별에 대항하여 봉기를 일으켰다.

❸ 1862년(임술년)에 경상도에서는 ☐☐☐☐☐☐ 가 일어났다.

1 세도 정치 시기 다음과 같이 농민들이 정부에 저항한 방법을 무엇이라고 하는지 각각 쓰시오.

(1)

(   )

(2)

(   )

2 19세기 일어났던 대표적인 농민 봉기 중 오른쪽 지도의 ㉠에 들어갈 농민 봉기는 무엇인지 쓰시오.

(   )

3 위 **2**번 답의 농민 봉기에 대한 설명이 옳으면 ○표, 틀리면 ×표를 하시오.

(1) 신분 차별에 불만을 품은 천민들이 일으킨 봉기이다. (   )
(2) 중소 상공업자, 광산 노동자, 가난한 농민들도 참여하였다. (   )
(3) 점점 규모가 커져 정부가 이를 진압하지 못했고 사회 개혁이 이루어졌다. (   )

4 임술 농민 봉기에 대한 설명으로 옳은 것은 어느 것입니까? (   )

① 청천강 이북 지역을 5개월 동안 장악했다.
② 봉기 이후 정부가 농민들의 삶을 나아지게 했다.
③ 몰락 양반인 홍경래가 평안도 지역에서 일으켰다.
④ 평안도민들에 대한 차별이 봉기 배경 중 하나이다.
⑤ 정부는 이를 계기로 삼정이정청을 설치하기도 했다.

| 학습한 내용을 정리해 보며, 빈칸에 들어갈 키워드를 써 보세요.

• 정답 및 풀이 **182쪽**

30초 정리

❶ 양난 이후 통치 체제의 개편

정치 제도	(❶　　　　　　　) 확대(최고 통치 기구화), 의정부와 6조 기능 약화
군사 제도	중앙군 – 5군영, 지방군 – 속오군
조세 제도	영정법(풍흉에 상관없이 일정한 세금을 냄.), 대동법(토지 결수에 따라 쌀이나 옷감, 동전을 냄.), 균역법(1년에 군포 1필을 냄.)

❷ 붕당 정치와 탕평책

① 붕당 정치의 전개

인조반정 이후 서인 집권, 남인 참여 → (❷　　　　　　) 으로 서인과 남인의 학문적·정치적 대립 → 환국으로 붕당 간 세력 균형 붕괴 → 서인이 노론과 소론으로 분화

효종께서는 둘째 아들 이므로 대비께서는 1년 동안 상복을 입으셔야 합니다.

효종은 왕위를 이었으 므로 장자의 예로 대우 해서 3년 동안 상복을 입으셔야 합니다.

서인　　　　　　남인

② 탕평책의 실시

영조	탕평파 육성, 이조 전랑의 권한 약화, 서원 정리, 균역법 시행, 삼심제 실시, 『속대전』 편찬
(❸　　　　　　)	규장각 설립, 화성 건설, 장용영 설치, 서얼 등용, 자유로운 상업 활동 보장, 『대전통편』 편찬

30초 정리

❸ 세도 정치

① 세도 정치: 순조부터 철종까지 몇몇 소수의 가문이 권력을 장악함.
② 세도 정치의 폐단

권력 독점 현상	붕당 간 균형이 붕괴되고 왕권이 약화됨.
정치 기강의 문란	관직을 사고파는 등 부정부패가 심해짐.
사회·경제적 발전 저해	몰락 양반이 증가하고, 세도 가문과 뇌물을 주고 관직을 산 관리들의 수탈로 백성들의 삶이 어려워짐.
(❹　　　　　　)의 문란	• 전정 – 원래 세금보다 많은 세금을 부과함. • 군정 – 어린아이나 죽은 사람의 몫도 내도록 강요함. • 환곡 – 높은 이자를 붙이거나 관리의 부정이 생김.

❹ 농민 봉기의 발생

홍경래의 난(1811년)	지배층의 수탈, 평안도 지역에 대한 차별 → 몰락 양반 (❺　　　　　　)의 주도로 봉기
임술 농민 봉기(1862년)	삼정의 문란과 탐관오리의 횡포 → 진주 농민 봉기 발생 → 전국으로 확산

1 영조가 다음과 같은 제도들을 실시한 까닭은 무엇인지 쓰시오.

• 정답 및 풀이 **182**쪽

▲ 균역법   ▲ 삼심제

생각 쓰기 **Point**

Point 1
균역법과 삼심제

균역법	군대에 가는 대신 1년에 군포 2필씩을 징수하던 것을 1필로 줄인 제도
삼심제	사형수를 처벌하기 전에 세 번 살펴 판단하게 한 제도

2
단원

2 다음은 임술 농민 봉기 당시 농민들의 요구 사항입니다. 이를 통해 알 수 있는 농민 봉기가 발생한 까닭을 쓰시오.

1. 세금으로 내는 쌀은 항상 7량 5전으로 정하여 거둘 것
2. 각종 군포를 농민에게만 내게 하지 말고, 각 집마다 균등하게 내게 할 것
3. 환곡의 폐단을 없앨 것
4. 아전(관아에 속한 관리)과 장교의 침탈을 금지할 것

Point 2
삼정의 문란

전정	원래 세금보다 많은 세금을 부과함.
군정	어린아이나 죽은 사람의 몫도 내도록 강요함.
환곡	높은 이자를 붙이거나 관리의 부정이 끼어듦.

07 조선 후기의 경제 발전

임진왜란과 병자호란 이후, 농경지를 늘리기 위해 정부는 황폐해진 땅을 일구어 논밭으로 만드는 일을 장려하였습니다. 이와 함께 농민들 사이에 논농사에서는 ●모내기법, 밭농사에서는 ●골뿌림법이 널리 퍼졌습니다. 모내기법이 전국적으로 퍼지면서 벼와 보리의 ●이모작이 가능해져 수확량이 늘어났습니다. 또한 잡초를 쉽게 뽑을 수 있게 되어 필요한 일손이 크게 줄었고 한 사람이 농사지을 수 있는 땅의 크기가 커져 일부 농민들은 경작지를 크게 늘려 부농으로 성장할 수 있었습니다. 도시와 상업의 발달로 장에

▲ 「경직도」의 모내기 부분

내다 팔기 위해 담배, 면화, 인삼과 같은 ●상품 작물을 재배하는 농민들도 생겨났습니다. 그러나 대다수의 농민들은 경작할 땅을 잃고 남의 집에서 머슴살이를 하거나 고향을 떠나 도시, 광산 등에서 품삯을 받고 일하는 일꾼이 되었습니다.

조선 후기에는 농업 생산력이 늘고 도시 인구가 증가하면서 상공업이 더욱 발달하였습니다. 대동법이 실시되며 정부는 토산물 대신 쌀, 옷감, 동전 등을 세금으로 걷었고 이렇게 걷은 돈을 가지고 필요한 물품을 샀습니다. 이때 등장한 ●공인이 정부에 필요한 물품을 대량으로 사들이면서 ●상품 화폐 경제가 발달하였습니다. 또한 ●시전 상인들에게 주었던 ●금난전권이 폐지되면서 개인 상인인 사상들의 활동이 더욱 활발해졌고, 일부 사상들은 청이나 일본과 무역을 하며 부를 쌓았습니다. 지방 장시의 수도 크게 늘어나 18세기 무렵에는 1천 여 개로 늘어났고 ●보부상들은 여러 장시를 돌아다니며 활발히 활동하였습니다. 상공업의 발달과 함께 17세기 후반부터 동전인 **상평통보가 널리 사용**되었습니다.

▲ 상평통보

한편 수공업도 활기를 띠어서 조선 전기에는 장인을 관청에 소속시켜 물품을 생산하게 했다면 조선 후기에는 장인세를 내고 자유롭게 물건을 만들어 판매하는 **민영 수공업이 발달**하였습니다.

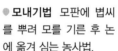
한국사 용어 퀵!

● **모내기법** 모판에 볍씨를 뿌려 모를 기른 후 논에 옮겨 심는 농사법.

● **골뿌림법** 밭을 갈아 이랑과 고랑을 만든 다음 고랑에 씨를 뿌려서 재배하는 밭농사 방법.

● **이모작** 같은 땅에 두 종류의 농작물을 서로 다른 시기에 재배하는 방법.

● **상품 작물** 시장에 내다 팔기 위해 재배하는 농작물.

● **공인** 정부로부터 돈을 미리 받고 필요한 물품을 공급한 상인.

● **상품 화폐 경제** 조선 후기에 상품 생산과 상업 유통이 활발해지면서 물물교환이 아닌 화폐를 사용하게 된 경제 체제.

● **시전 상인** 나라에 물품을 제공하는 대신 하나의 물품을 독점으로 팔 수 있었던 한양의 상인.

● **금난전권** 난전(정부의 허락 없이 사상들이 물건을 파는 것)을 금지할 수 있는 시전 상인의 권리.

● **보부상** 봇짐을 지고 장시를 돌아다니던 상인.

핵심 Point!

정답 및 풀이 **182쪽**

❶ 조선 후기 논농사에서 [　][　][　][　] 이 널리 퍼지면서 수확량이 늘고 일손을 덜 수 있었다.

❷ [　][　] 이 정부에 필요한 물품을 대량으로 사들이면서 상품 화폐 경제가 발달하였다.

❸ [　][　][　][　] 이 폐지되면서 사상들의 활동이 더욱 활발해졌다.

→ 정답 및 풀이 **182쪽**

1 다음과 같은 밭농사 방법을 무엇이라고 하는지 쓰시오.

밭을 갈아 이랑과 고랑을 만든 다음 고랑에 씨를 뿌려서 재배하는 밭농사 방법이다. 고랑에 씨를 뿌리면 보온이 잘되어 씨가 싹을 잘 틔울 수 있었다.

(   )

2 모내기법에 대한 설명으로 옳지 <u>않은</u> 것은 어느 것입니까? (   )

① 벼와 보리의 이모작이 가능해졌다.

② 노동에 필요한 일손이 크게 줄었다.

③ 조선 후기에 모내기법이 널리 퍼졌다.

④ 대다수 농민들이 부농으로 성장하였다.

⑤ 한 사람이 농사지을 수 있는 땅의 크기가 커졌다.

3 다음 (   ) 안에 공통으로 들어갈 알맞은 말은 무엇인지 쓰시오.

조선 후기에는 시전 상인들에게 주었던 금난전권이 폐지되면서 (   )들의 활동이 더욱 활발해졌다. 일부 (   )들은 청이나 일본과 무역을 하며 부를 쌓았다.

(   )

4 조선 후기 수공업에 대해 바르게 이야기하는 어린이에 ○표 하시오.

(1) 관청에 소속된 사람들만 물건을 만들어 팔 수 있었어.

(   )

(2) 장인세를 내고 자유롭게 물건을 만들어 파는 민영 수공업이 발달했어.

(   )

08 조선 후기 신분제의 동요

조선의 신분은 지배층인 양반과 그 밑의 중인, 피지배층인 상민과 노비로 이루어져 있었습니다. 양반 중심이었던 신분 구조는 임진왜란과 병자호란을 거치면서 크게 흔들렸습니다. 여전히 중앙의 정치 권력을 차지하고 권세를 누리는 양반도 있었지만, 붕당 간의 권력 다툼에서 밀려난 양반들은 향촌에서 신분을 유지하는 데 급급하거나 **일반 농민과 다를 바 없이 생활**하게 되었습니다. 한편 다양한 경제 활동으로 부를 쌓은 농민들은 ***납속**이나 ***공명첩**을 통해 신분을 상승시켰습니다. 또한 불법적으로 족보를 사거나 위조하여 양반 신분을 얻기도 하였습니다. 상민들이 양반이 되려고 한 것은 양반이 되면 군포를 면제받고 지배층의 수탈에서 벗어날 수 있었기 때문입니다. 그 결과 조선 후기 **양반의 수는 크게 늘고**, 상민의 수는 크게 줄었습니다.

▲ 자리짜기(김홍도) 관을 쓴 몰락 양반이 생계를 위해 자리를 짜는 모습을 그린 그림.

▲ 공명첩

조선 후기에는 노비들의 신분 상승 노력도 활발하였습니다. 노비들은 전쟁에서 공을 세우거나 **납속과 도망**의 방법으로 천민 신분에서 벗어나기도 하였습니다. 정부에서는 상민이 줄어 군역 대상자가 줄어들자, 아버지가 노비라도 어머니가 양인이면 그 자녀는 양인이 되는 **노비종모법을 시행**하였습니다. 순조 때에는 중앙 관서에 소속되어 있던 수만 명의 ***공노비**를 해방하면서 노비 제도는 점차 사라져 갔습니다.

신분 질서가 흔들리는 가운데 서얼과 중인도 양반과의 신분 차별에 대항하여 신분 상승 운동을 벌였습니다. 첩의 자식인 서얼은 과거의 문과 시험에 응시하고 주요 관직에 진출할 수 있도록 해줄 것을 요구하였습니다. 그 결과 정조 때 유득공, 박제가 등과 같은 **서얼들이 *규장각 검서관으로 진출**하였습니다. 기술직 중인들도 관직 진출에 대한 제한을 없애달라며 운동을 벌였으나 이들의 요구는 받아들여지지 않았습니다.

한국사 용어 퀵!

● **납속**(納 바칠 납, 粟 곡식 속) 조선 시대 재정을 보충하기 위한 방법 중 하나로 곡식을 바친 자에게 신분적 혜택이나 벼슬을 준 정책.

● **공명첩** 이름 적는 난이 비어져 있는 관직 임명장. 정부는 백성에게 돈이나 곡식을 받고 공명첩을 발급함.

● **공노비** 왕실과 관아에 소속되어 있던 노비.

● **규장각 검서관** 조선 후기 규장각에 속해 서적의 교정과 글을 베끼는 등의 일을 맡아보던 벼슬.

핵심 Point!

정답 및 풀이 182쪽

❶ 조선 후기 신분 구조에서 [　　]의 수는 크게 늘고, 상민의 수는 크게 줄었다.

❷ 순조 때에는 수만 명의 [　　] 해방이 이루어졌다.

❸ 첩의 자식인 [　　]은 문과 응시와 주요 관직에 진출할 수 있도록 해줄 것을 요구하였다.

1 다음과 같이 조선 시대에 정부가 돈이나 곡식 등을 받고 주었던 명예직 관직 임명장을 무엇이라고 하는지 쓰시오.

(   )

2 조선 후기 신분의 변화에 대해 바르게 이야기한 어린이의 이름을 쓰시오.

정연: 양반의 수가 점차 줄었어.
소희: 상민과 노비의 수는 크게 늘었어.
서준: 조선 정부는 노비의 수를 늘리려고 노력했어.
민성: 일반 농민과 다를 바 없이 생활하는 양반도 나타났어.

(   )

3 조선 후기에 시행된 노비종모법이란 무엇입니까? (   )

① 부모의 신분이 다르면 자녀는 무조건 노비가 되는 것
② 부모 모두 노비라도 자녀가 능력이 있으면 양인이 되는 것
③ 부모 모두 양인이라도 재산이 적으면 자녀가 노비가 되는 것
④ 아버지가 노비라도 어머니가 양인이면 자녀가 양인이 되는 것
⑤ 어머니가 노비라도 아버지가 양인이면 자녀가 양인이 되는 것

4 다음 (   ) 안에 들어갈 알맞은 말을 쓰시오.

    첩의 자식인 (   )은(는) 과거에 응시할 수 있는 자격이 제한되었고, 높은 관직에 오를 수 없었다. 조선 후기 신분 질서가 흔들리자 (   )은(는) 과거에서 문과에 응시할 수 있고 주요 관직에 진출할 수 있도록 해줄 것을 요구하였고, 그 결과 (   )들이 규장각 검서관으로 진출하였다.

(   )

09 혼인 및 가족 제도의 변화

고려와 마찬가지로 조선 전기는 가족 관계에서 ˙부계와 함께 모계도 중시되었습니다. 그러나 왜란과 호란 이후 신분제의 동요에 위기를 느낀 지배층들이 성리학적 사회 질서를 강화하기 위해 충효 의식을 강조하고 가문을 중시하면서 조선 후기로 갈수록 **부계 중심의 가족 제도**로 바뀌어 갔습니다. 이에 따라 **여성은 지위가 낮아지고** 이전보다 더 많은 ˙제약을 받게 되었습니다.

조선 시대 혼인 형태는 기본적으로 ˙일부일처제였으나, 남자가 ˙첩을 들이는 경우도 있었습니다. 그러나 **부인과 첩 사이에는 엄격한 구분**이 있어 첩의 자식인 서얼은 재산과 제사 참여에 차별을 받았습니다. 조선 전기까지는 혼례 후 신랑이 한동안 신부 집에서 생활하는 경우가 많았고 사위가 처가의 재산을 물려받기도 하였습니다. 그러나 조선 후기에는 혼례 후 바로 신부가 신랑 집에 가서 생활하는 풍습이 널리 퍼졌습니다.

▲ 「신행길」 혼례를 치르기 위해 신부의 집으로 가는 신랑의 모습을 그린 그림.

고려 시대에는 아들과 딸이 돌아가며 제사를 지내고, 재산도 고르게 상속되었습니다. 조선 전기까지도 이어졌던 당시 풍습은 조선 후기로 갈수록 재산 상속과 제사에서 **큰아들만 우대**받고 딸과 다른 아들은 점차 소외되었습니다. 아들이 대를 이어야 한다는 의식이 강해지면서 아들이 없는 집에서는 ˙양자를 들여 대를 잇는 것이 일반화되었으며 **부계 위주의** ˙족보를 적극 만들었습니다. 이러한 남성 위주의 가족 제도의 영향을 받아 양반 집에서는 남자와 여자의 생활공간이 분리되었습니다.

고려 시대에는 여성의 이혼이나 재혼이 비교적 자유로웠으나, 조선 후기에는 정부에서 과부의 ˙재가를 금지하였습니다. 또한 남편을 잃고서도 계속 죽은 남편을 섬기며 따르는 ˙열녀를 표창하고 열녀문을 세워 **정절을 강요**하였습니다.

▲ 은진 송씨 열녀문(충북 진천)

핵심 Point!　　　　　정답 및 풀이 182쪽

❶ 조선 후기에는 성리학적 사회 질서가 강화되면서 □□ 중심의 가족 제도로 바뀌어 갔다.

❷ 조선 후기에 이르면 재산 상속에서 □□□만 우대받았다.

❸ 조선 후기에는 정부에서 과부의 재가를 금지하고 □□를 표창하여 정절을 강요하였다.

1 조선 후기 가족 제도에 대한 설명이 옳으면 ○표, 틀리면 ×표를 하시오.

(1) 부계와 함께 모계도 중시되었다. ( )

(2) 여성은 지위가 낮아지고 이전보다 더 많은 제약을 받게 되었다. ( )

(3) 혼례 후 신부가 신랑 집으로 가서 생활하는 것이 일반적인 풍습이었다. ( )

2 단원

2 다음 ( ) 안에 들어갈 알맞은 말을 쓰시오.

> 조선 시대 혼인 형태는 기본적으로 한 남편이 한 부인만 두는 ( )였으나 남자가 첩을 들이는 경우도 있었다. 그러나 부인과 첩 사이에는 엄격한 구분이 있어 양반과 첩 사이의 자식은 차별을 받았다.

( )

3 조선 후기 가족 제도에 대한 설명으로 옳은 것은 어느 것입니까? ( )

① 남자는 재혼을 할 수 없었다.

② 족보에는 모계와 부계를 다 적었다.

③ 아들과 딸이 돌아가며 제사를 지냈다.

④ 재산 상속에서 아들과 딸이 똑같이 대우받았다.

⑤ 아들이 없는 집에서는 양자를 들여 대를 이었다.

4 다음과 같이 조선 후기에 여성에게 정절을 강요하기 위해 마을에 세운 것을 무엇이라고 하는지 쓰시오.

( )

10 실학의 발달

임진왜란과 병자호란을 겪은 조선 사회는 사회·경제적으로 많은 문제점이 나타났습니다. 특히 갈수록 성리학에만 매달려 현실 문제에 ●대응하지 못하는 기존 지배층에 대한 불만이 커지며 유학자들 사이에서는 **현실 사회의 문제를 해결하려는 실학이 등장**했습니다. 실학자들은 조선이 처한 사회 문제를 해결하기 위해 농업과 상공업을 개혁하는 방안을 제시하였으며, 중국 중심의 세계관에서 벗어나 우리 역사와 문화에 관심을 갖는 등의 노력을 하였습니다.

토지 제도를 개혁해야 합니다!

조선은 농업을 중심으로 하는 사회로 유형원, 이익, 정약용 등의 실학자들은 조선 사회 문제를 해결하기 위해서는 **토지 제도를 개혁**해야 한다고 생각했습니다. 이들은 조선 후기 농민 생활이 어려워진 것은 많은 농민들이 토지를 잃었기 때문이라고 생각하여 국가가 토지 소유를 제한하거나 토지를 재분배해야 한다고 주장했습니다. 또한 토지 제도를 개혁하고 조세 제도와 군사 제도 등 **국가 제도를 새롭게 바꿀 것을 제안**했습니다.

한편 상공업이 발달하면서 유수원, 박지원, 박제가 등의 실학자들은 상품 화폐 경제의 발전에 ●주목했습니다. 이들은 **상공업의 발전**을 돕고 **청의** ●**선진 과학 기술**을 받아들여야 한다고 주장했기 때문에 '북학파'라고도 불렸습니다. 유수원은 상공업을 ●천시하는 당시 사람들의 생각을 비판하고 직업적 평등을 주장했습니다. 박지원은 수레와 선박의 이용과 화폐의 사용 등을 주장하고, 『양반전』과 『허생전』 등 양반의 무능력을 비판하고 상품 화폐

상공업을 발전시켜야 합니다!

경제의 중요성을 담은 책을 썼습니다. 박제가는 『**북학의**』를 저술하여 청과의 교류를 확대하고 소비를 장려하여 생산을 ●촉진해야 한다고 주장했습니다. 이들의 주장은 19세기 개화사상가들에게 영향을 주었습니다.

한국사 용어 퀵!

● **대응**(對 대답할 대, 應 응할 응) 어떤 일이나 사태에 맞추어 태도나 행동을 취함.
예문 빠르게 변하는 사회에 대한 신속한 **대응**이 필요해요.

● **주목**(住 부을 주, 目 눈 목) 관심을 가지고 주의 깊게 살핌.

● **선진**(先 먼저 선, 進 나아갈 진) 발전의 정도나 수준 등이 다른 것보다 앞섬.

● **천시** 업신여겨 낮게 보거나 천하게 여김.

● **촉진**(促 재촉할 촉, 進 나아갈 진) 다그쳐 빨리 나아가게 함.

핵심 Point!

정답 및 풀이 **183쪽**

❶ 조선 후기 현실 문제를 해결하기 위해 등장한 학문을 ☐☐이라고 한다.

❷ 유수원, 박제가 등 북학파들은 ☐의 선진 과학 기술을 받아들여야 한다고 주장하였다.

❸ ☐☐☐은 『양반전』, 『허생전』 등을 저술하여 양반의 무능력을 비판했다.

1 다음 밑줄 친 학문을 무엇이라고 하는지 쓰시오.

> 양난 이후 조선 사회는 사회·경제적으로 많은 문제점이 나타났다. 하지만 당시 조선의 지배층은 성리학에만 매달려 현실 문제에 대응하지 못했다. 이에 유학자들 사이에서는 현실 사회 문제를 해결하려는 새로운 <u>학문</u>이 등장했다.

(   )

2
단원

2 다음에서 토지 제도를 개혁해야 한다고 주장한 실학자를 모두 골라 쓰시오.

> • 이익   • 유수원   • 정약용   • 박제가

(   )

3 다음에서 설명하는 실학자는 누구인지 쓰시오.

> 수레와 선박의 이용, 화폐의 사용 등을 주장하였다. 또한 『양반전』과 『허생전』 등 양반의 무능력을 비판하고 상품 화폐 경제의 중요성을 담은 책을 썼다.

(   )

4 박제가에 대한 설명으로 옳은 것은 어느 것입니까? (   )

① 성리학을 깊이 연구하고 발전시켰다.
② 토지 제도의 개혁을 주장한 실학자이다.
③ 청과 교류하지 않아야 한다고 주장했다.
④ 소비를 줄이고 재물을 쌓아야 한다고 주장했다.
⑤ 소비를 장려하여 생산을 촉진해야 한다고 주장했다.

11 국학의 발달

조선 후기에 중국 중심의 세계관을 비판하면서 실학자를 비롯한 일부 지식인들은 우리 역사와 지리, 언어 등 **˚국학에 대한 연구를 활발하게 전개하였습니다.**

안정복은 고조선부터 고려까지의 역사를 체계적으로 정리한 『동사강목』을 저술하여 중국 중심의 역사관을 비판하고 우리 역사의 정통성을 내세웠습니다. 유득공은 우리의 역사로서 발해의 역사를 쓴 『발해고』를 저술하여 고대사 연구를 만주 지역까지 확대하였습니다.

이중환은 지리지인 **˚『택리지』를** 편찬하여 우리나라의 지리적 환경, 경제, 풍속 등을 정리하였고, 정상기는 최초로 100리 단위의 축척 개념을 사용하여 「동국지도」를 제작했습니다. 김정호는 우리나라의 산맥, 하천, 도로망 등을 자세히 표시한 **「대동여지도」를** 제작하였습니다. 「대동여지도」는 이동할 때 편리하게 사용하기 위해 정확한 축척을 사용했고, 오늘날의 지도처럼 기호를 이용해 중요한 지형이나 도시들을 표시했습니다.

「대동여지도」▶
22첩으로 분리한 후 병풍처럼 접어 책처럼 가지고 다닐 수 있게 만들어졌음.

우리말에 대한 연구도 활발하게 진행되어 신경준은 훈민정음의 **˚음운과** 발음 기관을 연구하여 『훈민정음운해』를 저술하였고, 유희는 우리말 중심의 음운을 연구하여 『언문지』를 편찬하였습니다. 또한 이 시기 다양한 지식을 모은 **백과사전 형식의 책들**도 많이 편찬되었는데 이익의 **˚『성호사설』,** 이수광의 **˚『지봉유설』** 등이 대표적이며, 영조 때 나라의 지시로 편찬된 『동국문헌비고』는 역대 문물을 정리한 책입니다.

한국사 용어 퀵!

● **국학** 자기 나라의 고유한 역사, 언어, 풍속, 신앙, 제도, 예술 등을 연구하는 학문.
● **『택리지』** 우리나라의 자연환경과 8도의 역사적 배경, 도별로 기록한 인물과 풍속 등 다양한 내용을 담은 인문 지리지.
● **음운**(音 소리 음, 韻 운 운) 말의 뜻을 구분하여 주는 소리의 가장 작은 단위.
● **『성호사설』** 이익이 평소에 지은 글을 모아 엮은 책으로, 천지·만물·경사 등으로 나누어져 있음.
● **『지봉유설』** 우리나라 최초의 백과사전적인 저술로, 천문·지리·병정·관직 따위의 25부문 3,435항목을 고서에서 뽑아 풀이함.

핵심 Point!

정답 및 풀이 **183쪽**

❶ [ ][ ][ ]은 고조선부터 고려까지의 역사를 체계적으로 정리한 『동사강목』을 저술하였다.

❷ 김정호는 「[ ][ ][ ][ ][ ]」를 제작하여 우리나라의 산맥, 하천, 도로망 등을 자세히 표시하였다.

❸ 영조 때 편찬된 『[ ][ ][ ][ ][ ][ ]』는 역대 문물을 정리한 백과사전 형식의 책이다.

1 다음에서 설명하는 책은 무엇인지 쓰시오.

> 안정복이 고조선에서 고려까지의 역사를 체계적으로 정리한 역사서이다. 중국 중심의 역사관을 비판하고 우리 역사의 정통성을 내세웠다.

(   )

2 우리의 역사로서 발해의 역사가 담긴 『발해고』를 저술한 사람은 누구입니까?

(   )

① 이익   ② 안정복   ③ 유득공
④ 이중환   ⑤ 김정호

3 김정호가 우리나라의 산맥, 하천, 도로망 등을 자세히 표시하여 제작한 다음 지도의 이름을 쓰시오.

(   )

4 다음 서적들의 공통점으로 옳은 것은 어느 것입니까? (   )

> • 『성호사설』   • 『지봉유설』   • 『동국문헌비고』

① 우리나라의 역사를 쓴 역사서이다.
② 서양의 과학 기술을 소개하고 있다.
③ 백과사전 형식으로 만들어진 책이다.
④ 우리글인 한글을 본격적으로 연구하였다.
⑤ 각 지방의 지리적 환경, 풍속 등을 담고 있다.

12 새로운 문물의 수용과 회화의 발달

17세기 무렵부터 조선은 중국으로부터 다양한 서양 문물과 기술을 들여왔습니다. 연행사로 청에 갔던 사신들이 **서양의 과학 서적, 화포,** *천리경,* *자명종* 등을 조선에 들여왔고, 서양에서 제작한 세계 지도인 「곤여만국전도」도 조선에 전해졌습니다. 또한 벨테브레이(박연), 하멜 등 조선에 *표류해* 온 외국인을 통해 서양 문물이 들어오기도 하였습니다. 서양의 문물과 기술은 조선의 지식인이 **중국 중심의 세계관에서 벗어나** 새로운 세계관을 가지는 데 영향을 주었습니다.

조선 후기 회화에서는 우리 문화에 대한 자부심이 높아지고 현실에 대한 관심이 커지면서, 우리의 고유한 문화를 표현하려는 다양한 그림이 등장했습니다. **정선**은 우리나라의 아름다운 자연을 사실적으로 그리는 **진경 산수화**라는 화풍을 선보였습니다. 대표적인 작품으로는 「인왕제색도」와 「금강전도」가 있습니다.

▲ 정선의 「인왕제색도」

▲ 김홍도의 「서당도」

▲ 신윤복의 「단오풍정」

당시 서민들의 생활 모습을 생동감 있게 그린 **풍속화**가 유행하기도 하였습니다. 대표적인 화가로 **김홍도와 신윤복**이 있습니다. 김홍도가 서민의 모습을 소박하면서도 익살스럽게 그렸다면 신윤복은 주로 양반과 부녀자의 생활과 남녀 간의 사랑을 주제로 한 그림을 그렸습니다. 이밖에도 형식에 얽매이지 않고 자유롭게 표현하는 *민화*도 많이 그려졌습니다. 민화에는 아무 걱정 없이 행복하게 살고 싶은 백성의 소망이 담겨 있었는데, 까치, 호랑이, 소나무, 학, 잉어, 원앙 등 소재가 다양하였습니다.

한국사 용어 퀵!

● **천리경** 천리 밖을 볼 수 있다하여 붙여진 이름으로 지금의 망원경을 말함.
● **자명종** 때가 되면 저절로 울려 시간을 알리는 시계.

▲ 천리경과 자명종

● **「곤여만국전도」** 이탈리아 신부가 만든 세계 지도로, 중국보다 훨씬 넓은 세상이 있음을 알려 줌.
● **표류**(漂 떠돌 표, 流 흐를 유) 물 위에 떠서 정처 없이 흘러감.
예문 배가 망가져 바다 위를 **표류**하던 그들은 이름 모를 섬에 도착했어요.
● **민화** 무명 화가들이 그린 그림.

핵심 Point!

정답 및 풀이 **183쪽**

❶ 청에 갔던 사신들이 서양의 과학 서적, 화포, 천리경, ☐☐☐ 등을 들여왔다.

❷ ☐☐☐☐☐는 우리나라의 아름다운 자연을 사실적으로 그린 화풍을 말한다.

❸ 조선 후기 김홍도와 신윤복이 즐겨 그린 ☐☐☐가 유행하였다.

정답 및 풀이 **183쪽**

1 조선 후기 조선에 들어온 서양 문물로 알맞지 **않은** 것은 어느 것입니까? (   )

① 화포　　　　　　② 천리경　　　　　　③ 자명종
④ 「대동여지도」　　⑤ 「곤여만국전도」

2 오른쪽과 같이 우리나라의 아름다운 자연을 사실적으로 그리는 화풍을 무엇이라고 하는지 쓰시오.

(　　　　　　　　　)

▲ 정선의 「인왕제색도」

3 다음 (1)과 (2)의 풍속화를 그린 화가는 누구인지 각각 쓰시오.

(1)

▲ 「서당도」

(　　　　　　　)

(1)

▲ 「단오풍정」

(　　　　　　　)

중학교 시험 맛보기

4 다음 ㉠에 들어갈 조사 주제로 알맞은 것은 어느 것입니까? (   )

조사 주제: _____㉠_____
조사 결과: 진경 산수화의 등장, 풍속화의 유행, 민화의 발달

① 천주교의 전래
② 새로운 사상의 등장
③ 조선 후기 회화의 변화
④ 조선 후기 가족 제도의 변화
⑤ 조선 시대 서양 문물의 전래

13 서민 문화의 발달

조선 후기에 농업 생산력이 증가하고 상공업이 발달하면서 **경제적으로 여유가 생긴 중인과 상민**이 늘었습니다. 이들이 문학과 예술에 관심을 갖기 시작하면서 양반만 누리던 문화의 폭이 서민층까지 확대되었습니다. 또한 이 시기 서당 교육이 확대됨에 따라 글을 읽고 쓸 줄 아는 서민이 늘어났습니다. 그 결과 조선 후기에는 서민을 중심으로 하는 **서민 문화가 발달**하였습니다.

문학에서는 한글 소설과 [●]사설시조 등이 유행하였습니다. 대표적인 한글 소설로는 [●]『홍길동전』, 『춘향전』 등이 있으며 서민들의 모습이나 감정이 잘 나타나 있고 **지배층의 횡포와 사회적 차별 등의 내용**이 담겨 있었습니다. 사설시조 또한 널리 유행하여 형식에 얽매이지 않고 서민들의 감정을 자유롭게 표현하거나 현실 사회를 풍자하였습니다.

판소리와 탈놀이도 조선 후기의 대표적인 서민 문화입니다. **판소리**는 소리꾼이 고수(북을 치는 사람)의 북장단에 맞춰 창(노래)과 아니리(사설) 등으로 연기하는 공연을 말합니다. 판소리는 열두 마당이 있었으나 지금은 「춘향가」, 「심청가」, 「흥보가」, 「수궁가」, 「적벽가」 등 **다섯 마당만 전해지고** 있습니다. 판소리는 광대들로부터 전해져 서민들이 즐기던 문화였지만, 점차 양반들에게까지 큰 인기를 끌었습니다. **탈놀이**는 탈을 쓴 광대들이 이야기에 맞춰 춤과 노래를 하는 이야기 극입니다. 탈놀이는 **양반 사회의 문제점을 주제로** [●]해학과 [●]풍자의 방법으로 서민들에게 많은 웃음을 주었습니다. 이러한 공연은 주로 사람이 많은 장시나 포구 등에서 이루어졌습니다.

▲ 「평양도」 중 판소리

▲ 하회 별신굿 탈놀이 중 한 장면

한국사 용어 퀵!

●**사설시조** 뚜렷한 형식 없이 산문처럼 쓰는 시조.
●**『홍길동전』** 허균이 쓴 한글 소설. 인조 때를 배경으로 홍길동이라는 인물을 가지고 소설을 썼으며 양반 사회의 모순과 서얼 차별의 부당함을 담고 있음.
●**해학** 익살스럽고도 품위가 있는 말이나 행동.
●**풍자** 사회나 인물, 시대의 잘못 등을 재치 있게 빗대어 비판함.

핵심 Point!

정답 및 풀이 **183쪽**

❶ 조선 후기 대표적인 ☐☐☐☐로는 『홍길동전』, 『춘향전』 등이 있다.

❷ ☐☐☐는 소리꾼이 고수의 북장단에 맞춰 창과 아니리 등으로 연기하는 공연이다.

❸ ☐☐☐는 탈을 쓴 광대들이 이야기에 맞춰 춤과 노래를 하는 이야기 극이다.

1 조선 후기 서민 문화가 등장하던 시기의 상황으로 옳지 <u>않은</u> 것은 어느 것입니까?
(   )

① 글을 아는 서민이 늘었다.
② 한문 소설이 크게 유행하였다.
③ 서민들의 서당 교육이 확대되었다.
④ 농업 생산력이 증가하고 상공업이 발달하였다.
⑤ 경제적으로 여유가 생긴 중인과 상민이 늘었다.

2 다음에서 설명하는 한글 소설은 무엇인지 쓰시오.

> 허균이 쓴 한글 소설로, 서얼에 대한 차별과 탐관오리들의 횡포를 비판하는 내용을 담고 있다.

(   )

3 조선 후기 서민 문화 중 다음에서 설명하는 것은 무엇인지 쓰시오.

> 시조의 한 종류로, 형식에 얽매이지 않고 서민들의 감정을 자유롭게 표현하거나 현실 사회를 풍자하였다.

(   )

중학교 시험 맛보기

4 다음 보기 에서 조선 후기 판소리에 대한 설명으로 옳은 것을 모두 골라 기호를 쓰시오.

보기
㉠ 양반층에게는 외면 받았다.
㉡ 서양에서 전래된 놀이이다.
㉢ 현재 판소리 다섯 마당만 전해지고 있다.
㉣ 소리꾼이 고수의 북장단에 맞춰 창과 아니리 등으로 연기하는 공연이다.

(   )

14 새로운 종교의 등장

조선 후기 세도 정치로 백성들의 생활이 어려워지는 가운데 자연재해와 전염병까지 발생하여 백성들의 삶이 피폐해졌습니다. 이에 백성들 사이에서 새로운 세상이 온다는 ●예언 사상이 널리 퍼졌습니다. 가장 대표적인 것이 『정감록』인데, 이는 이씨 왕조인 조선이 망하고 정씨가 새로운 나라를 세운다는 예언을 담고 있습니다. 또한 개인의 구원을 비는 **민간 신앙**과 미륵이 혼란한 세상을 구원한다는 미륵 신앙도 유행하였습니다.

▲ 「**천주실의**」 이탈리아의 신부가 청에 천주교를 전하기 위해 쓴 책으로, 조선에 천주교가 전파되는데 큰 역할을 함.

한편 17세기 중국에 다녀온 사신을 통해 **천주교가 전래**되었습니다. 천주교는 처음에는 서양 학문으로 들어와 서학이라고 불렸는데, 18세기 후반 남인 계열의 학자들이 신앙으로 받아들여 점차 확산되었습니다. 모든 인간은 평등하며, 신이 다음 생을 ●구원한다고 약속하는 천주교의 교리는 백성들에게 위안을 주었습니다. 하지만 정부는 천주교가 **조상에 대한 제사를 거부**하고 신분 질서를 부정한다고 하여 금지하고 여러 차례 천주교를 믿는 이들을 탄압하기도 했습니다.

서학이 유행하는 가운데 몰락 양반이었던 최제우는 유교, 불교, 도교를 바탕으로 민간 신앙을 더하여 **동학을 창시**했습니다. 최제우는 천주교와 서양 세력이 조선을 어지럽힌다고 생각하여 서학(西學)에 반대한다는 뜻으로 동학(東學)이라 부르며 '사람이 곧 하늘'이라는 인내천 사상을 내세워 신분 차별이나 노비 제도에 반대하고, 낡은 제도를 개혁해야 한다고 주장하였습니다. 정부는 동학이 **세상을 혼란스럽게 한다고 하여** 금지하고

▲ 최제우

●교조 최제우를 처형하였습니다. 하지만 동학의 평등사상과 개혁 내용은 백성들의 호응을 얻었고 2대 교주인 최시형은 『동경대전』과 『용담유사』를 펴내 교리를 정비하고 세력을 확장하였습니다.

한국사 용어 퀵!

●**예언**(豫 미리 예, 言 말씀 언) 앞으로 다가올 일을 미리 알거나 짐작하여 말함.
●**『정감록』** 이씨 조선이 망한 후 계룡산에서 정씨 성의 도령, 즉 정도령이 나타나 새로운 나라를 건설한다는 내용을 담고 있는 예언서.
●**구원** 어려움이나 위험에 빠진 사람을 구하여 줌.
●**교조**(教 가르칠 교, 祖 조상 조) 어떤 종교나 종파를 처음 세운 사람.

핵심 Point!

정답 및 풀이 **183쪽**

❶ 조선 후기에는 『정감록』 등의 [　][　] 사상이 유행하였다.

❷ 정부는 [　][　][　]가 조상에 대한 제사를 거부하고 신분 질서를 부정한다고 하여 금지하였다.

❸ 몰락 양반이었던 [　][　][　]는 유교, 불교, 도교를 바탕으로 민간신앙을 더하여 동학을 창시했다.

1 다음에서 설명하는 예언서는 무엇인지 쓰시오.

> 조선 후기에 사회가 불안해지자 각종 예언 사상이 유행하면서 나온 책으로, 이씨 왕조인 조선이 망하고 정씨가 새로운 왕조를 세운다고 예언한 책이다.

( )

2 조선에 전래된 천주교에 대한 설명이 옳으면 ○표, 틀리면 ×표를 하시오.

⑴ 중국을 다녀온 사신을 통해 전래되었다. ( )

⑵ 처음부터 신앙으로 받아들여져 널리 확산되었다. ( )

⑶ 모든 인간은 평등하며 신이 다음 생을 구원한다고 약속하는 내용의 교리를 갖고 있었다. ( )

3 다음 ㉠, ㉡에 들어갈 알맞은 말을 각각 쓰시오.

> 정부는 천주교가 조상에 대한 (㉠)을(를) 거부하고 (㉡) 질서를 부정한다고 하여 금지하였다.

㉠ ( ), ㉡ ( )

4 동학에 대한 설명으로 옳지 <u>않은</u> 것은 어느 것입니까? ( )

① '인내천' 사상을 내세웠다.

② 최제우에 의해서 창시됐다.

③ 조상에 대한 제사를 거부하였다.

④ 신분 차별과 노비 제도에 반대하였다.

⑤ 유교, 불교, 도교에 민간신앙을 더하여 만들어졌다.

| 학습한 내용을 정리해 보며, 빈칸에 들어갈 키워드를 써 보세요.

● 정답 및 풀이 **183쪽**

30초 정리

1 조선 후기의 경제 발전과 신분제의 동요

① **경제의 발전**

농업	(❶)의 전국 확대 → 이모작 가능, 상품 작물 재배
상업	공인 등장, 상공업 발달, 사상의 성장, 상평통보 유통
수공업	민영 수공업 발달

▲ 상평통보

② **신분제의 변화**: 중인과 상민이 공명첩 구입·족보 위조 등을 통해 신분 상승을 하여 (❷   )의 수가 크게 늘었음.

③ **여성의 지위 변화**: 조선 후기 부계 중심의 가족 제도로 바뀌어 가면서 여성은 지위가 낮아지고 이전보다 더 많은 제약을 받게 되었음.

2 실학의 발달

농업 중심 개혁론	유형원, 이익, 정약용 등의 실학자들은 토지 제도를 개혁하고, 이를 바탕으로 조세 제도와 군사 제도 등 국가 제도를 새롭게 바꿀 것을 제안함.
상공업 중심 개혁론	유수원, 박지원, 박제가 등의 실학자들은 상공업을 발달시키고, (❸)의 선진 과학 기술을 받아들여야 한다고 주장함.

30초 정리

3 조선 후기 문화와 새로운 종교

① **국학, 과학, 예술의 발달**

국학	• 역사: 안정복 『동사강목』, 유득공 『발해고』 • 지리: 이중환 『택리지』, 정상기 「동국지도」, 김정호 (❹) • 국어: 신경준 『훈민정음운해』, 유희 『언문지』
과학	화포, 천리경, 자명종 등 서양 문물 전래, 「곤여만국전도」 전래
회화	진경 산수화(「인왕제색도」, 「금강전도」), 풍속화(김홍도와 신윤복), 민화 유행

② **서민 문화의 발달**

문학	한글 소설(『홍길동전』, 『춘향전』), 사설시조
공연	• 판소리: 소리꾼이 한 편의 줄거리를 노래와 이야기로 엮음. • (❺): 탈을 쓴 광대들이 양반의 위선을 풍자함.

③ **새로운 종교의 유행**

천주교	모든 인간은 평등하다고 주장하며 조상에 대한 제사와 신분 질서를 부정함.
동학	서학에 반대하여 최제우가 창시한 종교로, 인내천 사상과 후천 개벽 사상을 내세움.

• 정답 및 풀이 **184쪽**

1 조선 후기에 다음과 같은 모내기법이 널리 퍼지면서 좋아진 점은 무엇인지 두 가지 쓰시오.

▲ 「경직도」의 모내기 부분

_____

_____

_____

2 조선 후기에 다음과 같은 일들이 일어나면서 생긴 신분의 변화 모습을 쓰시오.

_____

_____

_____

생각 쓰기 **Point**

Point 1
조선 후기 농사법의 변화
• 모내기법이 도입되기 이
전에는 벼농사를 지을 때
논에다 볍씨를 직접 뿌리
고, 계속 그 자리에서 벼
를 길렀습니다.
• 조선 후기에는 모판에 볍
씨를 뿌리고 싹을 틔워 어
느 정도 키운 다음 물을
댄 논에 옮겨 심는 모내기
법이 널리 퍼졌습니다.

2
단원

Point 2
공명첩

조선 정부가 재정 확보를
위해 발행한 관직 임명장
으로, 돈이나 곡식을 받고
발급하였습니다. 이름을
쓰는 난이 비어 있어 공명
첩이라고 합니다.

이름 쓰는 곳

김홍도의 풍속화에 담긴 조선 후기 사회 모습은 어떨까?

조선 후기에는 서민들의 생활 모습을 생동감 있게 그린 풍속화가 유행하였어요. 특히 김홍도는 서민의 모습을 소박하면서 익살스럽게 표현한 것으로 유명해요. 김홍도의 작품 속에서 조선 후기 사회 모습을 살펴봐요.

농민들은 벼를 많이 재배했어요.

◀ 「벼타작」
농민들이 곡식을 추수하여 타작하고 있는 모습입니다. 벼를 지게에 지고 나르는 사람과 통나무에 내리쳐 알곡을 털어내는 사람, 털어낸 알곡을 쓸어 모으는 사람이 있습니다.

상품 작물을 재배하기도 했어요.

▲ 「담배썰기」
담배와 같은 상품 작물의 재배로 일부 농민은 큰 소득을 올릴 수 있었습니다.

농사를 짓기 위해 땅을 갈았어요.

▲ 「논갈이」
농부가 소 두 마리를 이용하여 논을 깊이 갈고 있습니다.

민영 수공업이 발달했어요.

「대장간」 ▶
농기구를 만드는 대장장이를 그렸습니다. 조선 후기에는 수공업 종사자도 크게 늘었습니다.

몰락 양반이 생겨났어요.

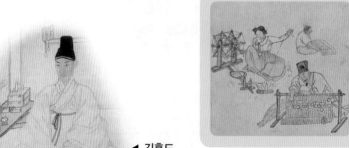

◀ 「자리짜기」
자리를 짜고 있는 남성이 양반들만 쓰던 모자를 쓰고 있습니다.

◀ 김홍도 자화상

3

근대 국가 수립 노력과 국권 수호 운동

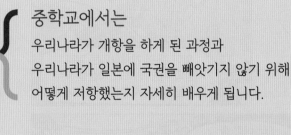

{ 중학교에서는

우리나라가 개항을 하게 된 과정과

우리나라가 일본에 국권을 빼앗기지 않기 위해

어떻게 저항했는지 자세히 배우게 됩니다.

3 근대 국가 수립 노력과 국권 수호 운동

19세기에 조선은 다른 나라의 계속된 통상 요구로 개항을 하게 되었어요. 이후로도 일본과 서양 열강들의 끊임없는 간섭을 받았고, 결국 일본에 국권을 빼앗겼어요. 우리나라의 국권 피탈 과정과 백성들이 우리나라를 지키기 위해 어떤 노력을 했는지 알아봐요.

≫ 우리나라는 개화 과정에서 어떤 일을 겪었을까?

드디어 원래 시간으로 돌아온 거 같아~

그걸 어떻게 알아?

여기 봐~ 양복 입은 사람들이 있잖아.

이 사진은 갑신정변의 주역들이야!

그럼 그렇지~

괜찮아.

집에 갈 수 있을 줄 알았는데.

그런데 갑신정변이 뭐야?

방금까지 울지 않았어?

급진 개화파 사람들이 개혁을 바라며 일으킨 정변을 말해.

급진 개화파는 개화 방법을 두고 나누어진 세력 중 하나이지?

맞아. 온건 개화파와는 달리 서양의 기술과 제도, 사상을 모두 받아들이자고 주장한 사람들이지.

난 조선의 제도와 사상은 유지하면서 서양의 기술만 받아들이는 온건 개화파 쪽에 찬성해.

맞아. 나도 뭐든 빨리 변하는 건 별로 좋아하지 않아.

너 나랑 좀 통하는 거 같다?

그러게 오랜만인데?

둘이 예상치 못한 곳에서 잘 통하네.

3
단원

01 흥선 대원군의 개혁 정치

▲ 흥선 대원군

19세기 조선에서는 세도 정치로 인해 왕권이 크게 약해지고, 삼정의 문란으로 백성들이 고통받고 있었습니다. 전국 각지에서는 농민 ●봉기가 일어났으나 정부는 뚜렷한 개혁안을 제시하지 못했습니다. 한편, 조선에 이제껏 보지 못한 이양선이 자주 나타나 백성들이 불안에 떨었고, 청과 일본이 서양 세력에 의해 ●개항하였다는 소식이 전해져 조선에서는 서양 열강의 침략에 대한 위기감이 높아졌습니다. 이러한 상황에서 어린 고종이 왕위에 오르자 고종의 아버지 **흥선 대원군이 대신 권력을 장악했습니다.**

흥선 대원군은 왕권을 강화하기 위해 통치 체제를 정비하였습니다. 먼저 세도 정치를 일삼던 안동 김씨 세력을 몰아내고 인재를 고루 등용하였습니다. 또한 세도 정치 시기 권력이 집중되어 있던 **비변사를 폐지**하여 의정부와 6조의 기능을 되살렸습니다. 한편 왕실의 권위를 세우기 위해 임진왜란 때 불에 탄 **경복궁을 다시 지었는데**, 공사 비용을 마련하기 위해 기부금을 걷고 ●당백전을 발행하여 물가가 크게 올라 백성들의 불만을 사기도 했습니다.

▲ 당백전

흥선 대원군은 백성의 생활을 안정시키고 삼정의 문란을 바로잡기 위한 정책도 펼쳤습니다. 백성들을 힘들게 했던 **서원의 수를 크게 줄이고** 서원이 가지고 있던 토지와 노비를 몰수하여 재정을 확보하였습니다. 또한 ●호포제를 실시하여 양반과 평민의 구분 없이 집집마다 군포를 내게 하였으며, 백성들을 가장 힘들게 했던 환곡을 개혁하여 ●사창제를 실시하였습니다.

그러나 이러한 흥선 대원군의 개혁 정책은 정치를 바로잡고 백성의 생활을 안정시키는 데 도움이 되었으나, 조선 사회의 문제점을 근본적으로 개혁하는 데에는 한계가 있었습니다.

핵심 Point!

정답 및 풀이 **184쪽**

❶ 어린 고종이 왕위에 오르자 고종의 아버지 [ ][ ][ ][ ][ ]이 권력을 장악하였다.

❷ 흥선 대원군은 왕권을 강화하기 위해 권력이 집중되어 있던 [ ][ ][ ]를 폐지하여 의정부와 6조의 기능을 되살렸다.

❸ 흥선 대원군은 [ ][ ][ ]를 실시하여 양반과 평민의 구분 없이 집집마다 군포를 부과하였다.

1 다음 보기 에서 흥선 대원군이 집권하기 이전 조선의 상황으로 옳은 것을 모두 골라 기호를 쓰시오.

보기

㉠ 세도 정치로 정치 질서가 무너졌다.
㉡ 전국 각지에서 농민 봉기가 일어났다.
㉢ 조선 연안에 이양선이 자주 나타났다.
㉣ 의정부와 6조를 중심으로 하는 정치 체제가 운영되었다.

( )

2 흥선 대원군이 펼친 개혁 정치로 알맞지 않은 것은 어느 것입니까? ( )

① 비변사를 폐지하였다.
② 양반과 평민의 구분 없이 군포를 걷었다.
③ 서원을 늘려 성리학적 윤리 질서를 세웠다.
④ 왕실의 권위를 세우기 위해 경복궁을 중건하였다.
⑤ 안동 김씨 세력을 몰아내고 인재를 고루 등용하였다.

3 다음에서 설명하는 화폐의 이름은 무엇인지 쓰시오.

경복궁을 다시 짓는 데 드는 비용을 마련하기 위해 발행한 화폐로, 상평통보의 100배 가치를 가졌으나 실제 가치는 그에 미치지 못해 물가가 크게 올랐다.

( )

4 다음에서 설명하는 제도는 무엇인지 쓰시오.

환곡을 개혁한 것으로 마을 단위로 곡식을 빌려주는 기관을 설치하여 어려운 백성에게 곡식을 빌려주었다가 갚게 하는 제도이다. 그 마을에서 덕망을 갖추고 여유를 갖춘 사람에게 운영을 맡겼다.

( )

02 병인양요와 신미양요

흥선 대원군이 집권할 무렵 연해주를 차지하고 조선과 국경을 접하게 된 ●러시아가 남하하려 하자 흥선 대원군은 위기를 느꼈습니다. 이때 프랑스와 조약을 맺으면 러시아를 막을 수 있다는 천주교인들의 설득에 흥선 대원군은 당시 조선에 들어와 있던 프랑스 신부에게 도움을 요청하려 했습니다. 하지만 프랑스 신부는 협조하지 않았고, 마침 청의 천주교 탄압 소식을 들은 흥선 대원군은 프랑스 신부들을 처형하고 **천주교를** ●**탄압**했습니다(병인박해). 이를 구실로 프랑스 함대가 강화도에 침략하여 조선에 통상을 요구

▲ 강화도에서 벌어진 외세와의 전투

했습니다(**병인양요**, 1866년). 양헌수 부대의 활약으로 프랑스의 침략을 막아낼 수 있었지만 물러나던 프랑스군은 **외규장각의 도서와 많은 보물을 약탈**해갔습니다. 이후 독일 상인이었던 ●오페르트가 흥선 대원군의 아버지인 남연군의 묘를 도굴하려다 실패하면서 조선인들의 서양인에 대한 경계심과 반감은 더욱 심해졌습니다.

한편, 병인양요가 일어나기 전 미국의 제너럴셔먼호가 대동강을 거슬러 올라와 조선에 통상을 요구한 일이 있었습니다. 조선이 이를 거부하자 미국인들은 평양을 약탈하였고 이에 분노한 평양 주민들은 제너럴셔먼호를 불태워 침몰시켰습니다. 미국은 이를 구실로 강화도를 침략하며 통상을 요구하였습니다(**신미양요**, 1871년). 이에 어재연이 이끄는 수비대가 광성보에서 격렬히 저항하였고, 미군은 광성보를 점령하였으나 계속된 조선의 저항으로 결국 물러갔습니다.

▲ 척화비

두 차례에 걸친 양요를 물리친 흥선 대원군은 전국 각지에 ●척화비를 세워 **서양과의 통상 수교 거부 의지**를 널리 알렸습니다. 이러한 정책은 서양의 침략을 일시적으로 막아냈지만 조선의 자주적 근대화가 늦어지는 결과를 낳았다는 한계가 있습니다.

핵심 Point!

정답 및 풀이 **184쪽**

❶ 프랑스는 [ ][ ][ ][ ]를 구실로 조선을 침략하여 통상을 요구하였다.

❷ [ ][ ][ ][ ]는 제너럴셔먼호 사건을 구실로 미국이 강화도를 침략한 사건이다.

❸ 병인양요와 신미양요 이후 흥선 대원군은 전국 각지에 [ ][ ][ ]를 세웠다.

• 정답 및 풀이 184쪽

1 병인양요와 신미양요가 일어난 오른쪽 지도의 지역은 어디입니까? (　　　)

① 부산　　　　　　② 평양

③ 강화도　　　　　④ 강원도

⑤ 울릉도

2 병인양요와 신미양요에 대한 설명이 맞으면 ○표, 틀리면 ×표를 하시오.

(1) 제너럴셔먼호 사건을 구실로 병인양요가 발생하였다. 　　　　　　(　　　)

(2) 신미양요 때 미군은 철수하며 외규장각의 도서와 보물들을 약탈해갔다. (　　　)

(3) 어재연이 이끄는 수비대는 광성보에서 미군의 공격에 맞서 격렬히 싸웠다.

(　　　)

3 다음 사건들을 일어난 순서대로 바르게 나열한 것은 어느 것입니까? (　　　)

> ㉠ 병인박해　　　　　　㉡ 신미양요
> ㉢ 병인양요　　　　　　㉣ 척화비 건립
> ㉤ 오페르트 도굴 사건

① ㉠ - ㉢ - ㉤ - ㉡ - ㉣

② ㉠ - ㉣ - ㉢ - ㉤ - ㉡

③ ㉡ - ㉠ - ㉤ - ㉣ - ㉢

④ ㉢ - ㉠ - ㉣ - ㉤ - ㉡

⑤ ㉢ - ㉤ - ㉡ - ㉠ - ㉣

4 흥선 대원군이 통상 수교 거부 의지를 널리 알리기 위해 다음과 같은 내용을 적어 전국 곳곳에 세운 비석의 이름은 무엇인지 쓰시오.

> "서양 오랑캐가 침범하였을 때 싸우지 않으면 곧 화의하자는 것이요, 화의를 주장함은 나라를 파는 것이다."

(　　　　　　　　)

03 강화도 조약 체결과 문호의 개방

조선에 대한 서양 열강의 침략이 계속되는 가운데 조선 내에서는 개항을 하여 서양의 발달된 문물을 받아들이고 근대적 개혁을 추진해야 한다는 **통상 개화론**이 등장했습니다. 때마침 흥선 대원군이 물러나고 고종이 직접 나라를 다스리게 되면서 개화의 분위기가 만들어졌습니다.

조선의 외교 정책에 변화가 보이자 일본은 조선에 군함 운요호를 보내 무력으로 위협하면서 **통상 수교를 요구**했습니다 (운요호 사건, 1875년). 결국 조선은 일본과 **강화도 조약**(1876년)을 맺고 문호를 열었습니다. 강화도 조약에는 부산, 원산, 인천을 개항하고 해안 측량권과 치외법권을 인정하는 내용이 담겨 있었습니다. 이렇듯 강화도 조약은 조선이 외국과 최초로 맺은 근대적 조약이었으나, **조선에 불평등한 조약**이었습니다.

▲ 일본 군함 운요호

강화도 조약의 일부 내용

▲ 강화도 조약 체결 모습을 그린 그림

제1관 조선국은 자주국이며 일본국과 동등한 권리를 갖는다.
제4관 조선은 부산 이외에 두 곳의 항구를 개항하고 일본인이 와서 통상하도록 허가한다.
제7관 조선국 해안을 일본국의 항해자가 자유롭게 측량하도록 허가한다.
제10관 일본국 국민이 조선국 항구에서 죄를 지은 것이 조선국 국민에 관계된 사건일 때는 모두 일본국 관원이 심판한다.

개항 이후 2차 수신사로 갔던 김홍집이 일본에서 가져온 『조선책략』에는 조선은 러시아의 진출을 막기 위해 청, 일본, 미국과 손을 잡아야 한다는 내용이 담겨 있었습니다. 이 책이 퍼지면서 미국과 수교해야 한다는 주장이 나왔고, 일본과 러시아의 간섭을 견제하려는 청의 적극적인 알선으로 **조선은 미국과 수교**하게 되었습니다. 이후 조선은 영국, 독일, 러시아, 프랑스 등과도 수교를 확대하였습니다. 그러나 미국을 비롯한 서양 열강들과 맺었던 조약도 조선에 불평등한 내용을 담고 있었습니다.

핵심 Point!

정답 및 풀이 **184쪽**

❶ 조선을 개항하여 서양의 발달된 문물을 받아들여야 한다는 주장을 [　][　] 개화론이라고 한다.

❷ [　][　][　][　] 은 조선이 외국과 최초로 맺은 근대적 조약이었으나 불평등 조약이었다.

❸ 『조선책략』에는 조선이 러시아의 진출을 막기 위해 청, 일본, [　][　] 과 손을 잡아야 한다는 내용이 담겨 있었다.

1 조선의 문호 개방에 대한 설명이 옳으면 ○표, 틀리면 ×표를 하시오.

(1) 조선이 가장 먼저 수교를 체결하고 개항한 나라는 미국이다. ( )

(2) 고종이 직접 나라를 다스리게 되면서 개화의 분위기가 만들어졌다. ( )

(3) 조선이 영국, 독일, 러시아 등과 맺었던 조약은 평등한 조약이었다. ( )

3
단원

2 다음에서 설명하는 사건은 무엇인지 쓰시오.

> 1875년 일본이 조선에 배를 보내 무력으로 위협하면서 통상 수교를 요구한 사건으로, 조선이 일본과 강화도 조약을 맺게 된 배경이 된 사건이다.

( )

중학교 시험 맛보기

3 다음과 같은 내용이 담긴 조약에 대한 설명으로 옳은 것은 어느 것입니까? ( )

> 제1관 조선국은 자주국이며 일본국과 동등한 권리를 갖는다.
> 제4관 조선은 부산 이외에 두 곳의 항구를 개항하고 일본인이 와서 통상하도록 허가한다.
> 제7관 조선국 해안을 일본국의 항해자가 자유롭게 측량하도록 허가한다.
> 제10관 일본국 국민이 조선국 항구에서 죄를 지은 것이 조선국 국민에 관계된 사건일 때는 모두 일본국 관원이 심판한다.

① 조선에 이득인 조약이다.

② 조선의 요구로 맺어진 조약이다.

③ 『조선책략』의 영향을 받아 맺어졌다.

④ 청의 적극적인 도움으로 이루어진 조약이다.

⑤ 조선이 외국과 최초로 맺은 근대적 조약이다.

4 다음 밑줄 친 이 책은 무엇인지 쓰시오.

> 2차 수신사로 갔던 김홍집은 일본에서 청의 외교관이었던 황준헌이 쓴 책을 가져왔다. 이 책에는 조선이 러시아의 진출을 막기 위해 청, 일본, 미국과 손을 잡아야 한다는 내용이 담겨 있었다.

( )

04 개화 정책과 위정척사 운동

조선은 강화도 조약 이후 여러 개화 정책을 추진하였습니다. 개화 정책을 총괄하는 기구로 **통리기무아문을 설치**하였고, 신식 군대인 **별기군을 창설**하였습니다. 또한 일본에 수신사와 조사 시찰단을 파견하여 근대 문물과 제도를 시찰하게 하고, 청에 *영선사를 파견하여 근대 무기 제조 기술과 군사 훈련법을 배워 오게 하였습니다. 미국과 수교한 이후에는 *보빙사를 파견하여 미국의 선진 문물을 시찰하게 하였습니다.

그러나 일부 유학을 연구하는 이들은 성리학적 질서를 지키고 외세를 배척하자는 *위정척사 **운동을 전개**하였습니다. 이들은 1860년대에는 흥선 대원군의 통상 수교 거부 정책을 지지하였으며, 강화도 조약을 체결할 무렵에는 최익현을 중심으로 '일본과 서양은 서로 같다.'는 주장을 내세우며 개항을 반대했습니다. 개항 이후에도 정부의 여러 개화 정책과 서양과의 수교를 반대하는 상소를 올리기도 했습니다. 그러나 위정척사 운동은 당시 나라 밖 상황과 달리 **성리학적 질서만을 고집**하여 조선의 근대화에 방해가 되기도 하였습니다. 위정척사 운동 세력은 1890년대 이후 의병 운동으로 이어졌습니다.

정부의 개화 정책에 대한 반발은 구식 군인과 하층민 사이에서도 있었습니다. 당시 **구식 군인들은 별기군과 차별**을 받았으며 1년 넘게 급료를 받지 못하였습니다. 밀린 급료로 받은 쌀에 겨와 모래가 섞여 있자 구식 군인들은 그동안 참아왔던 불만이 폭발하여 봉기를 일으켰습니

▲ 별기군

다. 여기에 경제적 어려움을 겪던 도시 하층민들이 합세하여 일본 공사관을 습격하였습니다(임오군란, 1882년). 이 상황을 수습하기 위해 흥선 대원군이 다시 집권하였으나 조선에 들어온 청의 군대가 흥선 대원군을 납치하고 봉기를 진압하였습니다. 이후 **청은 조선의 *내정과 외교에 깊이 간섭**하였으며 조선에 군대를 주둔시키고 조선이 청의 *속국임이 *명시된 조약을 체결하였습니다. 일본 또한 조선과 일본 공사관을 지킨다는 구실로 일본군을 서울에 주둔시켰습니다.

한국사 용어 퀵!

● **영선사** 개화기 때 선진 문물을 배우기 위해 청에 파견했던 시찰단.
● **보빙사** 1883년 조선에서 최초로 미국 등 서양에 파견된 외교 사절단.
● **위정척사**(衛 지킬 위, 正 바를 정, 斥 배척할 척, 邪 사악할 사) '정(성리학)'을 지키고 '사(성리학 이외의 학문)'를 배척한다는 의미.
● **내정**(內 안 내, 政 정사 정) 국내의 정치.
● **속국** 법적으로는 독립국이지만, 실제로는 정치나 경제·군사 면에서 다른 나라에 지배되고 있는 나라.
● **명시**(明 밝을 명, 示 보일 시) 분명하게 드러내 보임.

핵심 Point!

정답 및 풀이 **184쪽**

❶ 조선은 미국과 수교 후 □□□ 를 파견하여 미국의 선진 문물을 시찰하게 하였다.

❷ 개항에 반대한 □□□□ 운동 세력은 1890년대 이후 의병 운동으로 이어졌다.

❸ 구식 군인들이 일으킨 □□□□ 이후 청은 조선의 내정과 외교에 깊이 간섭하였다.

1 강화도 조약 이후 1881년에 조선이 창설한 신식 군대의 이름은 무엇인지 쓰시오.

(   )

2 조선이 각 나라에 파견한 외교 사절단의 이름을 선으로 바르게 연결하시오.

(1) 청 •

(2) 일본 •

(3) 미국 •

• ㉠ 영선사

• ㉡ 보빙사

• ㉢ 수신사

3 다음에서 설명하는 것은 무엇인지 쓰시오.

> 조선 정부가 여러 개화 정책을 추진하자 일부 유학을 연구하는 이들이 성리학적 질서를 지키고 외세를 배척하자고 주장하며 전개한 운동이다. 이는 1890년대 이후 의병 운동으로 이어졌다.

(   )

중학교 시험 맛보기 **4** 다음 사건이 발생한 이후의 일로 옳지 **않은** 것은 어느 것입니까? (   )

> 1882년 구식 군인들이 신식 군대와의 차별 대우에 반발하여 봉기를 일으켰고, 경제적 어려움을 겪던 도시 하층민들이 합세하여 일본 공사관을 습격했다.

① 청이 조선에 군대를 주둔시켰다.

② 일본이 흥선 대원군을 납치하였다.

③ 청이 개입하여 봉기를 진압하였다.

④ 청이 조선의 내정과 외교에 깊이 간섭했다.

⑤ 일본 공사관을 지킨다는 구실로 일본군이 서울에 주둔하였다.

05 갑신정변의 과정과 결과

임오군란 이후 조선은 개화의 방법을 놓고 서로 다른 주장을 하는 두 세력으로 나뉘었습니다. 김홍집, 김윤식 등 **온건 개화파**는 조선의 제도와 사상은 유지하면서 서양의 기술만을 수용하자고 주장한 반면, 김옥균, 박영효 등 **급진 개화파**는 서양의 기술은 물론 제도와 사상까지도 받아들이자고 주장하였습니다. 청의 °내정 간섭이 심해지면서 개화 정책이 늦어지자 급진 개화파의 불만은 커져 갔습니다.

▲ 갑신정변이 일어난 우정총국

급진 개화파는 일본의 힘을 빌려서라도 개화 정책을 추진해야 한다고 생각하였습니다. 청이 프랑스와 전쟁을 치르느라 조선에서 일부 군대를 철수시키자, 이를 틈타 급진 개화파는 **일본의 도움을 약속받고** °우정총국 개국 축하연을 기회로 **갑신정변**을 일으켰습니다(1884년). 김옥균은 고종에게 청군이 난을 일으켰다고 거짓으로 말한 뒤 궁궐을 장악하였습니다.

궁궐을 장악한 급진 개화파는 새로운 정부를 구성하고, 청과의 사대 관계 °청산, 능력에 따른 인재 등용, 조세 제도 개혁 등의 내용을 담은 14개의 개혁안을 발표하였습니다. 그러나 청이 빠르게 군대를 보내면서 정변은 **3일 만에 실패**로 끝나고, 정변을 일으킨 김옥균 등은 일본으로 °망명하였습니다. 갑신정변 이후 조선에 대한 **청의 간섭은 더욱 심해졌으며**, 일본은 정변 과정에서 피해를 입었다며 조선으로부터 배상금을 받아갔습니다.

▲ **갑신정변의 주요 인물** 왼쪽부터 박영효, 서광범, 서재필, 김옥균임.

갑신정변은 근대 국가를 세우고자 했던 **최초의 정치 개혁 운동**으로, 갑신정변의 개혁안은 이후 갑오개혁에 반영되는 등 근대 개혁 운동에 많은 영향을 주었습니다. 그러나 **일본에** °의존하여 급진적으로 정권을 장악하려 했기 때문에 백성의 지지를 얻지 못했다는 한계가 있습니다.

한국사 용어 퀵!

° **내정 간섭** 한 국가가 다른 국가의 생각과 상관없이 그 국가의 정치에 간섭하는 것.

° **우정총국** 1884년에 설치된 우리나라 최초의 우편 업무 관청.

° **청산**(清 맑을 **청**, 算 계산 **산**) 빚 등을 셈하여 깨끗이 정리함.

° **망명** 정치적 이유로 박해를 받고 있는 사람이 외국으로 몸을 피함.

예문 그는 혁명이 실패한 뒤 이웃 나라로 **망명**하였어요.

° **의존** 다른 것에 의지하여 있음.

핵심 Point!

정답 및 풀이 **185쪽**

❶ 임오군란 이후 개화파는 개화의 방법을 두고 ☐☐ 개화파와 급진 개화파로 나뉘었다.

❷ 급진 개화파는 우정총국 개국 축하연을 기회로 ☐☐☐ 을 일으켰다.

❸ 갑신정변 이후 조선에 대한 ☐ 의 간섭은 더욱 심해졌다.

1 다음과 같은 주장을 한 개화파 세력을 무엇이라고 하는지 쓰시오.

> 이들은 서양의 기술은 물론 제도와 사상까지 받아들이자고 주장하면서, 청의 내정 간섭에 반대하며 일본의 힘을 빌려서라도 개화 정책을 추진해야 한다고 생각하였다.

(   )

 중학교 시험 맛보기

2 다음 보기 의 ㉠ ~ ㉣을 사건이 일어난 순서대로 기호를 나열하시오.

보기

㉠ 일본이 조선으로부터 배상금을 받아갔다.
㉡ 궁궐을 장악한 급진 개화파가 14개의 개혁안을 발표하였다.
㉢ 개화의 방법을 두고 온건 개화파와 급진 개화파로 나뉘었다.
㉣ 프랑스와의 전쟁을 위해 청의 군대 일부가 조선에서 철수하였다.

(   ) → (   ) → (   ) → (   )

3 단원

3 다음 제시어와 관련 있는 인물은 누구입니까? (   )

> • 급진 개화파   • 갑신정변의 주역   • 일본으로 망명

① 전봉준   ② 김홍집   ③ 김윤식
④ 김옥균   ⑤ 양헌수

4 갑신정변의 의의에 대해 바르게 이야기하는 어린이에 ○표 하시오.

(1) 근대 국가를 세우고자 했던 최초의 정치 개혁 운동이었어.

(2) 다른 나라에 의지하지 않고 자주적으로 이루어진 개혁 운동이었어.

(   )   (   )

06 새로운 세상을 꿈꾼 동학 농민 운동

개항 이후 관리들의 부정부패가 심해지고 청과 일본의 경제 침탈까지 더해져 농민들의 생활이 힘들어졌습니다. 이 시기 인간 평등과 사회 개혁을 주장하는 **동학이 농민 사이에서 널리 퍼졌습니다.** 동학 세력이 커지자 정부는 창시자인 최제우를 잡아 세상을 어지럽히고 백성을 속인다는 죄명으로 처형하였습니다. 동학 세력은 최제우의 누명을 벗겨 줄 것과 동학에 대한 탄압을 중지할 것을 요구하며 종교의 자유를 얻기 위한 운동을 벌여 나갔습니다.

▲ **사발통문** 전봉준을 비롯한 동학 지도자 20여 명의 이름이 적혀 있음.

한편 전라도 고부 군수 조병갑이 온갖 횡포를 부리자 **전봉준을 중심으로 한 농민들이** 관아를 습격하며 난을 일으켰습니다(고부 농민 봉기). 봉기를 수습하기 위해 정부에서 보낸 관리가 오히려 농민들에게 책임을 묻고 동학 세력을 더욱 탄압하자 농민들의 분노가 폭발하였습니다. 이에 전봉준 등 동학 지도부는 농민군을 조직하여 황토현 전투와 황룡촌 전투에서 잇따라 정부군을 물리친 후 전라도 일대를 장악하고 **전주성을 점령**하였습니다.

동학 농민군이 전주성을 점령하자 정부는 청에 지원군을 요청하였습니다. 청이 조선에 군대를 보내자 일본도 조선에 군대를 보냈습니다. 그러자 농민군은 **외세의 개입을 막기 위해** 정부에 청·일 양군의 철수와 정치 개혁 실시를 조건으로 휴전을 제안하였습니다. 이에 정부는 농민군과 •전주 화약(1894년)을 맺었습니다.

동학 농민군의 개혁안

- 전운소를 없앨 것
- 탐관오리를 모두 쫓아낼 것
- 임금의 총명을 가리고 관직을 팔며 국권을 농락하는 무리들을 모두 쫓아낼 것
- 백성을 잡역에 동원하는 일을 줄일 것

각 고을로 돌아간 동학 농민군은 •**집강소를 설치**하고, 자신들이 제시한 개혁안을 실천하기 위해 노력하였습니다. 정부 또한 •교정청을 두어 **동학 농민군의 요구를 반영한 개혁을 추진**하는 한편 청과 일본에 군대를 철수할 것을 요구하였습니다.

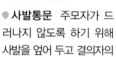

한국사 용어 퀵!

● **사발통문** 주모자가 드러나지 않도록 하기 위해 사발을 엎어 두고 결의자의 이름을 둥글게 적은 문서.
● **전주 화약** 농민군이 정부와 맺은 조약으로 전라도 지방의 개혁을 담당할 자치 기구인 집강소의 설치와 농민군이 제시한 개혁안 실시가 합의됨.
● **전운소** 지방에서 바치는 공물이나 세곡을 모아 서울로 실어 나르는 곳. 세금을 중간에서 가로채 백성을 힘들게 했음.
● **집강소** 일종의 농민 자치 조직으로 행정과 치안을 담당함.
● **교정청** 정부가 자주적으로 개혁을 추진하기 위해 만든 기구.

핵심 Point!

정답 및 풀이 **185쪽**

❶ 개항 이후 갈수록 생활이 어려워진 농민들 사이에 [ ][ ]이 널리 퍼졌다.

❷ 고부 군수 조병갑이 온갖 횡포를 부리자 [ ][ ][ ]을 중심으로 농민 봉기가 일어났다.

❸ 동학 농민군은 전주성 점령 후 정부와 [ ][ ][ ][ ]을 맺었다.

1 다음 (   ) 안에 들어갈 알맞은 종교는 무엇인지 쓰시오.

> 개항 이후 관리들의 부정부패가 심해지고 청과 일본의 경제 침탈까지 더해져 생활이 어려워진 농민들의 불만이 쌓여 가는 상황 속에서, 인간 평등과 사회 개혁을 주장하는 (   )이(가) 농민 사이에서 널리 퍼졌다.

(   )

3
단원

2 고부 농민 봉기가 일어난 이후의 상황으로 옳지 <u>않은</u> 것은 어느 것입니까? (   )

① 정부가 일본군의 도움으로 동학 농민군을 진압하였다.
② 동학 지도부가 농민군을 조직하고 대규모로 봉기하였다.
③ 동학 농민군이 전라도 일대를 장악하고 전주성을 점령하였다.
④ 동학 농민군이 황토현 전투와 황룡촌 전투에서 정부군을 물리쳤다.
⑤ 봉기를 수습하기 위해 정부에서 파견된 관리가 동학 세력을 더욱 탄압하였다.

3 다음 보기 에서 동학 농민군이 제시한 개혁안의 내용으로 알맞은 것을 모두 골라 기호를 쓰시오.

보기
> ㉠ 탐관오리를 모두 쫓아낼 것
> ㉡ 전운소를 전국 곳곳에 세울 것
> ㉢ 나라의 일에 백성들을 자주 동원할 것
> ㉣ 국권을 농락하는 무리들을 모두 쫓아낼 것

(   )

4 다음에서 설명하는 조직을 무엇이라고 하는지 쓰시오.

> 일종의 농민 자치 조직으로 동학 농민군이 자신들이 제시한 개혁안을 실천하기 위해 설치한 기구이다.

(   )

07 다시 봉기한 동학 농민군

동학 농민군과 전주 화약을 맺은 정부는 청과 일본에 조선에서 군대를 철수할 것을 요구하였습니다. 청은 조선 정부의 요구에 따라 일본에 함께 군대를 철수하자고 했지만, 일본은 조선 정부의 철수 요구를 무시하고 **경복궁을 점령**한 뒤 내정을 간섭하였습니다. 곧이어 청군을 기습 공격하여 °**청일 전쟁**(1894년)을 일으켰습니다.

▲ 동학 농민 운동의 전개

일본의 간섭이 심해지고, 한반도에서 청과 일본이 전쟁을 벌이자 해산하였던 동학 농민군이 **일본을 몰아내기 위해 다시 봉기**하였습니다. 동학 농민군은 한성으로 진격하다가 충청도 공주 우금치에서 정부군과 합세한 일본군을 만나 전투를 벌였습니다. 동학 농민군은 °우금치 전투에서 치열하게 싸웠지만, 일본군의 우수한 무기를 이기지 못하고 패하였습니다.

▲ 재판을 받으러 가는 전봉준

전봉준은 1,000여 명의 농민군을 이끌고 전라도로 후퇴하였고, 동학 농민군은 °재기를 노렸지만 거듭된 전투에서 계속 패배하였습니다. 이후 농민군을 해산시키고 피신해 있던 **전봉준을 비롯한 동학 농민군의 지도자들이 체포되어 처형**당하면서 동학 농민 운동은 끝이 났습니다.

동학 농민 운동은 우리 **역사상 가장 큰 규모의 농민 운동**으로, 농민들이 조선 사회의 나쁜 제도와 질서를 스스로 개혁하고자 했고 동시에 외세의 침략에 맞선 자주적인 운동이었습니다. 동학 농민군의 요구는 갑오개혁에 일부 반영되어 사회를 변화시키는 °원동력이 되었고, 농민군의 일부는 이후 항일 의병 운동에 참여하였습니다.

한국사 용어 퀵!

● **청일 전쟁** 1894년부터 1895년까지 청과 일본이 조선의 지배권을 놓고 다툰 전쟁. 일본이 승리함.

● **우금치** 충청남도 공주시 금학동에 있는 고개로 동학 농민군이 이곳에서 일본군과 싸워 크게 패배함.

● **재기**(再 다시 재, 起 일어날 기) 역량이나 능력 따위를 모아서 다시 일어섬.

예문 그 선수는 부상의 아픔을 딛고 **재기**에 성공했어요.

● **원동력** 어떤 움직임의 근본이 되는 힘.

핵심 Point!

정답 및 풀이 **185쪽**

❶ 일본은 조선 정부의 철수 요구를 무시하고 [　][　][　]을 점령한 뒤 청일 전쟁을 일으켰다.

❷ 동학 농민군은 [　][　][　] 전투에서 정부군과 합세한 일본군에게 패배하였다.

❸ 동학 농민 운동은 외세의 침략에 맞선 [　][　]인 운동이었다.

● 정답 및 풀이 185쪽

1 다음 ( ) 안에 들어갈 사건은 무엇인지 쓰시오.

> 일본은 조선 정부의 철수 요구를 무시하고 경복궁을 점령한 뒤 내정을 간섭하였고, 곧이어 1894년 청군을 기습 공격하여 ( )을(를) 일으켰다.

( )

2 다음 보기 의 ㉠ ~ ㉣을 사건이 일어난 순서대로 기호를 나열하시오.

보기
㉠ 청일 전쟁   ㉡ 우금치 전투
㉢ 전봉준 체포   ㉣ 일본의 경복궁 점령

( ) → ( ) → ( ) → ( )

3 다음 ㉠에 들어갈 내용으로 가장 알맞은 것은 어느 것입니까? ( )

> 〈역사 탐구 계획서〉
> • 주제: 제2차 동학 농민 운동
> • 계획: [㉠]

① 동학과 서학의 차이를 비교한다.
② 전주 화약의 내용에 대해 살펴본다.
③ 구식 군인들이 봉기한 지역을 찾아본다.
④ 일본의 경복궁 점령 이후의 상황을 탐구한다.
⑤ 최제우가 동학을 창시한 배경에 대해 조사한다.

4 다음 ( ) 안의 알맞은 전투에 ○표 하시오.

> 한반도에서 일본을 몰아내기 위해 다시 봉기한 동학 농민군은 한성으로 진격하다가 일본군에 맞서 (우금치 전투 , 황토현 전투)에서 치열하게 싸웠지만, 일본군의 우수한 무기를 이기지 못하고 패하였다.

3 근대 국가 수립 노력과 국권 수호 운동

08 근대 국가를 향한 갑오개혁

조선 정부는 전주 화약을 맺은 뒤 교정청을 두고 자주적인 개혁을 추진하였습니다. 그러나 일본은 군대를 동원해 경복궁을 불법으로 점령하고 김홍집을 앞세워 새로운 내각을 구성하였습니다.

김홍집 내각은 **군국기무처라는 관청을 설치**하고 정치·경제·사회 전반에 걸친 개혁을 추진하였습니다(제1차 갑오개혁, 1894년). 제1차 갑오개혁은 갑신정변과 동학 농민 운동 과정에서 나온 요구 사항들을 정부의 정책에 반영하는 것을 핵심으로 전개되었습니다. 먼저 왕실과 정부의 업무를 나누고 국왕의 권한을 제한하였으며, **과거제를 폐지**하였습

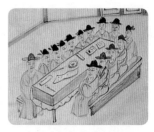
▲ 군국기무처 회의 모습

니다. 경제 부문에서는 세금을 돈으로 내도록 하고, 지역에 따라 차이가 있던 **도량형을 통일**해 물건을 사고팔 때 혼란이 생기지 않도록 했습니다. 사회 부분에서는 **신분제도를 폐지**하고, 과부의 재가를 허용하였습니다. 제1차 갑오개혁은 일본이 청과의 전쟁으로 조선에 대한 간섭이 소홀하였던 덕분에 비교적 자주적으로 진행되었습니다.

일본은 청일 전쟁에서 유리한 상황이 되자 조선의 내정에 적극적으로 간섭하기 시작하였습니다. **군국기무처를 폐지**하고, 일본에 망명해 있던 박영효를 귀국시켜 김홍집과 함께 내각을 구성해 개혁을 추진하도록 하였습니다(제2차 갑오개혁). 이어 일본은 청과의 사대 관계를 청산하고, 왕실이 정치에 개입하지 못하게 하며, 신분제와 과거제를 폐지한다는 등의 내용이 담긴 **홍범 14조를 반포**하게 하였습니다.

한국사 용어 퀵!

● **내각**(內 안 내, 閣 집 각) 국가 대신들이 국정을 집행하던 최고 기관.
● **군국기무처** 제1차 갑오개혁 당시 개혁을 추진하기 위해 설치한 임시 관청.
● **도량형** 길이, 부피, 무게 또는 이를 재는 도구.
예문 **도량형**이 통일되어 백성들이 불편함 없이 물건을 사고 팔 수 있게 되었어요.
● **홍범 14조** 갑오개혁이 이루어지고 있던 때인 1895년 1월에 고종이 발표한 개혁안. 청으로부터의 독립, 신분 제도와 과거 제도 폐지 등 당시로서는 매우 혁신적인 내용을 담고 있음.

갑오개혁의 주요 내용

내가 노비와 평등하다니.
노비문서
신분제 폐지

과부가 재가라니!
과부 재가 허용

평생 과거 공부만 했는데 어쩌지.
과거제 폐지

의정부는 나랏일만! 궁내부는 왕실 사무 관리만!
의정부 궁내부
나라 사무와 왕실 사무 분리

핵심 Point!

정답 및 풀이 **185쪽**

❶ 일본은 경복궁을 불법 점령한 후 ☐☐☐을 앞세워 새로운 내각을 구성하였다.

❷ 제1차 갑오개혁은 ☐☐☐☐☐를 중심으로 다양한 개혁이 추진되었다.

❸ 고종은 제2차 갑오개혁 당시 개혁의 기본 방향을 담은 ☐☐☐☐를 반포하였다.

 중학교 시험 맛보기

1 다음 ㉠에 들어갈 검색어로 알맞은 것은 어느 것입니까? (   )

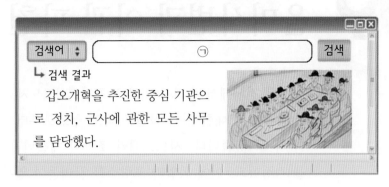

검색어 ⬍ [㉠   ] 검색

↳ 검색 결과
　　갑오개혁을 추진한 중심 기관으로 정치, 군사에 관한 모든 사무를 담당했다.

① 집강소　　　　　② 교정청　　　　　③ 영선사
④ 군국기무처　　　⑤ 통리기무아문

3
단원

2 다음 보기 에서 제1차 갑오개혁의 내용으로 알맞은 것을 모두 골라 기호를 쓰시오.

보기
㉠ 도량형을 통일하였다.　　　　　㉡ 과거제를 폐지하였다.
㉢ 국왕의 권한을 강화하였다.　　　㉣ 세금을 생산물로 내도록 하였다.

(　　　　　　　　　)

3 제1차 갑오개혁이 비교적 자주적으로 진행된 까닭을 바르게 이야기하는 어린이에 ○표 하시오.

(1) 힘을 키운 조선 정부가 일본을 한반도에서 몰아냈기 때문이야.

(　　　　　　　)

(2) 일본이 청과의 전쟁에 전념하던 시기에 이루어졌기 때문이야.

(　　　　　　　)

4 다음에서 설명하는 개혁안을 무엇이라고 하는지 쓰시오.

　　제2차 갑오개혁 당시 고종이 발표한 개혁안으로, 청으로부터의 독립, 왕의 권한 축소, 신분제와 과거제 폐지 등의 내용이 담겨 있다.

(　　　　　　　　　)

09 을미사변과 아관 파천

청일 전쟁에서 승리한 일본은 청과 ●시모노세키 조약을 맺었습니다. 이를 통해 일본은 조선에 대한 청의 간섭을 막고 청으로부터 막대한 배상금과 함께 ●랴오둥 반도를 차지하였습니다. 시모노세키 조약이 체결되자 러시아는 일본의 세력이 커지는 것을 걱정했고, 이에 독일과 프랑스를 끌어들여 **일본에게 랴오둥 반도를 청에 돌려주라고 압박**하였습니다. 일본은 이에 굴복하여 랴오둥 반도를 다시 청에 되돌려 주었습니다(삼국간섭, 1895년).

삼국 간섭 이후 조선 정부는 러시아의 힘을 깨닫고, 명성 황후를 중심으로 러시아를 이용해 일본의 간섭에서 벗어나야 한다고 주장하는 세력(친러파)이 등장하였습니다. 조선 정부는 친러파를 중심으로 적극적으로 러시아와 친하게 지내는 정책을 펼쳤고, 일본은 러시아를 끌어들인 조선 정부에 큰 불만을 품었습니다. 일본은 이러한 움직임 뒤에 명성 황후가 있다고 판단하고, 경복궁을 습격하여 **명성 황후를 살해**한 뒤 그 시신을 불태웠습니다(을미사변, 1895년).

▲ 명성 황후가 시해된 장소인 옥호루

을미사변 이후, 일본은 고종을 협박해 다시 김홍집을 중심으로 하는 내각을 구성하고 개혁을 추진하였습니다(을미개혁). 을미개혁은 ●**단발령**을 비롯해 ●**태양력의 사용**, ●**종두법 시행** 등을 핵심 내용으로 하였습니다. 단발령은 당시 부모님에게 물려받은 신체를 함부로 훼손하는 것을 불효라고 여겼던 조선의 백성들에게 큰 반감을 샀습니다. 이에 을미사변에 분노하던 백성들은 단발령이 시행되자 크게 반발해 전국에서 의병을 일으켰습니다(을미의병, 1895년). 한

▲ 상투를 자른 고종의 모습

편, 고종은 명성 황후가 살해된 이후 일본의 위협에서 벗어나기 위하여 러시아 공사관으로 거처를 옮겼는데, 이를 **아관 ●파천**(1896년)이라고 합니다.

한국사 용어 퀵!

● **시모노세키 조약** 일본과 청이 체결한 조약으로, 일본의 조선에 대한 지배권의 확립, 랴오둥 반도, 펑후도 등에 대한 영토 분할, 배상금 획득 등을 내용으로 함.

● **랴오둥 반도** 중국 랴오닝성 남부 서남 방향으로 튀어나온 곳으로 당시 중요한 항구들이 위치해 있는 전략적 요충지였음.

● **단발**(斷 끊을 단, 髮 머리털 발) 머리털을 자르거나 짧게 깎는 것.

● **태양력** 지구가 태양을 한 바퀴 도는 데 걸리는 시간을 1년으로 정하여 절기를 나눈 것.

● **종두법** 천연두를 예방하기 위해 백신을 접종하는 방법.

● **파천**(播 뿌릴 파, 遷 옮길 천) 임금이 원래 궁궐을 떠나 다른 곳으로 피함.

핵심 Point!

정답 및 풀이 **185쪽**

❶ 시모노세키 조약 체결 이후 러시아가 독일, 프랑스와 함께 일본을 견제한 사건을 ☐☐☐☐이라 한다.

❷ 일본이 경복궁을 습격해 명성 황후를 살해한 사건을 ☐☐☐☐이라 한다.

❸ 을미사변에 분노하던 백성들은 ☐☐☐의 시행으로 크게 반발해 전국에서 의병을 일으켰다.

1 다음 (   ) 안에 공통으로 들어갈 나라는 어디인지 쓰시오.

일본이 청과 시모노세키 조약을 맺어 랴오둥 반도를 차지하자 (   )은(는) 일본의 세력이 커지는 것을 걱정해, 독일과 프랑스를 끌어들여 일본을 견제하였다. 이후 조선 정부는 (   )의 힘을 깨닫고 이들과 적극적으로 교류하였다.

(   )

2 다음 보기 의 사건들을 일어난 순서대로 기호를 나열하시오.

보기
㉠ 을미개혁 ㉡ 삼국 간섭
㉢ 을미사변 ㉣ 아관 파천

(   ) → (   ) → (   ) → (   )

3 다음에서 설명하는 개혁의 내용으로 알맞은 것을 보기 에서 모두 고른 것은 어느 것입니까? (   )

을미사변 이후, 일본이 고종을 협박해 다시 김홍집을 중심으로 하는 내각을 구성하고 추진한 개혁이다.

보기
㉠ 태양력 사용 ㉡ 과거제 폐지
㉢ 단발령 실시 ㉣ 도량형 통일

① ㉠, ㉡   ② ㉠, ㉢   ③ ㉡, ㉢
④ ㉡, ㉣   ⑤ ㉢, ㉣

4 다음에서 설명하는 사건을 무엇이라고 하는지 쓰시오.

명성 황후가 살해된 이후 일본의 위협에서 벗어나기 위해 고종이 러시아 공사관으로 거처를 옮긴 사건이다.

(   )

| 학습한 내용을 정리해 보며, 빈칸에 들어갈 키워드를 써 보세요.

• 정답 및 풀이 186쪽

1 내정 개혁과 문호 개방

① 흥선 대원군의 정치

내정 개혁 실시	안동 김씨 세력 축출, 비변사 축소, (❶) 축조
삼정의 문란 시정	서원 정리, 호포제 실시, 사창제 실시
통상 수교 거부 정책	• 병인양요(1866년): 프랑스가 강화도를 침략하여 통상을 요구함. • 신미양요(1871년): 미국이 강화도를 침략하여 통상을 요구함. • 양난을 겪은 흥선 대원군은 전국에 척화비를 세워 서양과의 통상 수교 거부 의지를 널리 알렸음.

▲ 척화비

② 문호의 개방

(❷) (1876년)	조선과 일본이 맺은 조약으로, 우리나라가 외국과 맺은 최초의 근대적 조약이자 불평등 조약임.
개화 정책	통리기무아문(개화 정책 총괄) 설치, 별기군(신식 군대) 창설, 외교 사절단 파견

③ 위정척사 운동과 임오군란

위정척사 운동	통상 수교 거부 정책 지지(1860년대) → 강화도 조약 체결 반대(1870년대) → 정부의 개화 정책 추진 반대(1880년대) → 의병 운동 전개(1890년대)
(❸) (1882년)	구식 군인과 별기군의 차별 대우 → 구식 군인과 하층민의 봉기 → 청군의 개입 → 청의 내정 간섭 심화

2 동학 농민 운동과 갑오개혁

① **갑신정변(1884년):** 정부의 소극적 개화 정책에 대한 반발 → 급진 개화파 주도로 정변 → 14개의 개혁안 발표 → 3일 천하 → (❹   )의 간섭 심화

② **동학 농민 운동:** 고부 농민 봉기 → 제1차 농민 봉기 → 전주 화약(집강소 설치, 개혁안 반영) → 제2차 농민 봉기 → 우금치 전투 농민군 패배 → 항일 의병 투쟁에 영향

③ **갑오개혁(1894년)**

제1차 갑오개혁	군국기무처 설치, 신분제·과거제 폐지, 과부 재가 허용, 도량형 통일 등
제2차 갑오개혁	군국기무처 폐지, 사법권 독립, 홍범 14조 반포

④ **을미사변과 아관파천**

을미사변(1895년)	조선이 러시아를 끌어들이자 일본은 (❺)를 살해함.
을미개혁(1895년)	단발령, 태양력 사용, 종두법 시행
아관 파천(1896년)	고종이 일본의 위협에서 벗어나기 위하여 러시아 공사관으로 거처를 옮김.

한국사 생각쓰기

• 정답 및 풀이 186쪽

1 다음 비석에 나타나 있는 흥선 대원군의 정책이 가지는 의의와 한계를 쓰시오.

서양 오랑캐가 쳐들어 왔는데 싸우지 않는 것은 곧 화의를 하는 것이요, 화의를 주장하는 것은 나라를 파는 것이다.

▲ 척화비

생각 쓰기 Point

Point 1
병인양요와 신미양요

병인양요	• 원인: 병인박해 • 결과: 외규장각 문화재 약탈
신미양요	• 원인: 제너럴셔 먼호 사건 • 결과: 전국에 척화비 건립

3 단원

2 다음 내용을 보고 알 수 있는 갑오개혁의 의의는 무엇인지 쓰시오.

> 1. 청에 잡혀간 흥선 대원군을 곧 돌아오도록 하며, 종래에 청에 대하여 행하던 조공의 허례를 폐지한다.
> 2. 문벌을 폐지하여 인민 평등의 권리를 세워, 능력에 따라 관리를 임명한다.
> 3. 조세 제도를 개혁하여 관리의 부정을 막고 백성을 보호하며, 국가 재정을 넉넉하게 한다.
> – 갑신정변 14개조 정강 –

> 2. 탐관오리의 죄를 조사하여 엄벌에 처한다.
> 4. 불량한 유림과 양반을 처벌한다.
> 8. 무명잡세는 모두 거둬들이지 않는다.
> 9. 문벌을 타파하고 인재를 등용한다.   – 동학 농민군의 폐정 개혁안 14개조 –

> 1. 청에 의존하는 생각을 끊고, 자주독립의 터전을 튼튼히 세운다.
> 6. 납세는 법으로 정하고 함부로 세금을 징수하지 않는다.
> 14. 인물을 쓰는 데 문벌에 구애되지 말고, 선비를 두루 구하여 널리 인재를 등용한다.
> – 홍범 14조 –

Point 2
갑오개혁

• 1894년 조선 정부가 정치 · 경제 · 사회 전반에 걸쳐 추진한 근대적 개혁입니다.
• 제1차 갑오개혁은 일본이 청과의 전쟁에 전념하던 시기에 이루어졌기 때문에 비교적 자주적으로 진행되었습니다.

『독립신문』 창간과 독립 협회의 활동

아관 파천 이후 러시아를 비롯한 ●열강들은 **조선의 철도, 광산, 산림을 개발하는 권리를 빼앗았고**, 일본군도 여전히 조선에 머물고 있어 나라의 ●위상이 크게 떨어졌습니다.

이 무렵 김옥균과 함께 갑신정변을 일으켰다가 미국으로 망명했던 서재필이 조선으로 돌아왔습니다. 서재필은 국민에게 자주 독립 의식을 보급하기 위해 『독립신문』을 **창간**하였습니다. 『독립신문』은 한글판과 영문판으로 발행되어 국민 계몽에 힘쓰는 한편 우리의 상황을 외국에 알리기 위한 노력을 펼쳤습니다. 그리고 1896년 서재필과 뜻을 같이한 관료 및 지식인들은 **독립 협회를 설립**하고 다양한 계층의 사람들을 회원으로 받아들였습니다. 독립 협회는 ●**독립문**을 세워 조선이 자주독립 국가임을 널리 알렸고, 여러 차례 토론회와 연설회를 열어 사람들을 계몽하고자 하였습니다. 특히 1898년 3월에 독립 협회의 주최로 열린 ●**만민 공동회**에서는 러시아의 내정 간섭과 ●이권 요구를 비판하는 한편, 고종에게 정치 개혁을 요구하기도 하였습니다.

● **열강** 여러 강한 나라. 당시 러시아를 비롯한 러시아, 미국, 프랑스 등 서양 세력을 의미함.

예문 청은 아편 전쟁 이후 **열강**의 침입으로 큰 혼란을 겪었어요.

● **위상**(位 자리 위, 相 서로 상) 다른 것들과의 사이에서 차지하는 위치나 상태.

● **독립문** 독립 협회가 기존의 청의 사신을 맞이하던 영은문을 헐고 세운 문.

● **만민 공동회** 1898년에 우리 역사상 최초로 열린 근대적인 민중 집회.

● **이권** 이익을 얻을 수 있는 권리.

● **헌의 6조** 재정 공개, 피고인 인권 존중, 관리 임명 시 정부와 합의 등 황제권을 약화시키는 내용이 담겨 있었음.

▲ 『독립신문』

▲ 독립문

이후 만민 공동회는 정부 관료까지 참석하는 **관민 공동회로 확대**되었습니다. 관민 공동회는 정부와 일반 국민들이 함께 협력해 국가를 운영하자는 내용을 담은 ●**헌의 6조**를 만들어 고종에게 올렸습니다. 당시 대한 제국을 선포하고 황제가 된 고종은 자신의 권한이 줄어드는 헌의 6조의 내용이 탐탁지 않았습니다. 이때 기존 세력들이 독립 협회가 황제를 내쫓고 공화국을 세우려 한다고 모함하였고, 고종은 **독립 협회의 해산을 명령**하였습니다.

핵심 Point!

정답 및 풀이 **186쪽**

❶ 갑신정변 이후 미국으로 망명했던 ☐☐☐ 이 귀국하여 『독립신문』을 창간하였다.

❷ 서재필과 뜻을 같이한 관료 및 지식인들은 ☐☐☐☐ 를 설립했다.

❸ 독립 협회 주최로 개최된 ☐☐☐☐ 에서는 러시아의 내정 간섭을 비판하였다.

1 다음 제시된 내용들과 관련 있는 인물은 누구인지 쓰시오.

> • 갑신정변 참여   • 미국으로 망명   • 『독립신문』 창간

(   )

2 독립 협회가 조선이 자주독립 국가임을 널리 알리기 위해 영은문을 헐고 세운 오른쪽 문의 이름은 무엇인지 쓰시오.

(   )

3 다음에서 설명하는 것은 무엇인지 쓰시오.

> 독립 협회의 주최로 열린 우리나라 최초의 근대적 민중 집회로, 러시아의 내정 간섭과 이권 요구를 비판하는 한편, 고종에게 정치 개혁을 요구하기도 하였다.

(   )

중학교 시험 맛보기

4 헌의 6조에 대한 설명으로 옳지 <u>않은</u> 것은 어느 것입니까? (   )

① 황제의 권한이 줄어드는 내용이었다.
② 관민 공동회에서 만든 국정 개혁안이다.
③ 고종이 이를 나라의 일에 적극 반영하였다.
④ 고종이 독립 협회를 해산하게 하는 데 영향을 미쳤다.
⑤ 관민이 함께 협력해 국가를 운영하자는 내용이 담겨 있다.

11 대한 제국과 광무개혁

을미사변 이후 고종은 러시아 공사관에 머물고 있었습니다. 고종은 궁으로 돌아오라는 목소리가 커지자 1년 만에 경복궁 대신 주변에 각국 공사관이 위치해 본인과 왕실을 지킬 수 있는 경운궁(덕수궁)으로 돌아왔습니다. 고종은 떨어진 나라의 위신을 높이고 자주독립 국가로 나아가기 위해 ●환구단에서 **대한 제국을 수립하고 황제로 즉위**하였으며, '광무'라는 독자적인 연호도 사용하였습니다(1897년). 황제에 오른 고종은 대한 제국의 헌법이라고 할 수 있는 ●**'대한국 국제'를 반포**하여 황제가 입법, 행정, 사법, 군사 등 모든 분야의 권한을 갖도록 하였습니다.

▲ 환구단

대한 제국은 '옛 제도를 근본으로 삼고, 새로운 제도를 참고한다.'라는 구본신참의 원칙에 따라 개혁을 추진하였는데 이를 '**광무개혁**'이라고 합니다. 먼저 황제권과 국방력을 강화하기 위해 ●원수부를 설치해 황제가 군대를 통솔하게 했으며, 군사 수를 늘리고 장교를 길러내는 등 군사 제도를 개혁하였습니다. 경제적 측면에서는 국가 재정을 늘리기 위해 전국의 토지를 조사하고, 나라가 토지의 소유를 증명해 주는 ●지계를 발급하였습니다. 또 전화와 전차, 철도 등 다양한 **근대 시설을 도입**하고 공장과 회사를 설립하여 상공업을 발전시키고자 하였습니다. 아울러 기술학교와 실업학교 등을 세우고 유학생을 파견하는 등 새로운 인재를 길러내고자 하였습니다.

▲ 광무개혁으로 달라진 종로 거리
도로 확장, 전차 개통, 전신주 설치 등의 모습을 볼 수 있음.

광무개혁은 자주적인 근대 국가를 이루기 위한 노력이었습니다. 국방력을 강화하고 상공업을 발전시키며 교육 분야를 개혁하는 한편, 근대적 토지 소유 제도를 확립하려고 했다는 의의가 있습니다. 그러나 **황제의 권한을 강화하는 데 치우쳐** 백성들의 권리를 보장하는 데까지는 나아가지 못했고, 외세의 간섭에서도 완전히 벗어나지 못했다는 한계가 있습니다.

한국사 용어 퀵!

● **환구단** 천자가 하늘에 제사를 지내는 곳으로 고종이 이곳에서 제사를 지내고 황제 즉위식을 함.

● **대한국 국제** 대한 제국의 헌법과 같은 법제로 모든 권한이 황제에게 집중되어 있음을 밝힘.

● **원수부** 대한 제국 때에, 국방·군사에 관한 일을 맡아보던 관아.

● **지계** 대한 제국이 토지 조사를 실시하면서 근대적 토지 소유권을 보장하기 위해 발급한 것.

핵심 Point!

정답 및 풀이 **186쪽**

❶ 고종은 환구단에서 ☐☐☐☐ 을 수립하고 황제로 즉위하였다.

❷ 대한 제국은 국방력을 강화하고 상공업을 발전시키는 등 ☐☐☐☐ 을 추진하였다.

❸ 대한 제국은 국가 재정을 늘리기 위해 토지를 조사하고 ☐☐ 를 발급하였다.

1 다음 ⊙, ⓒ에 들어갈 알맞은 말을 각각 쓰시오.

고종은 떨어진 나라의 위신을 높이고자 환구단에서 (⊙)을(를) 수립하고 황제로 즉위하였으며, (ⓒ)(라)는 독자적인 연호를 사용하였다.

⊙ (   ), ⓒ (   )

2 다음에서 설명하는 것은 무엇인지 쓰시오.

고종이 황제로 즉위한 후 반포한 대한 제국의 헌법과 같은 것으로, 입법, 행정, 사법, 군사 등 모든 분야의 권한이 황제에게 집중되어 있음을 밝혔다.

(   )

중학교 시험 맛보기

3 다음 보기 에서 광무개혁의 내용으로 옳은 것을 모두 골라 기호를 쓰시오.

보기
⊙ 황제권과 국방력을 강화하기 위해 원수부를 설치하였다.
ⓒ 공장과 회사를 설립하고, 전화와 전차 등 근대 시설을 도입하였다.
ⓒ 옛 제도를 버리고 오로지 새로운 제도를 받아들인다는 원칙으로 추진되었다.
ⓔ 전국의 토지를 조사하고, 나라가 토지의 소유를 증명해 주는 지계를 발급하였다.

(   )

4 광무개혁의 한계에 대해 바르게 말한 어린이에 ○표 하시오.

(1)
황제권의 권한을 강화하는 데 치우쳐 백성들의 권리는 보장하지 못했어.

(   )

(2)
전통적인 것만 중요하게 여기고 근대적인 개혁은 시도하지 않았어.

(   )

12 을사늑약과 국권 피탈 과정

일본은 청일 전쟁에서 승리하고도 서양 열강의 간섭으로 조선에 큰 영향력을 발휘하지 못하였습니다. 반면 러시아는 한반도를 비롯한 아시아에서의 영향력이 나날이 커지고 있었습니다. 영국과 미국은 러시아를 견제하기 위해 일본을 지원하였고 이러한 지원을 등에 업은 일본은 러일 전쟁(1904년)을 일으켰습니다. 대한 제국은 한반도가 전쟁터로 변하는 것을 막기 위해 중립을 선언하였지만 일본은 이를 무시하고 일본이 한국 내에서 군사적으로 필요한 지역을 마음대로 사용할 수 있도록 하는 **한일 의정서 체결**을 강요하였습니다. 이후 전쟁에서 유리해진 일본은 한국의 외교 °고문에 일본인을 두게 하는 **제1차 한일 협약을 체결**하였습니다.

한편, 일본은 러시아와 전쟁 중 미국, 영국과 몰래 조약을 체결해 한반도에 대한 지배권을 인정받았습니다. **일본은 러일 전쟁에서 승리**하자 °포츠머스 조약을 맺고 러시아를 한반도에서 밀어냈습니다. 이후 일본은 대한 제국을 지배하고자 이토 히로부미와 군대를 파견해 고종과 반대하는 대신들을 위협하여 **을사°늑약을 강제로 체결**하였습니다(1905년). 이 과정에서 일본은 °을사오적을 앞세워 조약 성립을 일방적으로 선언하였습니다. 을사늑약의 결과로 대한 제국은 **외교권을 빼앗겼고**, 통감부가 설치되어 내정을 간섭받게 되었습니다. 고종은 을사늑약의 부당함을 알리기 위해 네덜란드의 헤이그에서 열리는 만국 평화 회의에 특사를 파견하였으나 일본의 방해로 실패하였습니다.

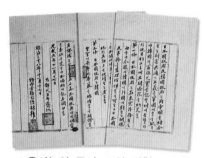

▲ **을사늑약 문서** 조약 명칭도, 고종 황제의 서명도 없음.

일본은 헤이그 특사 파견을 구실로 **고종을 강제로** °**퇴위**시켰습니다. 그 후 한국의 행정권을 장악하고 나아가 군대를 해산시켰으며 사법권과 경찰권도 빼앗았습니다. 을사늑약에 반발한 의병 운동이 일어났으나 결국 **일본은 대한 제국을 강제로** °**병합**하였습니다(1910년).

▲ **경복궁 근정전에 걸린 일장기**

핵심 Point!

정답 및 풀이 **186쪽**

❶ 러일 전쟁을 일으킨 일본은 대한 제국에 ☐☐☐☐ 체결을 강요하였다.

❷ 일본은 대한 제국의 외교권을 빼앗는 ☐☐☐☐을 강제로 체결하였다.

❸ 일본은 헤이그 특사 파견을 구실로 고종을 강제로 ☐☐시켰다.

1 다음 보기의 조약들을 체결된 순서대로 기호를 나열하시오.

> **보기**
> ㉠ 을사늑약　　　　㉡ 한일 의정서　　　　㉢ 제1차 한일 협약

(　　　) → (　　　) → (　　　)

2 다음에서 설명하는 외교 문서를 무엇이라고 하는지 쓰시오.

> 1904년 일본이 러일 전쟁을 일으킨 후 한국 내에서 군사상 필요한 지역을 자유롭게 사용하기 위해 한국과 체결한 외교 문서이다.

(　　　　　)

3 을사늑약으로 대한 제국이 일본에 빼앗긴 권리는 무엇입니까? (　　)

① 국권　　　　　② 사법권　　　　　③ 외교권
④ 경찰권　　　　⑤ 군사권

4 다음 사건의 결과 일어난 일로 옳은 것은 어느 것입니까? (　　)

> 고종은 네덜란드 헤이그에서 열리는 만국 평화 회의에 이준, 이상설, 이위종을 특사로 파견하여 을사늑약의 부당함을 알리려고 하였다.

① 의병이 봉기하였다.
② 고종이 강제 퇴위되었다.
③ 제1차 한일 협약이 맺어졌다.
④ 일본이 한반도에서 물러났다.
⑤ 일본이 외교 고문을 파견하였다.

13 일제의 독도 침탈과 간도 협약

독도는 우리나라 동쪽 가장 끝에 있는 섬으로 삼국 시대 신라의 이사부 장군이 *우산국을 정복한 이후 줄곧 우리의 영토입니다. 조선 숙종 때에는 어부 *안용복이 울릉도에서 불법으로 고기를 잡던 일본 어선을 내쫓고, 일본으로 건너가 **울릉도와 독도가 조선의 땅임을 확인**받기도 하였습니다.

개항 이후 일본 어민들이 독도에 불법 침입하는 일이 늘어나자, 정부는 일본에 항의하고 육지 주민을 울릉도에 옮겨 가 살게 하거나 관리를 파견하는 등 적극적으로 독도를 관리하는 정책을 펼쳤습니다. 나아가 대한 제국은 1900년에 **대한 제국 *'칙령 제41호'**를 통해 울릉도를 군으로 승격시켜 독도를 관할하게 하면서 독도가 우리의 영토임을 확실히 하였습니다. 그러나 일본은 러일 전쟁 중에 독도를 주인이 없는 땅이라고 하며 **일본의 영토로 몰래 편입**하였습니다(1905년). 이는 명백히 불법적인 영토 침탈임과 동시에 일제가 한국 영토를 강제로 점령하는 일의 시작이었습니다.

▲ 독도

간도는 고조선 때부터 우리 민족의 활동 무대이며, 고구려와 발해의 영토였던 곳입니다. 조선 시대에는 청과 국경선을 둘러싼 분쟁이 자주 일어나자 백두산에 *백두산정계비를 세워 **조선과 청의 영토 구분**을 확실히 하였습니다(1712년). 19세기 이후 간도로 이주하는 조선인이 늘어나자, 청이 조선인의 철수를 요구하며 영토 문제가 생겼습니다. 그런데 백두산정계비에 쓰여 있는 조선과 청의 경계가 되는 강의 위치에 대해 두 나라가 각각 다른 곳을 주장하여 간도 문제는 확실한 결론을 맺지 못하였습니다.

대한 제국 정부는 이미 수많은 한민족이 살고 있는 간도에 관리사 이범윤을 파견하고, **간도를 함경도의 행정 구역으로 편입**하였습니다. 그러나 을사늑약으로 대한 제국의 외교권을 빼앗은 일본은 청으로부터 만주의 철도 *부설권을 얻는 대신 '간도를 청의 영토로 인정한다.'라는 내용의 **간도 협약을 체결**하였습니다(1909년).

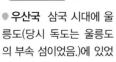
한국사 용어 퀵!

● **우산국** 삼국 시대에 울릉도(당시 독도는 울릉도의 부속 섬이었음.)에 있었던 작은 나라로 512년에 신라에 정복당함.
● **안용복** 조선 후기의 어부이자 민간 외교가로 울릉도와 독도에서 불법적으로 어업을 일삼던 일본 어선에 대해 항의하고, 일본에 건너가 독도의 지배권을 확인받음.
● **칙령** 황제가 내린 명령으로 법의 역할을 담당함.
예문 황제는 **칙령**을 통해 자신의 뜻을 알렸어요.
● **백두산정계비** 1712년 조선 숙종 때 백두산에 세운 비석으로 조선과 청의 국경선을 표시한 경계비임.
● **부설권** 다리, 철도 따위를 설치할 권리.

핵심 Point!

정답 및 풀이 **187쪽**

❶ ☐☐ 는 울릉도와 함께 삼국 시대 신라가 우산국을 정복한 이후부터 우리의 영토이다.

❷ 일본은 ☐☐☐ 중에 독도를 일본의 영토로 몰래 편입하였다.

❸ 대한 제국은 ☐☐ 를 함경도의 행정 구역으로 편입하여 관리하였다.

1 조선 숙종 때의 어부로, 울릉도에서 불법으로 고기를 잡던 일본 어선을 내쫓고 일본으로 건너가 울릉도와 독도가 조선 땅임을 확인받은 사람은 누구인지 쓰시오.

(   )

2 다음 (   ) 안에 공통으로 들어갈 알맞은 섬을 쓰시오.

> 일본은 러일 전쟁 중에 (   )을(를) 일본의 영토로 편입하기 위해 (   )이(가) 주인이 없는 땅이라고 하며 시마네 현에 편입시키고 '다케시마'라고 불렀다. 하지만 (   )이(가) '주인 없는 땅'이기 때문에 편입하였다는 일본의 주장은 틀린 것이며, 일본의 (   ) 편입은 불법이다.

(   )

3 다음 보기 에서 위 **2**번의 밑줄 친 부분의 근거가 되는 사실을 골라 기호를 쓰시오.

보기
> ㉠ 고구려와 발해의 옛 땅이었다.
> ㉡ 백두산정계비를 세워 경계를 정하였다.
> ㉢ 대한 제국은 1900년에 칙령 제41호를 반포하였다.
> ㉣ 대한 제국 정부가 함경도의 행정 구역으로 편입하여 관리하였다.

(   )

중학교 시험 맛보기 **4** 간도에 대한 설명으로 옳은 것은 어느 것입니까? (   )

① 대한 제국 시기에 울릉도와 함께 관할하도록 하였다.
② 일본과의 국경선에 있는 지역이어서 분쟁이 자주 있었다.
③ 삼국 시대 고구려가 우산국을 정복한 이래 우리의 영토이다.
④ 러일 전쟁 중에 일본이 강제로 자기 나라 영토로 편입하였다.
⑤ 일본이 만주 철도 부설권을 얻는 대가로 이 지역을 청에 넘겼다.

14 항일 의병 운동

일본의 침략 행위가 날이 갈수록 심해지자 이에 대항하는 **•**의병 운동이 활발하게 전개되었습니다. 위정척사를 주장한 **•**유생들은 명성 황후가 살해된 을미사변과 을미개혁에 포함된 **단발령을 계기**로 의병을 일으켰습니다(을미의병). 농민과 동학 농민군의 남은 세력도 의병에 적극 참여하였습니다. 그러나 아관파천 이후 고종이 단발령을 취소하고 의병들에게 해산을 권유하자 의병은 잠시 활동을 중단하였습니다. 러일 전쟁 이후 일제의 침략이 본격화되고, **을사늑약이 체결되자** 수많은 의병이 일어나 일제에 저항하였습니다(을사의병). 을사의병에는 **•**신돌석과 같은 평민 출신의 의병장도 등장해 활약하였습니다.

을사늑약 이후 활발하게 전개되던 의병 운동은 1907년 **고종의 강제 퇴위와 군대 해산을 계기**로 더욱 확대되었습니다(정미의병). 특히 해산된 군인들이 의병에 참여하면서 전투력이 크게 향상되어 의병 운동은 **항일 의병 전쟁으로 발전**하였습니다. 의병 전쟁이 확산되자 유생 의병장들을 중심으로 의병 연합 부대인 **13도 창의군이 결성**되었습니다. 이들은 이인영을 총대장으로 하여 **•**서울 진공 작전을 펼쳤으나 우수한 무기를 앞세운 일본군에게 패배하였습니다.

서울 진공 작전이 실패한 이후에도 의병 전쟁은 계속되었습니다. 특히 **•**호남 지방에서는 몰락양반, 평민, 천민 출신 의병장들을 중심으로 활발한 항일 투쟁이 전개되었습니다. 그러나 일제가 의병 활동은 물론, 의병 활동에 협력하는 사람들까지 모두 체포하고 심하게 탄압하자 의병 가운데 일부는 **만주나 연해주로 이동**해 항일 투쟁을 준비하였습니다. 이들은 국권을 빼앗긴 이후 독립군이 되어 무장 독립 투쟁을 이어나갔습니다.

▲ 항일 의병 부대의 활동

한국사 용어 퀵!

● **의병**(義 옳은 **의**, 兵 군사 **병**) 외부의 적을 물리치기 위해 백성들이 자발적으로 조직한 군대. 또는 그 군대의 병사.

● **유생** 유학을 공부하는 선비.

● **신돌석** 대한 제국 말기의 평민 출신 의병장으로 경상도와 강원도 일대에서 활약하며 태백산 호랑이로 불렸음.

● **서울 진공 작전** 항일 의병들이 서울로 진격하여 일제를 몰아내고자 했던 작전.

● **호남 지방** 광주광역시를 포함한 전라남도와 전라북도를 합쳐서 일컫는 말.

예문 **호남 지방**은 우리나라 최대의 곡창 지대예요.

핵심 Point!

정답 및 풀이 **187쪽**

❶ 을미의병은 을미사변과 ☐☐☐ 을 계기로 일어났다.

❷ 을사의병은 신돌석과 같은 ☐☐ 의병장이 등장해 활약하였다.

❸ 13도 창의군은 ☐☐☐☐☐☐ 을 펼쳤으나 일본군에 패배하였다.

1 다음에서 설명하는 의병 운동이 일어난 원인이 된 사건을 두 가지 쓰시오.

> 위정척사를 주장한 유생들이 주도한 의병 운동으로, 농민과 동학 농민군의 남은 세력도 적극 가담하였다. 그러나 아관파천 이후 고종이 해산을 권유하자 의병은 잠시 활동을 중단하였다.

(   )

2 제시된 내용과 관련 있는 인물은 누구인지 쓰시오.

> • 을사의병   • 평민 출신 의병장   • 태백산 호랑이

(   )

3 다음 보기 에서 정미의병에 대한 설명으로 옳은 것은 모두 골라 기호를 쓰시오.

보기

> ㉠ 일본군과 전쟁을 하여 승리하였다.
> ㉡ 일본에 의한 외교권 박탈에 반발해 일어났다.
> ㉢ 해산된 군인들의 참여로 의병의 전투력이 크게 향상되었다.
> ㉣ 고종의 강제 퇴위와 군대 해산을 계기로 전개된 의병 운동이다.

(   )

4 서울 진공 작전 이후의 상황으로 옳지 <u>않은</u> 것은 어느 것입니까? (   )

① 서울 진공 작전은 실패로 돌아갔다.
② 일제가 의병과 협력자들을 심하게 탄압했다.
③ 일부 의병은 만주나 연해주로 근거지를 옮겼다.
④ 의병에 참여하는 사람이 줄다가 결국 의병 전쟁이 멈추었다.
⑤ 호남 지방에서는 몰락 양반, 평민, 천민 출신 의병장들이 활약하였다.

15 항일 의거 활동

을사늑약이 체결되자 이에 반대하는 저항 운동이 각계각층에서 일어났습니다. 정부에는 조약 체결에 반대하고 을사오적과 같은 ●매국노를 비판하는 상소가 이어졌습니다. 장지연은 『황성신문』에 ●'시일야방성대곡'을 실어 일제의 침략을 비판하였으며, 민영환과 같이 스스로 목숨을 끊는 사람도 있었습니다. 학생들은 수업을 거부하였고, 상인들은 상점 문을 닫아 저항하기도 하였습니다.

> 무릇 살기를 바라는 사람은 반드시 죽고, 죽기를 기약하는 사람은 도리어 삶을 얻나니, 나 민영환은 죽음으로써 황제의 은혜에 보답하고 2천만 동포늘에게 사죄하려 하노라.
>
> – 민영환의 유서 중 일부 –

한편 을사늑약 체결에 적극적으로 협력한 매국노와 일본 침략자를 직접 처단하려는 의거 활동이 활발하게 일어났습니다. **나철, 오기호** 등은 을사오적을 처단하기 위한 암살단을 조직하여 이완용 등을 처단하려는 시도를 하였으나 실패하였습니다. 미국 샌프란시스코에서는 **전명운과 장인환**이 일제의 한국 침략이 정당하다고 주장하던 일본의 외교 고문 ●스티븐스를 저격하여 사망에 이르게 하였습니다.

▲ 안중근 동상

1909년 **안중근**은 하얼빈 역에서 을사늑약 체결에 앞장선 **이토 히로부미를 저격하여 처단**하였습니다. 그는 법정에서 자신은 '대한의군의 참모 중장으로서 독립 전쟁의 일환으로 이토를 죽였기 때문에 형사범이 아니라 전쟁 포로로 대우해 줄 것'을 당당하게 요구하기도 하였습니다. 이재명은 매국노를 처단하는 것이 국권을 지키는 지름길이라 여기고, 하와이에서 공부하다 돌아와 을사오적 중 한 명인 이완용을 처단하고자 하였습니다. 비록 실패로 돌아갔으나 이완용을 습격해 중상을 입혀 을사오적을 공포에 떨게 하였습니다.

목숨을 내걸고 매국노와 일제의 침략자를 제거하고자 했던 항일 의거 활동은 **독립 투쟁을 확산시키는데 영향**을 끼쳤고, 전 세계에 나라를 지키고자 하는 한국인들의 의지를 알렸습니다.

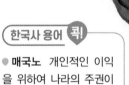
한국사 용어 퀵!

● **매국노** 개인적인 이익을 위하여 나라의 주권이나 이권을 다른 나라에 팔아먹는 일을 하는 사람.
예문 이완용은 대표적인 친일파이자 **매국노**예요.

● **시일야방성대곡** '이 날을 목 놓아 운다.'라는 뜻으로 『황성신문』에 장지연이 을사늑약의 부당함을 비판하기 위해 쓴 글의 제목.

● **스티븐스** 미국의 외교관. 일본 외무성에 있다가 제1차 한일 협약 당시 한국의 외교 고문으로 파견됨. 대표적인 친일 미국인으로 을사늑약이 정당하다고 주장함.

핵심 Point!

정답 및 풀이 **187쪽**

❶ 나철, 오기호 등은 ☐☐☐☐ 을 처단하기 위해 암살단을 조직하였다.

❷ ☐☐☐ 은 을사늑약 체결에 앞장선 이토 히로부미를 하얼빈 역에서 처단하였다.

❸ 이재명은 을사오적 중 한 명인 ☐☐☐ 을 습격해 중상을 입혔다.

1 다음에서 설명하는 사람은 누구인지 쓰시오.

> 을사늑약이 체결되자 『황성신문』에 '시일야방성대곡'이라는 글을 실어 일제의 침략을 비판하였다.

(   )

2 나철에 대한 설명으로 옳은 것은 어느 것입니까? (   )

① 동학을 전국적으로 널리 알렸다.
② 단군 신앙을 바탕으로 동학을 만들었다.
③ 암살단을 만들어 을사오적을 처단하려 했다.
④ 을사늑약 체결에 반대하여 스스로 목숨을 끊었다.
⑤ 한글 문법을 연구하여 우리말 사용 원칙을 세웠다.

3 다음 (   ) 안에 들어갈 알맞은 내용은 무엇입니까? (   )

> 미국 샌프란시스코에서는 전명운과 장인환이 (   )(라)고 주장하던 일본의 외교 고문 스티븐스를 저격하였다.

① 을사늑약은 무효
② 미국이 한국을 참략해야 한다
③ 일제의 한국 침략이 정당하다
④ 일제를 한국에서 몰아내야 한다
⑤ 일제로부터 한국을 보호해야 한다

4 을사늑약 체결에 앞장선 이토 히로부미를 처단한 사람은 누구입니까? (   )

① 전명운   ② 오기호   ③ 장인환
④ 안중근   ⑤ 이재명

16 애국 계몽 운동과 국채 보상 운동

을사늑약을 전후해 개화 지식인들을 중심으로 민족의 힘과 실력을 키워 국권을 회복하자는 **애국 계몽 운동이 전개**되었습니다. 개화 지식인들은 교육을 통해 백성들을 깨우쳐 근대 국가에 맞는 국민으로 만들고, 산업을 발전시켜 경제력을 키워 국권을 지켜야 한다고 생각하였습니다.

러일 전쟁 중 일본은 대한 제국에 °황무지 °개간권을 요구하였습니다. 일본의 요구에 송수만, 심상진 등은 °**보안회**(1904년)를 조직하고 일본에 맞섰습니다. 보안회는 매일 거리에서 집회를 열고 일본의 요구를 비판하였습니다. 이에 많은 사람들이 호응하였고, 마침내 일제는 **황무지 개간권 요구를 철회**하였습니다. 한편, 독립 협회를 계승한 헌정 연구회(1905년)는 왕실과 정부도 헌법과 법률에 따라야 한다며 °입헌 군주제 수립을 주장하였습니다. 헌정 연구회를 계승한 대한 자강회는 교육과 산업 발전을 통해 실력을 길러야 한다고 주장하는 한편 고종의 강제 퇴위 반대 운동을 전개하다가 일제의 탄압으로 해산되었습니다.

일제가 조선에 설치한 통감부가 애국 계몽 운동을 심하게 탄압하자 **안창호, 양기탁 등은 비밀 단체인 신민회를 조직**하였습니다(1907년). 신민회는 대성 학교, 오산 학교 등을 세워 교육에 힘쓰고 평양에 도자기를 만드는 자기 회사와 서점인 태극 서관 등을 세워 민족 기업을 육성하였습니다. 이후 일제의 국권 침탈이 본격적으로 이루어지자 장기적인 독립운동을 위해 만주 삼원보 지역에 독립운동 기지를 건설하고 독립 전쟁을 준비하였습니다.

이 비녀를 나라 빚 갚는데 써 주세요.

이 외에도 대한 제국이 일본에 진 빚을 국민의 성금으로 갚아 경제적으로 자립하자는 °**국채 보상 운동**이 전개되었습니다. 국채 보상 운동은 1907년 대구에서 시작되어 국민의 호응을 얻어 전국으로 확산되었으나 일제의 탄압으로 중단되었습니다.

한국사 용어 퀵!

● **황무지** 내버려 두어 거친 땅.
● **개간(開** 열 **개, 墾** 개간할 **간)** 거친 땅이나 버려둔 땅을 일구어 논밭이나 쓸모 있는 땅으로 만듦.
예문 간석지를 **개간**하여 논으로 활용하고 있어요.
● **보안회** 일본의 황무지 개간권 요구에 반대해 1904년에 설립된 단체. 보안은 나라 일을 돕고 백성을 편안하게 한다는 '보국안민'의 줄임말임.
● **입헌 군주제** 군주의 권력이 헌법에 의하여 일정한 제약을 받는 정치 체제.
● **국채 보상 운동** 대구에서 시작된 운동으로 나라 빚을 갚기 위해 남자는 술과 담배를 끊고, 여자는 비녀와 반지를 성금으로 냄.

핵심 Point!

정답 및 풀이 **187쪽**

❶ 을사늑약을 전후로 민족의 힘과 실력을 키워 국권을 회복하자는 ☐☐☐☐☐☐ 이 전개되었다.

❷ ☐☐☐ 는 일제의 황무지 개간권 요구에 반대하는 운동을 전개하였다.

❸ ☐☐☐☐☐☐☐ 은 대한 제국이 일본에 진 빚을 국민의 힘으로 갚자는 운동이다.

1 을사늑약을 전후해 민족의 힘과 실력을 키워 국권을 회복하자며 전개된 운동을 무엇
이라고 하는지 쓰시오.

(   )

2 다음 ㉠∼㉢에 들어갈 애국 계몽 단체를 알맞게 짝지은 것은 어느 것입니까?

(   )

> 러일 전쟁 뒤 일제가 황무지 개간권을 요구하자 (㉠)는 반대 운동을 펼쳐 이
> 를 철회시켰다. 한편, (㉡)는 왕실과 정부도 헌법과 법률에 따라 활동해야 한다
> 고 주장하였고, 이를 계승한 (㉢)는 교육과 산업의 육성을 내세우는 한편, 고종
> 의 강제 퇴위 반대 운동을 전개하였다.

	㉠	㉡	㉢
①	대한자강회	보안회	헌정연구회
②	보안회	헌정연구회	대한자강회
③	보안회	대한자강회	헌정연구회
④	헌정연구회	대한자강회	보안회
⑤	대한자강회	헌정연구회	보안회

3 다음 보기 에서 신민회에 대한 설명으로 옳은 것을 모두 골라 기호를 쓰시오.

> **보기**
> ㉠ 고종의 강제 퇴위 반대 운동을 전개하였다.
> ㉡ 대성 학교와 오산 학교 등을 세워 교육에 힘썼다.
> ㉢ 송수만과 심상진을 중심으로 비밀리에 조직되었다.
> ㉣ 장기적인 독립운동을 위해 만주에 독립운동 기지를 건설하였다.

(   )

4 다음에서 설명하는 민족 운동은 무엇인지 쓰시오.

> 1907년 대구에서 시작된 운동으로 국민의 성금으로 나랏빚을 갚고 국권을 지키고자
> 한 일이다. 국민의 호응을 얻어 전국으로 확산되었으나 일제의 탄압으로 중단되었다.

(   )

17 신문물의 수용과 근대 의식의 성장

개항 이후 서양과의 교류가 잦아지면서 서양의 기술과 문물이 들어왔습니다. 정부는 새로운 문물을 적극적으로 받아들이기 위해 유학생을 파견하고, 외국인 기술자를 데려와 학교, 병원, •전신, 철도 등 근대 시설을 많이 만들었습니다.

1887년 •에디슨 전기 회사가 **경복궁에 전등을 설치**한 이후 1898년에는 한성 전기 회사가 설립되면서 한성 시내에도 전기 시설이 갖추어졌습니다. 이에 따라 전차가 서대문과 청량리 사이를 운행하기 시작하였습니다. 또 1885년에 **전신선이 설치**되기 시작하면서 서울과 인천, 서울과 의주 그리고 서울과 부산 사이에 빠르게 소식을 주고받을 수 있게 되었습니다. 한편 한성과 인천 사이에 **경인선 철도가 처음으로 개통**되고 이어 경부선, 경의선이 개통되었습니다.

▲ 경복궁에 처음 전등이 설치된 모습을 그린 그림

▲ 양장 차림을 한 •순헌황귀비

다양한 신문물이 들어오면서 의식주 생활 모습에도 변화가 생겼습니다. **양복을 입기 시작**하면서 신분에 따른 의복 차이가 점차 사라졌고, 단발령으로 머리 모양이 바뀌었습니다. 음식에서는 빵이나 케이크, 커피나 홍차 등 서양 음식이 유행하였고, 호떡, 만두 등 중국 음식과 우동, 초밥 등 일본 음식도 들어왔습니다. 한성과 개항장을 중심으로 일본식, 서양식 주택들이 들어섰고, 다양한 국가의 외국인들이 거주하기 시작하면서 새로운 문화가 만들어지기 시작하였습니다.

신문물과 함께 사람들의 생각도 변하기 시작했습니다. 특히 갑오개혁을 통해 신분제가 폐지되면서 평등한 사회로 발전하는 기틀이 마련되었습니다. 이러한 의식의 변화는 학교 교육을 통해 더욱 빠르게 확산되었습니다. 정부가 세운 •동문학, •육영 공원 등에서 근대 학문과 외국어를 교육했고, 선교사들을 중심으로 배재 학당, 이화 학당 등 신식 학교가 설립되었습니다. 한편, 『독립신문』, 『대한매일신보』 등의 신문은 사람들에게 새로운 근대적인 생각과 의식을 전달하는 역할을 하였습니다.

한국사 용어 퀵!

• **전신** 문자나 숫자를 전기 신호로 바꾸어 전파나 전류로 보내는 통신.
• **에디슨 전기 회사** 미국의 발명가 에디슨이 백열전구를 발명하기 위해 뉴욕에 세운 회사.
• **순헌황귀비** 고종의 후궁으로, 대한 제국 성립 이후 황비로 책봉됨.
• **동문학** 1883년 8월에 설립된 관립 외국어 교육 기관. 젊고 똑똑한 학생 40명을 뽑아 오전, 오후반으로 나눠 영어와 일어 등 외국어 교육을 실시함.
• **육영 공원** 우리나라 최초의 관립 근대 학교로 양반 자제들을 대상으로 근대 교육을 실시함.
• 『대한매일신보』 영국인 베델이 사장으로 활동하며 일제의 침략을 비판하는 글을 자주 실은 신문.

핵심 Point!

정답 및 풀이 **187쪽**

❶ 한성에 전기 시설이 갖춰지면서 서대문과 청량리 사이에 [　　] 가 운행되기 시작하였다.

❷ [　　] 을 입기 시작하면서 신분에 따른 의복 차이가 점차 사라졌다.

❸ 갑오개혁을 통해 [　　　] 가 폐지되면서 평등한 사회로 발전하는 기틀이 마련되었다.

1 다음에서 설명하는 근대 문물은 무엇인지 쓰시오.

> 1898년에 한성 전기 회사가 설립되고 한성 시내에 전기 시설이 갖추어지면서 서대문과 청량리 사이를 운행하게 되었다.

(   )

2 개항 이후 변화된 의식주 생활 모습으로 알맞지 <u>않은</u> 것은 어느 것입니까? (   )

① 단발령으로 머리 모양이 바뀌었다.
② 일본식, 서양식 주택들이 들어섰다.
③ 중국 음식과 일본 음식이 들어왔다.
④ 양복을 입으면서 신분의 차이가 두드러졌다.
⑤ 빵이나 케이크, 커피나 홍차를 즐기게 되었다.

3 개항 이후 세워진 근대 학교로 알맞지 <u>않은</u> 것은 어느 것입니까? (   )

① 동문학   ② 4부 학당   ③ 육영 공원
④ 배재 학당   ⑤ 이화 학당

4 다음에서 설명하는 신문의 이름을 쓰시오.

> 개항 이후 사람들에게 근대적인 생각과 의식을 전달하는 역할을 한 신문으로, 영국인 베델이 사장으로 활동하며 일제의 침략을 비판하는 글을 자주 실었다.

(   )

| 학습한 내용을 정리해 보며, 빈칸에 들어갈 키워드를 써 보세요.

• 정답 및 풀이 187쪽

1 대한 제국의 수립과 국권 수호 운동

① 『독립신문』 창간: 서재필이 국민에게 자주 독립 의식을 보급하기 위해 창간함.

② 독립 협회 조직: 서재필 중심, 독립관·독립문 설립, 토론회·연설회 개최, 만민 공동회·관민 공동회 개최(헌의 6조) → 고종의 명령으로 강제 해산

③ 대한 제국과 광무 개혁

대한 제국 수립 (1897년)	경운궁으로 돌아온 고종은 나라의 위신을 높이고자 환구단에서 황제 즉위식을 올리고 (❶　　　　　　　)을 선포함.
광무 개혁	군사 제도 개혁(원수부 설치, 군사 수 증대), 지계의 발급, 근대적 공장과 회사 설립, 근대 시설 도입, 근대 학교 설립

④ 일제의 국권 피탈: (❷　　　　　　　)(외교권 박탈, 통감부 설치) → 고종 강제 퇴위 → 군대 해산 → 대한 제국 강제 병합(1910년)

⑤ 독도와 간도: 독도(러일 전쟁 중에 일본에 강제 편입됨.), 간도(간도 협약으로 청에게 넘어감.)

2 국권 수호 운동

① 항일 의병 운동

을미의병(1895년)	을미사변과 (❸　　　　　　　)에 반발해 의병이 일어남.
을사의병(1905년)	을사늑약이 체결되자 의병이 일어나 일제에 저항함.
정미의병(1907년)	고종의 강제 퇴위와 군대 해산을 계기로 의병 운동이 확대됨.

② 항일 의거 활동: 나철과 오기호(이완용 처단 시도), 전명운과 장인환(일본의 외교 고문 스티븐스 저격), (❹　　　　　　　)(이토 히로부미 처단), 이재명(이완용 처단 시도)

③ 애국 계몽 운동

보안회	일제의 황무지 개간권 요구를 철회시킴.
헌정 연구회	왕실과 정부도 헌법과 법률에 따라야 한다고 주장함.
대한 자강회	교육과 산업 발전을 통해 실력을 길러야 한다고 주장함.
신민회	• 안창호, 양기탁 등이 조직한 비밀 단체 • 대성 학교와 오산 학교 설립, 민족 기업(자기 회사, 태극 서관) 육성, 독립운동 기지 건설
(❺　　　　)	대한 제국이 일본에 진 빚을 국민이 갚아 경제적 자주성을 찾으려 노력함.

④ 신문물의 수용: 전신과 철도의 개통, 서양식 의식주 전래

⑤ 근대 의식의 성장: 근대 학교(동문학, 육영 공원, 배재 학당, 이화 학당)와 근대 신문(『독립신문』, 『대한매일신보』)을 통해 새로운 생각과 의식이 빠르게 확산되었음.

한국사 생각쓰기

● 정답 및 풀이 **188쪽**

생각 쓰기 Point

1 고종이 다음 환구단에서 황제 즉위식을 거행한 까닭은 무엇인지 쓰시오.

▲ 환구단

▲ 고종 황제

Point 1

고종의 환궁

• 고종이 러시아 공사관에서 돌아오자 열강의 간섭에서 벗어나 자주독립 국가로서의 모습을 갖춰야한다는 목소리가 높아졌습니다.

• 이 무렵 러시아와 일본이 충돌을 자제하며 세력 균형이 이루어져 외세의 간섭도 상대적으로 약해진 상황이었습니다.

3

단원

---

2 다음은 개항 이후 달라진 사람들의 옷차림을 보며 어린이가 이야기하고 있는 모습입니다. ㉠에 들어갈 사회 변화 모습은 무엇인지 쓰시오.

▲ 양장 차림을 한 사람들

사람들이 양복을 입기 시작하면서 _____
㉠

Point 2

신문물의 수용

• 개항 후 서양과의 교류가 잦아지면서 서양의 기술과 문물이 들어왔습니다.

• 갑오개혁을 통해 신분제가 폐지되면서 평등한 사회로 발전하는 기틀이 마련되었습니다.

전구와 전차가 처음 도입되었을 때의 모습은 어땠을까?

보빙사가 미국에 파견되어 선진 문물을 보고 돌아와서 고종에게 전등을 본 것을 보고했어요.

어두운 밤중에 갑신정변을 겪었던 고종은 전등이 있으면 밤에도 낮처럼 환하다는 말에 혹하여 에디슨 전기 회사에 전등을 주문했어요. 그리하여 1887년 3월 경복궁에 750개의 전등이 설치되었어요.

▲ 전등이 설치된 경복궁의 모습을 그린 그림

전등이 설치되자 경복궁이 밝아졌지만 부작용도 많았어요. 전기를 돌리는 발전기 소리가 너무 커서 밤잠을 설치는 궁인이 많았고, 발전기의 열 때문에 연못의 온도가 올라가 물고기가 떼죽음을 당하는 일까지 있었다고 해요.

전등이 설치된 후 서양 문물에 큰 호감이 생긴 고종은 전기로 움직이는 전차를 설치하기로 했어요. 명성황후릉에 행차를 자주 했는데 많은 사람들이 움직이다보니 시간이 오래 걸리기도 하고 비용도 많이 들었기 때문이에요.

▲ 전차 운행 모습

전차는 1889년 5월에 첫 개통을 하였는데, 처음에는 전차에 어린 아이가 치어 죽는 등의 사고가 일어나서 사람들이 무서워하기도 했어요. 하지만 전차를 이용하면 이동이 편리했기 때문에 이용하는 사람들이 늘어나면서 서울의 전차 노선이 확대되었고, 부산과 평양에도 전차가 개통되었어요.

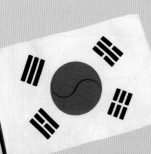

4

민족 운동의 전개와
대한민국의 발전

{ 중학교에서는

우리 민족이 일제의 식민 통치에 맞서 펼친
독립운동의 내용과 광복 이후 민주주의를 이루기
위해 한 노력에 대해 자세히 배우게 됩니다.

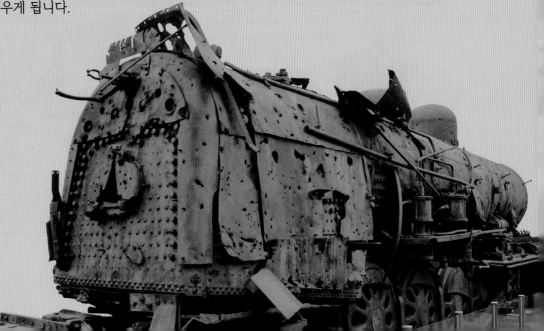

4 민족 운동의 전개와 대한민국의 발전

우리나라는 일제의 잔인한 식민 통치에 맞서 독립운동을 벌여 국권을 되찾았어요. 이후 국민들은 독재 정치의 시련을 겪었지만 민주화 운동을 벌여 민주주의를 이루었어요. 우리나라가 광복을 거쳐 민주화를 이루기까지 어떤 노력을 했는지 살펴봐요.

≫ 우리나라는 어떻게 광복을 맞이했을까?

1919년	1945년	1950년	1987년	2000년
3·1 운동	8·15 광복	6·25 전쟁	6·29 민주화 선언	남북 정상 회담

01 일제의 무단 통치와 토지 조사 사업

일제는 나라를 빼앗은 뒤 통치 기구로 ●조선 총독부를 설치하였고, 헌병 경찰을 앞세워 강압적으로 한국인을 통치하였습니다(무단 통치). 헌병 경찰은 정식 법 절차를 거치지 않고 한국인에게 벌금, ●태형 등의 처벌을 내릴 수 있는 권리를 가지고 있었으며, 일제는 관리와 교사까지 제복을 입고 칼을 차게 하여 한국인에게 위협을 가하였습니다.

▲ 조선 총독부

일제는 한국의 언론과 출판의 자유를 빼앗아 『황성신문』, 『대한매일신보』 등 **애국 신문을 없애고**, 민족의식을 일깨우는 역사서나 잡지의 출판을 금지하였습니다. 또한 일제는 한국인에게 일본어를 국어로 가르치고 고등 교육의 기회를 주지 않았습니다. 더불어 많은 독립운동가들을 체포하고, **애국 단체들을 해산시켰습니다.**

일제는 전국 토지의 소유권을 조사하는 **토지 조사 사업을 실시**했습니다(1910년 ~1918년). 토지 조사 사업은 토지의 주인이 직접 신고하고 소유권을 인정받는 방식으로 진행되었는데, 이 과정에서 황실과 관청이 소유한 토지, 주인을 내세우기 어려운 마을 공유지 등을 조선 총독부가 차지하였습니다. 토지 조사 사업의 결과 조선 총독부는 **토지에서 세금을 많이 걷게 되어** 수입이 크게 늘었고, 조선 총독부의 소유가 된 토지는 ●동양 척식 주식회사와 일본인에게 헐값에 넘겨졌습니다. 또한 일제는 지주의 소유권만 인정하고 그동안 농민이 누려왔던 ●경작권을 인정하지 않았고 이로 인해 토지가 없는 농민들의 삶은 더욱 어려워졌습니다.

한편, 일제는 한국에서 산업 활동을 통제하기 위해 **회사령을 실시**하였습니다(1910년). 회사령은 회사를 세울 때 조선 총독의 허가를 받게 하는 것으로, 허가 조건을 어길 때는 총독이 회사를 없앨 수 있게 하였습니다.

●**조선 총독부** 1910년~1945년까지 우리나라를 지배한 일본 제국주의 최고의 식민 통치 기구.

●**태형**(笞 볼기 칠 태, 刑 형벌 형) 작은 곤장으로 볼기를 치는 형벌.

●**동양 척식 주식회사** 1908년 일제가 설립한 토지 회사로, 일본인이 한국으로 이민할 수 있게 도왔음.

●**경작권**(耕 밭 갈 경, 作 지을 작, 權 권세 권) 주인이 있는 땅을 개간하여 경작지로 만들었을 때 그곳에서 농사지을 수 있는 소작인의 권리.

예문 조선 시대 농민들은 **경작권**을 가지고 있었어요.

이제는 회사 설립까지 허가를 받아야 한다니 분하다!

핵심 Point!

정답 및 풀이 **188쪽**

❶ 일제는 나라를 빼앗은 뒤 ⬜⬜⬜⬜⬜를 설치해 한국을 통치하였다.

❷ 일제는 무력을 앞세워 한국인을 강압적으로 통치하는 ⬜⬜⬜⬜를 실시하였다.

❸ 일제는 전국 토지의 소유권을 조사하는 ⬜⬜⬜⬜⬜⬜을 실시하였다.

→ 정답 및 풀이 188쪽

1 일제가 나라를 빼앗은 뒤 한국을 다스리기 위해 설치한 통치 기구의 이름은 무엇인지 쓰시오.

(   )

2 다음 보기에서 일제가 실시한 무단 통치의 내용으로 알맞은 것을 모두 골라 기호를 쓰시오.

┌─────────────── 보기 ───────────────┐
ㄱ 학교에서 일본어를 가르치지 않았다.
ㄴ 관리와 교사에게 제복을 입고 칼을 차게 하였다.
ㄷ 한국인의 언론의 자유를 보장해 많은 신문을 발간하게 했다.
ㄹ 헌병 경찰이 정식 법 절차를 거치지 않고 한국인을 처벌할 수 있었다.
└──────────────────────────────────┘

(   )

3 다음 ㉠과 관련된 설명으로 옳은 것은 어느 것입니까? (   )

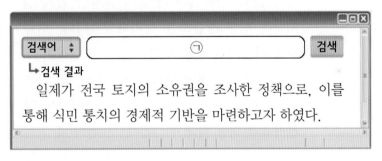

검색어 ⇕ [㉠   ] 검색
└▶검색 결과
　일제가 전국 토지의 소유권을 조사한 정책으로, 이를 통해 식민 통치의 경제적 기반을 마련하고자 하였다.

① 한국 내에 쌀 생산량이 크게 늘었다.
② 한국인들의 세금 부담이 크게 줄었다.
③ 사업의 결과 농민들의 경작권이 보장되었다.
④ 토지 소유자가 직접 신고하고 소유권을 인정받아야 했다.
⑤ 일본인이 불법적으로 소유한 토지를 원래 주인에게 돌려주었다.

4 다음에서 설명하는 것은 무엇인지 쓰시오.

┌──────────────────────────────────┐
　일제 강점기에 한국에 회사를 세울 때 조선 총독의 허가를 받게 하는 것으로, 허가 조건을 어길 때는 총독이 회사를 없앨 수 있게 하였다.
└──────────────────────────────────┘

(   )

02 1910년대 국내외 민족 운동

국권을 빼앗긴 이후 일제의 탄압으로 독립운동이 어려워졌습니다. 그러자 나라 안에서는 **항일 비밀 단체가 조직**되어 항일 운동이 전개되었고, 나라 밖으로 이동한 민족 지도자들은 **독립운동 기지를 건설**하여 독립 전쟁의 기초를 마련하였습니다.

1910년대 국내에서 활동한 항일 비밀 단체로는 **독립 의군부와 대한 광복회**가 있습니다. 의병장 출신 임병찬이 전국 곳곳의 의병장과 유생을 모아 조직한 독립 의군부는 나라를 되찾은 후 고종을 다시 왕으로 만들려는 목표를 세우고 전국적인 봉기를 준비하였으나 사전에 ●발각되어 실패하였습니다. 의병 세력과 애국 계몽 운동 세력이 함께 조직한 대한 광복회는 독립군을 길러 전쟁을 통해 일제를 몰아내는 것을 목표로 삼은 단체로, 군대식 조직을 갖추고 활발하게 활동하였으나 군자금을 마련하던 중 일제에게 발각되어 해체되었습니다.

신민회의 회원인 이회영 등은 남만주의 삼원보 지역에 ●경학사라는 항일 독립운동 단체를 만들고, 민족 교육과 군사 교육을 함께 실시하는 **신흥 강습소를 설치**하였습니다. 신흥 강습소는 이후 신흥 무관 학교로 발전하여 수많은 독립군을 길러냈습니다. 일찍부터 많은 한국인들이 살고 있던 북간도 지역에서는 **서전서숙과 명동 학교** 등 학교를 세워 민족 교육

▲ 1910년대 만주 · 연해주의 독립 운동 단체

을 실시하였고, 중광단이라는 무장 독립 단체가 조직되었습니다. 중광단은 3·1 운동 이후 북로 군정서로 발전해 독립군을 키웠습니다. ●연해주 지역에서는 독립 전쟁을 준비하기 위해 권업회가 조직되었고, 이후 효과적인 독립운동을 위해 이상설을 대통령, 이동휘를 ●부통령으로 하는 **대한 광복군 정부가 조직**되었습니다.

한편, 미주 지역에서는 한인 단체를 통합한 대한인 국민회가 결성되었고, 하와이에서는 박용만이 대조선 국민군단을 조직해 무장 투쟁을 준비하였습니다.

한국사 용어 퀵!

●**발각** 숨기던 것이 드러남.

예문 그는 3년 전 저지른 범죄가 **발각**되어 경찰서에 끌려 갔어요.

●**경학사** 1911년 신민회 인사들을 주축으로 만주 삼원보 지역에 조직된 독립운동 단체. 민족의 독립을 최고의 목표로 삼아 농업을 장려하고, 민족 교육을 실시함.

●**연해주** 러시아의 영토로 두만강 위쪽 동해에 인접해있는 지역. 대표적인 도시는 블라디보스토크임.

●**부통령** 대통령 중심제 국가에서 대통령에 다음가는 직위. 현재 우리나라에는 없음.

핵심 Point!   정답 및 풀이 **188쪽**

❶ 의병장 출신 임병찬은 국내에서 [   ] [   ] [   ] [   ] 를 조직해 활동하였다.

❷ 신민회의 회원인 이회영 등은 남만주의 삼원보 지역에 [   ] [   ] [   ] 라는 독립운동 단체를 만들고 독립군을 길러냈다.

❸ 연해주에서는 이상설을 대통령으로 하는 [   ] [   ] [   ] [   ] [   ] [   ] [   ] 가 조직되었다.

• 정답 및 풀이 188쪽

1 다음 밑줄 친 곳에 해당하는 지역을 두 군데 쓰시오.

> 국권을 빼앗긴 이후 독립운동이 어려워지자 많은 민족 지도자들은 나라 밖으로 이동해 독립운동 기지를 건설하여 독립 전쟁의 기초를 마련하고자 하였다.

(   )

2 다음에서 설명하는 단체로 알맞은 것은 어느 것입니까? (   )

> • 1910년대 국내에서 활동한 항일 비밀 단체
> • 의병장 출신 임병찬이 고종의 비밀 명령을 받아 조직
> • 고종을 다시 왕으로 만들려는 목표 설정

① 경학사   ② 독립 의군부
③ 신흥 강습소   ④ 대한 광복회
⑤ 대한 광복군 정부

3 다음 보기에서 나라 밖에서 활동한 독립운동 단체를 모두 골라 기호를 쓰시오.

> 보기
> ㉠ 권업회   ㉡ 경학사
> ㉢ 독립 의군부   ㉣ 대한 광복회

(   )

4 다음 (   ) 안에 들어갈 조직의 이름은 무엇인지 쓰시오.

> 연해주 지역에서는 효과적인 독립운동을 위해 이상설을 대통령, 이동휘를 부대통령으로 하는 (   )이(가) 조직되었다.

(   )

4
단원

03 3·1 운동의 전개와 의의

제1차 세계 대전이 끝나고 전쟁을 마무리 짓기 위해 열린 파리 강화 회의에서 미국 대통령 윌슨이 모든 민족은 민족 스스로 자신의 운명을 결정할 권리를 가진다는 **민족 자결주의를 제시**하였습니다. 민족 자결주의는 식민지 처지에 놓여 있는 민족들에게 독립에 대한 희망을 안겨 주었고, 우리 민족도 전 세계에 독립 의지를 알리고자 하였습니다.

중국 상하이에서 활동하던 ●신한 청년당은 파리 강화 회의에서 우리의 독립 의지를 알렸고, 만주에서는 독립운동가 39명이 대한 독립 선언을 발표하였습니다. 또 일본 도쿄에서는 한국인 유학생들이 **2·8 독립 선언을 발표**하였습니다. 나라 밖의 독립 선언 소식을 접한 국내 종교 지도자들과 학생들은 사람들이 많이 모이는 고종의 ●국장일을 기회로 전 세계에 독립 의지를 알리기로 결정하였습니다.

1919년 3월 1일, 민족 지도자들은 서울 종로의 태화관에서 독립 선언식을 가졌습니다. 탑골 공원에서는 학생과 시민들이 모여 독립 선언서를 발표하고, 거리에 나가 **'대한 독립 만세'를 외치며 만세 시위**를 벌였습니다(3·1 운동). 이후 만세 운동은 서울 및 전국의 대도시에서 중소 도시로, 중소 도시에서 농촌으로 퍼져 나갔습니다. 만세 운동에는 학생뿐 아니라 노동자, 상인, 농민 등 **모든 계층이 참여**하였습니다. 일제는 평화적으로 진행되던 만세 시위를 무력으로 진압하였습니다. ●유관순을 비롯하여 시위에 참여한 많은 사람들이 붙잡혀 고문 당하고 숨졌습니다.

3·1 운동은 전 세계에 한국인의 독립 의지를 알렸습니다. 또한 3·1 운동을 계기로 일제의 식민 통치 방식이 바뀌었고 **대한민국 임시 정부가 수립**되었습니다.

● 만세 시위 발생지
● 1만 명 이상 시위 발생지
0 ──── 100 km

탑골 공원 독립 선언서 낭독(서울)
제암리 사건(화성)
유관순의 만세 시위 (천안)

▲ 3·1 운동이 일어난 지역

핵심 Point!

정답 및 풀이 **188쪽**

❶ 윌슨의 [　][　][　][　][　]는 우리 민족에게 독립의 희망을 안겨 주었다.

❷ 일본 도쿄에서는 한국인 유학생들이 [　]·[　][　][　][　]을 발표하였다.

❸ 3·1 운동을 계기로 [　][　][　][　][　][　][　]가 수립되었다.

정답 및 풀이 188쪽

1 **다음에서 설명하는 것은 무엇인지 쓰시오.**

> 미국 대통령 윌슨이 1919년 1월 파리 강화 회의에서 제시한 것으로, 모든 민족은 스스로 자신의 운명을 결정할 권리가 있다는 주장이다.

( )

2 **다음 ( ) 안에 들어갈 알맞은 선언을 쓰시오.**

> 1919년 2월 8일 일본에 유학 중이던 한국인 남녀 학생들이 한국의 독립을 요구하는 ( )을(를) 발표하였다.

( )

4 단원

3 **다음에서 설명하는 사건은 무엇인지 쓰시오.**

> 1919년 민족 지도자들이 서울 종로의 태화관에서 독립 선언식을 가졌고, 탑골 공원에서는 학생과 시민들이 모여 만세 시위를 벌였습니다.

( )

중학교 시험 맛보기

4 **다음 ㉠에 들어갈 내용으로 옳지 않은 것은 어느 것입니까?** ( )

> 〈 역사 탐구 보고서 〉
>
> 탐구 주제 : 3 · 1 운동의 영향
>
> 탐구 방법 : 교과서 및 인터넷 자료 검색
>
> 탐구 결과 : ㉠

① 대한민국 임시 정부가 수립되었다.
② 민족 자결주의가 처음 제시되었다.
③ 전 세계에 한국인의 독립 의지를 알렸다.
④ 일제의 통치 방식이 변화하는 계기가 되었다.
⑤ 민족 운동의 주체가 학생, 농민, 노동자 등으로 확대되었다.

04 대한민국 임시 정부의 수립

　3·1 운동을 전후로 연해주에서는 대한 국민 의회가, 중국 상하이에서는 대한민국 임시 정부가, 국내에서는 한성 정부가 조직되었습니다. 세 정부는 3·1 운동의 정신을 계승한 하나의 정부를 만들기 위해 통합 운동을 펼쳤고, 그 결과 여러 임시 정부를 통합한 **대한민국 임시 정부가 중국 상하이에 수립**되었습니다(1919년). 상하이는 비교적 일제의 간섭으로부터 자유로웠고, 각국 공사관이 가까이 있어 외교를 통한 독립운동을 벌이기에 좋은 곳이었습니다.

▲ 대한민국 임시 정부의 수립

　대한민국 임시 정부는 우리 역사 최초로 °민주 공화정 체제를 갖추었습니다. 그리고 이승만을 임시 대통령으로, 이동휘를 국무총리로 선출하였습니다. 대한민국 임시 정부는 국내와 긴밀하게 연락하기 위해 **비밀 행정 조직인** °연통제와 통신 기관인 °교통국을 조직하였습니다. 또한 독립운동 자금을 마련하기 위해 °독립 공채를 발행하였고, °『독립신문』을 발행하여 국내외 동포들에게 독립운동의 소식을 알려 독립 의식을 높여 주었습니다.

　초기 임시 정부의 활동은 우리 민족의 독립 의지를 국제 사회에 널리 알리기 위해 **외교 활동에 중점**을 두었습니다. 파리 강화 회의 등 국제 회의에 대표를 보내 한국 독립의 정당성을 주장하는 한편, 미국에는 외교 기관으로 구미 위원부를 두고 외교 활동을 전개하였습니다. 그러나 임시 정부의 활동은 **교통국과 연통제가 일제에 의해 발각**되고 자금을 모으는 데 어려움을 겪으면서 위축되었습니다. 또 외교 활동에 대해 무장 투쟁을 주장하는 사람들의 비판도 거세었습니다. 이러한 상황에서 임시 정부는 국민 대표 회의를 열어 독립운동의 새로운 방향을 찾고자 하였으나 의견을 하나로 모으지 못하였고, 이후 임시 정부는 한동안 어려움을 겪었습니다. 그러나 김구를 중심으로 조직을 가다듬고, 독립운동을 계속 전개해 나갔습니다.

한국사 용어 퀵!

● **민주 공화정** 국가의 주권이 전체 국민에게 있는 정치 형태.

● **연통제(聯** 연이을 **연, 通** 통할 **통, 制** 지을 **제)** 대한민국 임시 정부의 재정을 확보하고, 제정한 법령과 공문을 국내에 알리는 역할을 함.

● **교통국** 나라 안팎의 정보를 수집·분석하고, 연락하는 역할을 함.

● **독립 공채** 독립운동 자금을 마련하기 위하여 미국과 중국에서 발행한 빚.

● **『독립신문』** 대한민국 임시 정부의 활동 및 독립운동에 대한 국제적인 움직임을 보도하고, 새로운 사상을 소개하기 위해 발행한 신문.

핵심 Point!

정답 및 풀이 **188쪽**

❶ 3·1 운동 이후 여러 임시 정부를 통합하여 ☐☐☐☐☐☐☐☐☐를 세웠다.

❷ 대한민국 임시 정부는 우리 역사 최초로 ☐☐☐☐☐ 체제를 갖추었다.

❸ 대한민국 임시 정부는 비밀 행정 조직인 ☐☐☐와 통신 기관인 교통국을 조직하였다.

1 다음 ㉠ ~ ㉢에 해당하는 임시 정부의 이름을 각각 쓰시오.

> 3·1 운동을 전후로 연해주에서는 (㉠)이(가), 중국 상하이에서는 (㉡)이(가), 국내에서는 (㉢)이(가) 조직되었다.

㉠ (   )

㉡ (   )

㉢ (   )

2 대한민국 임시 정부의 임시 대통령으로 선출된 사람은 누구입니까? (   )

① 김구   ② 김규식   ③ 안창호

④ 이동휘   ⑤ 이승만

3 대한민국 임시 정부가 한 활동에 대한 설명을 바르게 선으로 연결하시오.

(1) 연통제 •   • ㉠ 통신 기관

(2) 교통국 •   • ㉡ 비밀 행정 조직

(3) 독립 공채 •   • ㉢ 독립운동 자금 마련

4 밑줄 친 내용에 해당하는 대한민국 임시 정부의 활동을 두 가지 고르시오.

(   )

> 초기 임시 정부의 활동은 우리 민족의 독립 의지를 국제 사회에 널리 알리기 위해 외교 활동에 중점을 두었다.

① 신식 군대 조직

② 독립 공채 발행

③ 연통제와 교통국 해체

④ 미국에 구미 위원부 설치

⑤ 파리 강화 회의에 대표 파견

05 일제의 문화 통치와 산미 증식 계획

3·1 운동 이후 일제는 무력만으로는 한국인을 지배할 수 없다는 것을 깨닫고, 한민족의 풍습과 문화를 존중한다는 '문화 통치'를 새로운 식민 통치 방법으로 내세웠습니다. 그리하여 일제는 헌병 경찰제를 보통 경찰제로 바꾸고, 태형령도 폐지하였습니다. 또한 『조선일보』와 『동아일보』 등 신문의 발행을 허락하고, *보통 학교와 고등 보통 학교의 수를 늘려 한국인의 교육 기회를 일부 확대하기도 하였습니다.

그러나 일제가 내세운 '문화 통치'는 한국인의 불만을 잠재우고, **한민족을 *분열시키는 데 목적**이 있었습니다. 실제로는 경찰 관서와 경찰 인원 수를 3배 이상 늘리고 *치안 유지법을 만들어 **한국인에 대한 감시와 탄압을 강화**하였습니다. 한국어로 된 신문과 잡지가 발행되었지만 일제는 기사를 미리 살펴보고 총독부 정책에 비판적인 기사들

▲ 경찰 관서와 경찰 인원 수

을 삭제하거나, 신문의 발행을 중단시켰습니다. 또 학교의 수는 늘었지만 높은 학비로 인해 한국인의 보통 학교 입학률은 일본인 입학률에 6분의 1밖에 되지 않았습니다.

이 무렵 일본에서는 급속한 공업화로 도시 인구가 늘고 농민이 줄어 쌀이 부족해지는 문제가 생겼습니다. 이에 일제는 **한국의 쌀 생산량을 늘리는 산미 증식 계획을 실시**하여 일본의 식량 문제를 해결하고자 하였습니다. 산미 증식 계획의 결과 한국의 쌀 생산량은 늘었지만 일제는 늘어난 양보다 더 많은 양을 일본으로 가져갔고, 산미 증식 계획에 따른 비용을 한국 농민들이 *부담하게 하였습니다. 결국 한국 내에 쌀이 부족해져 한국인의 식량 사정은 나빠졌고, 농민들의 삶은 더욱 어려워졌습니다. 몰락한 농민들은 만주, 연해주 등 나라 밖으로 떠나기도 하였습니다.

한편, 조선 총독부는 **허가제인 회사령을 신고제로 바꾸어** 일본인이 한국에서 자유롭게 기업 활동을 할 수 있도록 하였습니다. 이로 인해 일본 기업의 한국 진출이 크게 늘어 한국 기업은 큰 피해를 입게 되었습니다.

한국사 용어 퀵!

● **보통 학교** 1906년 이전까지 소학교라고 불렸던 초등 교육 기관이 명칭을 보통 학교로 바꾼 것.
● **분열**(分 나눌 분, 裂 찢을 열) 찢어져 갈라짐.
● **치안 유지법** 일본에서 사회주의 운동이 확산되자 이를 탄압하기 위해 만들어진 법. 그러나 일제는 이를 모든 독립운동을 탄압하는 수단으로 이용함.
● **부담** 어떠한 의무나 책임을 짐.
예문 친구가 역사 공부를 도와준다고 하여 시험에 대한 **부담**이 줄었어요.

핵심 Point!

정답 및 풀이 **189쪽**

❶ 일제는 3·1 운동 이후 통치 방식을 [　][　][　][　]로 바꾸었다.

❷ 일제는 헌병 경찰제를 [　][　][　][　][　]로 바꾸었으나 실제로는 경찰 수를 늘렸다.

❸ 일제가 실시한 [　][　][　][　][　]으로 한국의 쌀 생산량은 늘었으나, 그보다 많은 양을 일본으로 가져가 한국인의 식량 사정은 나빠졌다.

1 다음에서 설명하는 식민 통치 방법을 무엇이라고 하는지 쓰시오.

> 3·1 운동 이후 일제는 무력만으로 한국인을 지배할 수 없다는 것을 깨닫고, 한민
> 족의 풍습과 문화를 존중한다는 새로운 식민 통치 방식을 내세웠다.

(   )

2 다음 ㉠과 ㉡에 들어갈 알맞은 말을 각각 쓰시오.

> 일제는 헌병 경찰제를 (㉠)(으)로 바꾸고, 태형령을 폐지하였다. 그러나 실제
> 로는 경찰 관서와 경찰 인원 수를 3배 이상 늘리고, (㉡)을(를) 만들어 한국인에
> 대한 감시와 탄압을 강화하였다.

㉠ (   ), ㉡ (   )

4
단원

3 일본에서 공업화로 인한 쌀 부족 문제가 생기자 일제가 한국을 일본의 식량 공급지로
만들기 위해 실시한 정책은 무엇인지 쓰시오.

(   )

4 다음 보기 에서 위 **3**번의 정책이 미친 영향으로 옳은 것을 모두 골라 기호를 쓰시오.

보기

> ㉠ 한국인의 토지 소유가 증가하였다.
> ㉡ 쌀 생산량이 늘어나 한국인의 식량 사정이 나아졌다.
> ㉢ 일제가 늘어난 양보다 더 많은 양의 쌀을 일본으로 가져갔다.
> ㉣ 쌀 생산량을 늘리는 데 필요한 비용을 내야 해서 농민들의 삶이 어려워졌다.

(   )

06 봉오동 전투와 청산리 전투

3·1 운동을 전후하여 나라를 되찾기 위한 무장 독립 투쟁이 활발하게 펼쳐졌습니다. 특히 만주와 연해주를 중심으로 조직된 독립군이 이 시기에 압록강과 두만강을 건너 나라 안으로 들어와 일본군과 경찰서를 공격하였습니다.

독립군의 공격에 시달리던 일본군은 두만강을 건너 독립군을 공격하였습니다. 이에 **홍범도의 대한 독립군**이 중심이 된 연합군 부대는 **일본군을 봉오동으로 유인하여 큰 승리**를 거두었습니다(봉오동 전투, 1920년). 봉오동 전투에서 패배한 일본군은 대규모 군대를 보내 만주의 독립군을 공격하였습니다. 이에 **김좌진**이 이끄는 북로 군정서군과 봉오동 전투에 참가하였던 홍범도를 비롯한 연합군 부대는 **청산리 지역에서 10여 차례의 전투** 끝에 일본군을 크게 물리쳤습니다(청산리 전투, 1920년).

▲ 1920년대 무장 독립군 부대와 주요 전투 지역

잇따라 전투에서 패배한 일본군은 독립군의 근거지를 없앤다는 이유를 들어 **간도 지역의 한인 마을을 공격**하였습니다. 일본군은 아무 죄 없는 한국인을 학살하고 집과 학교, 교회 등을 불태우는 끔찍한 일을 저질렀습니다(간도 **참변**, 1920년). 한편 독립군의 주력 부대는 일본군을 피해 러시아의 자유시로 이동하였으나 러시아의 군대가 독립군 지휘권을 넘기라고 요구하자 이에 저항하다 **수백 명의 독립군이 희생되는 자유시 참변**이 일어났습니다(1921년).

자유시 참변 이후 다시 만주로 돌아온 독립군은 조직을 정비하여 남만주에 참의부와 정의부, 북만주에 신민부 등 세 개의 독립군 정부를 만들었습니다. 3부는 만주에 살고 있는 한국인들의 생명과 재산을 지키면서 무장 투쟁을 이어간 **군정부의 성격**을 지녔습니다. 그 뒤 3부는 통합 운동을 벌여 1920년대 말 남만주의 국민부와 북만주의 혁신 의회의 두 세력으로 통합되어 조직적인 독립 전쟁을 전개하였습니다.

한국사 용어 퀵!

● **홍범도** 의병 출신으로 일제 강점기 대한 독립군의 총사령관으로 봉오동 전투를 승리로 이끎.

● **김좌진** 3·1 운동 때 만주에서 독립군을 조직하고 총사령관이 되어 청산리 전투를 승리로 이끎.

▲ 홍범도(좌)와 김좌진(우)

● **참변** 뜻밖에 당하는 끔찍하고 비참한 재앙이나 사고.

● **군정부** 군대가 어떤 나라나 지방을 점령하였을 때, 그곳을 다스리기 위해 사령관이 군법으로 세운 행정부.

핵심 Point!

정답 및 풀이 **189쪽**

❶ 홍범도의 대한 독립군 등 연합군 부대는 [　][　][　]에서 일본군을 크게 무찔렀다.

❷ 김좌진의 북로 군정서군과 홍범도의 연합군 부대는 [　][　][　]에서 일본군을 물리쳤다.

❸ 일제는 간도 지역의 한인 마을을 공격해 한국인을 학살하는 [　][　][　]을 일으켰다.

1 다음 (   ) 안에 들어갈 알맞은 인물은 누구인지 쓰시오.

> 일본군이 두만강을 건너 독립군을 공격하자 (   )의 대한 독립군이 중심이 된 연합군 부대는 일본군을 봉오동에서 크게 물리쳤다.

(   )

2 다음에서 설명하는 사건은 무엇인지 쓰시오.

> 잇따라 전투에서 패배한 일본군은 독립군의 근거지를 없앤다는 이유를 들어 간도 지역의 한인 마을을 공격하였다. 일본군은 한국인을 학살하고 집과 학교, 교회 등을 불태우는 끔찍한 일을 저질렀다.

(   )

중학교 시험 맛보기

3 다음 ㉠ ~ ㉢을 일어난 순서대로 바르게 나열한 것은 어느 것입니까? (   )

> 　　　　　　　　　　　㉠ 간도 참변
> 봉오동 전투　⇨　㉡ 청산리 전투　⇨　3부 형성
> 　　　　　　　　　　　㉢ 자유시 참변

① ㉠ - ㉡ - ㉢　　　　　　② ㉠ - ㉢ - ㉡
③ ㉡ - ㉢ - ㉠　　　　　　④ ㉡ - ㉠ - ㉢
⑤ ㉢ - ㉠ - ㉡

4 다음 ㉠과 ㉡에 들어갈 알맞은 단체의 이름을 쓰시오.

> 자유시 참변 이후 만주로 돌아온 독립군은 조직을 정비하여 남만주에 (㉠)와 정의부, 북만주에 (㉡) 등 세 개의 독립군 정부를 만들었다.

㉠ (   ), ㉡ (   )

07 실력 양성 운동과 다양한 사회 운동

1920년대 나라 안의 ●민족주의자들은 독립을 위해서 민족의 실력을 키우는 것이 중요하다고 생각하였습니다. 특히 경제와 교육, 문화 쪽의 힘을 키워 독립을 준비하고자 하였는데, 이를 **실력 양성 운동**이라고 합니다. 1920년대 초 평양에서 시작된 **물산 장려 운동**은 한국인의 산업을 보호하고 민족 자본을 기르기 위해 '내 살림 내 것으로'

▲ 물산 장려 운동 광고

라는 구호를 내걸고 국산품 애용, 소비 절약 등을 강조하였습니다. 일제의 차별 교육에 대항하여 우리 민족의 힘으로 대학을 설립하려는 **민립 대학 설립 운동**이 일어나기도 했으나 일제의 간섭으로 성공하지는 못하였습니다.

1920년대 말부터는 조선일보와 동아일보를 중심으로 ●**문자 보급 운동**, ●**브나로드 운동** 등이 전개되기도 하였습니다. 한편, 민족주의자들 중 일부는 일제로부터의 독립은 불가능하니 일제의 통치를 인정하고 그 대신 ●자치를 얻자는 **자치 운동을 전개**하였습니다. 이들은 이후 대부분 친일파가 되어 일제의 통치에 협조하였습니다.

▲ 브나로드 운동 광고

3·1 운동을 전후로 일부 청년층과 지식인들은 ●사회주의를 받아들여 독립운동을 펼쳐나갔습니다. 사회주의자들은 계급 해방을 목표로 농민·노동자 단체를 조직하고 지원하는 데 앞장섰습니다. 이에 일제의 토지 조사 사업과 산미 증식 계획, 지주의 횡포로 고통받던 농민들은 소작료를 낮추고 소작 조건을 고칠 것을 요구하며 **소작** ●**쟁의**를 일으켰습니다. 노동자는 낮은 임금과 민족 차별 등에 맞서 **노동 쟁의**를 일으켰습니다. 농민과 노동자의 쟁의는 생존권 투쟁인 동시에 일제에 저항하는 독립운동의 성격을 지녔습니다.

이외에도 사회적 차별을 없애자는 다양한 운동이 전개되었습니다. 여성에 대한 차별을 없애자는 여성 운동, 평등한 대우를 요구하며 ●백정 출신들이 벌인 ●형평 운동, 방정환이 어린이날을 만들며 주도한 소년 운동 등이 그 예입니다.

한국사 용어 퀵

● **민족주의** 민족의 독립과 통일을 최고 목표로 삼는 주의.

● **문자 보급 운동** 조선일보를 중심으로 농촌에 한글 교재를 보급함.

● **브나로드 운동** 일제 강점기에 동아일보사가 주축이 되어 일으킨 농촌 계몽 운동.

● **자치** 식민지 국가가 일정한 한도 내에서 독자적으로 업무를 수행하는 일.

● **사회주의** 자본주의(개인 재산 소유)에 반대하여 생산 수단을 공동으로 갖는 사회 제도나 그런 사상.

● **쟁의**(爭 다툴 쟁, 議 의논할 의) 서로 자기의 의견을 주장하여 다툼.

● **백정** 소나 돼지 등을 잡는 일을 직업으로 삼는 사람.

● **형평 운동** '형'이란 '저울'을 의미함. 형평 운동은 백정이 사용하던 '저울'처럼 평등한 사회를 만들고자하는 운동.

핵심 Point!

정답 및 풀이 **189쪽**

❶ 민족주의자들은 민족의 실력을 키워 독립을 이루자는 ☐☐☐☐☐☐을 벌였다.

❷ 한국인의 산업을 보호하고 민족 자본을 기르기 위해 ☐☐☐☐☐이 일어났다.

❸ 농민들은 소작료 인하와 소작 조건 개선 등을 요구하며 ☐☐☐를 일으켰다.

1 다음에서 광고하고 있는 실력 양성 운동은 무엇인지 쓰시오.

(   )

중학교 시험 맛보기

2 다음에서 설명하는 사회 운동의 이름은 무엇인지 쓰시오.

> 민족주의자들 중 일부가 일제로부터의 독립은 불가능하니 일제의 통치를 인정하고 그 대신 자치를 얻자고 주장하며 전개한 운동이다. 이들은 일제 아래에서 정치적 실력을 키우자고 주장하였으나 이후 대부분 친일파가 되었다.

(   )

4
단원

3 다음 보기 에서 실력 양성 운동으로 알맞은 것을 모두 고른 것은 어느 것입니까?

(   )

―――――――― 보기 ――――――――
ㄱ 소작 쟁의 운동   ㄴ 노동 쟁의 운동
ㄷ 물산 장려 운동   ㄹ 민립 대학 설립 운동

① ㄱ, ㄴ   ② ㄱ, ㄷ   ③ ㄴ, ㄷ
④ ㄴ, ㄹ   ⑤ ㄷ, ㄹ

4 형평 운동에 대한 설명으로 옳은 것은 어느 것입니까? (   )

① 백정이 중심이 된 차별 철폐 운동이다.
② 천도교가 중심이 되었던 소년 운동이다.
③ 여성에 대한 차별을 철폐하자는 운동이다.
④ 우리 힘으로 대학을 설립하려는 운동이다.
⑤ 민족 산업 발전을 통한 민족 경제 자립 운동이다.

08 민족 유일당 운동과 신간회

1920년대 민족 운동은 크게 민족주의 세력과 사회주의 세력으로 나뉘어 전개되었습니다. 이들은 이념과 사상은 달랐지만 독립에 대한 열망은 같았기 때문에 하나로 힘을 합쳐 민족 운동을 추진하려고 *민족 유일당 운동을 전개했습니다.

1926년 순종이 세상을 떠나자 사회주의 세력이 일부 민족주의 세력 및 학생층과 힘을 합쳐 제2의 3·1 운동을 기획하였으나 사전에 발각되어 실패하였습니다. 그러나 발각되지 않은 학생층이 **순종의 국장일에 서울 시내 곳곳에서 만세 운동을 전개**하였습니다 (6·10 만세 운동). 6·10 만세 운동은 준비 과정에서부

▲ 6·10 만세 운동

터 일제의 탄압을 받아 널리 확산되지는 못하였으나 민족주의 세력과 사회주의 세력이 서로 *연대함으로써 민족 유일당을 결성할 수 있는 계기가 마련되었습니다. 이후 두 세력은 1927년 최대 규모의 **항일 민족 운동 단체인 신간회를 결성**하였습니다. 신간회는 전국적으로 *지부를 만들어 각지에서 민족의식과 항일 의식을 심어 주는 강연회를 열었습니다. 또 농민·노동 운동 등 다양한 사회 운동도 지원하였습니다. 여성 운동에서도 민족주의 세력과 사회주의 세력이 힘을 합쳐 *근우회라는 단체를 조직하였습니다. 근우회는 여성의 단결과 지위를 높이기 위해 노력하였습니다.

한국사 용어 퀵!

● **민족 유일당 운동** 이념과 사상의 차이를 넘어 민족의 힘을 하나로 모으려는 운동. 중국에서 한국 독립 유일당 촉성회가 조직된 것을 시작으로 국내에서 신간회, 만주에서 3부 통합 운동이 전개됨.
● **연대** 여럿이 함께 무슨 일을 하거나 함께 책임을 짐.
● **지부**(支 지탱할 지, 部 떼 부) 본부에서 일정한 지역에 설치하여 그 지역의 일을 맡아하는 곳.
● **근우회** 일제 강점기에 여성 향상과 항일 운동을 위해 만든 단체.
● **희롱** 말이나 행동으로 실없이 놀림.

▲ 광주 학생 항일 운동 기념탑

한편, 1929년 10월 광주의 통학 기차 안에서 일본 남학생이 한국 여학생을 *희롱하여 한일 학생 사이에 편싸움이 일어났습니다. 이에 대해 경찰이 일본 학생만을 감싸자 민족 차별에 분노한 광주 지역 학생들이 **광주 학생 항일 운동**을 벌였습니다. 이 운동은 3·1 운동 이후 일어난 가장 규모가 큰 항일 운동이었습니다. 시위가 확산되는 과정에서 신간회가 광주 학생 항일 운동을 지원하면서 대규모 집회를 개최하고자 준비하였으나 일제의 방해로 중단되었습니다. 이후 신간회는 일제의 탄압과 활동 방향을 둘러싼 내부의 갈등으로 1930년대 초에 해체되었습니다.

핵심 Point!

정답 및 풀이 **189쪽**

❶ 민족주의 세력과 사회주의 세력이 결합하여 1927년 ⬜⬜⬜ 가 결성되었다.

❷ 신간회가 조직될 즈음에 여성 운동쪽에서는 ⬜⬜⬜ 가 조직되었다.

❸ 민족 차별에 분노한 광주 지역 학생들이 ⬜⬜⬜⬜⬜⬜⬜⬜ 을 일으켰다.

1 다음 ( ) 안에 들어갈 알맞은 민족 운동은 무엇인지 쓰시오.

> 1920년대 일부 민족주의 세력과 사회주의 세력은 하나로 힘을 합쳐 민족 운동을 추진하려고 ( )을(를) 전개하였다.

( )

2 다음에서 설명하고 있는 민족 운동은 무엇입니까? ( )

> • 순종의 국장일에 벌인 독립 만세 운동이다.
> • 준비 과정에서 민족주의 세력과 사회주의 세력이 연대하기 위해 노력하였다.
> • 준비 과정에서부터 일제의 탄압을 받았기 때문에 전국으로 확산되지는 못하였다.

① 소작 쟁의   ② 형평 운동   ③ 3·1 운동
④ 6·10 만세 운동   ⑤ 광주 학생 항일 운동

3 다음에서 설명하는 단체의 이름은 무엇인지 쓰시오.

> 1927년 민족주의 세력과 사회주의 세력이 함께 조직한 최대의 항일 운동 단체이다.

( )

4 다음 ㉠에 들어갈 알맞은 검색어는 무엇인지 쓰시오.

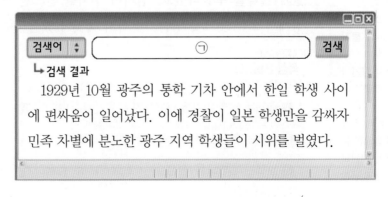

검색어 ⟨ ㉠ ⟩ 검색

↳ 검색 결과
   1929년 10월 광주의 통학 기차 안에서 한일 학생 사이에 편싸움이 일어났다. 이에 경찰이 일본 학생만을 감싸자 민족 차별에 분노한 광주 지역 학생들이 시위를 벌였다.

( )

09 일제의 민족 말살 통치와 전쟁 동원

　　1929년 미국에서 발생한 ●대공황은 전 세계로 퍼져나가 일본 또한 심각한 경제적 어려움을 겪게 되었습니다. 일제는 이를 극복하기 위해 만주 사변(1931년)을 일으켜 대륙 침략의 발판을 마련하고, 이어 중일 전쟁(1937년), 태평양 전쟁(1941년)을 일으키면서 **침략 전쟁을 확대**해 나갔습니다.

▲ 내선일체 포스터

　　일제는 한국인을 일본 국왕에게 충성하는 백성으로 만들기 위해 ●황국 신민화 정책을 실시하였습니다. 이는 한국인의 민족의식을 없애 불만을 잠재우고 **전쟁에 쉽게 동원**하기 위한 것으로, 이러한 지배 방식을 **민족 말살 통치**라고 합니다. 일제는 일본인과 조선인은 하나라는 ●내선일체를 내세우며 한국인에게 ●신사 참배를 강요하였으며, 일본 국왕에게 충성을 다짐하는 내용의 황국 신민의 서사를 억지로 외우게 하였습니다. 또한 일본 국왕이 사는 도쿄의 궁성을 향해 절을 하는 궁성 요배와 우리 고유의 성과 이름을 일본식으로 바꾸도록 하는 창씨개명을 강요하였습니다. 일제는 중일 전쟁 이후 민족 말살 통치를 본격화하여 우리말 사용을 금지하였고, 학교 수업에서 조선어 과목을 사실상 없앴으며, 수업도 일본어로만 했습니다.

　　한편, 일제는 한반도를 대륙 침략 전쟁에 필요한 물자를 ●조달하는 기지로 활용하기 위해 ●병참 기지화 정책을 실시하였습니다(1931년). 중일 전쟁 뒤에는 전쟁에 필요한 인력과 물자를 마음대로 동원할 수 있게 하는 국가 총동원법을 만들어 노동력과 물자를 본격적으로 빼앗아 갔습니다(1938년).

　　일제는 한국의 청년들을 전쟁터로 내몰았고, 군수 공장에 끌고 가거나 광산이나 철도 건설에 동원하여 **가혹한 노동을 강요**하였습니다. 많은 여성들은 일본군 '위안부'로 끌려 가 성 노예 생활을 강요당하였습니다. 또한 일제는 군대의 식량을 마련하기 위해 **쌀과 잡곡을 수탈**하였고, 심지어 무기를 만드는 데 사용하려고 절이나 교회의 종, 가정에서 쓰는 놋그릇과 숟가락까지 빼앗아 갔습니다.

한국사 용어 쾩!

● **대공황** 1929년에 미국에서 시작된 사상 최대의 경제 위기.

● **황국 신민화** '일본 국왕의 신하된 백성이 되자.'라는 의미.

● **내선일체** 일본과 조선은 한 몸이라는 뜻으로, 일제 강점기 때 일본이 한국인의 정신을 말살하고 한국을 착취하기 위하여 만들어 낸 구호.

● **신사 참배** 일본 왕실의 조상이나 국가에 공로가 큰 사람을 신으로 모신 사당에 절을 하는 일.

● **조달**(調 고를 조, 達 통달할 달) 자금이나 물자 따위를 대어 줌.
예문 태풍으로 비행기가 결항되어 물품 **조달**이 어려워졌어요.

● **병참 기지화 정책** 일제가 군사 작전에 필요한 물자를 관리, 보급, 지원하는 기지로 한국을 이용한 정책.

핵심 Point!

정답 및 풀이 **189**쪽

❶ 일제는 경제 위기를 극복하기 위해 만주 사변, 태평양 전쟁 등 ☐☐☐☐☐을 일으켰다.

❷ 일제는 한국인의 민족의식을 없애기 위해 ☐☐☐☐☐☐를 실시하였다.

❸ 일제는 한반도를 전쟁 물자 조달 기지로 활용하기 위해 ☐☐☐☐☐☐☐☐을 실시하였다.

1 다음에서 설명하는 일제의 지배 방식을 무엇이라고 하는지 쓰시오.

> 일제는 만주 사변, 중일 전쟁, 태평양 전쟁 등 침략 전쟁이 계속 확대되자, 한국인의 민족의식을 없애고 전쟁에 쉽게 동원하기 위한 정책을 실시하였다.

(   )

2 오른쪽 광고 포스터와 관련된 일제의 정책과 가장 거리가 <u>먼</u> 것은 어느 것입니까? (   )

① 신사참배를 강요하였다.
② 황국 신민의 서사를 외우게 하였다.
③ 성과 이름을 일본식으로 바꾸게 하였다.
④ 한국어 사용을 금지하고, 일본어를 강요하였다.
⑤ 군대의 식량을 마련하기 위해 쌀과 잡곡을 수탈했다.

4
단원

3 우리나라에 다음과 같은 결과를 가져왔던 일제의 정책은 무엇인지 쓰시오.

> 일제가 한반도를 대륙 침략의 전쟁 물자 조달 기지로 활용하는 정책으로, 정책을 시행한 결과 우리나라의 경제는 군수 산업 위주로 바뀌었고 군수 공장은 주로 북부 지방에 치우쳐 산업 불균형이 심해졌다.

(   )

4 다음 (   ) 안에 들어갈 알맞은 말을 쓰시오.

> 일제는 침략 전쟁 중 많은 한국 여성들을 일본군 (   )(으)로 끌고 가 성 노예 생활을 강요하였다.

(   )

10 의열단과 한인 애국단

의열 투쟁이란 독립을 위해 개인이나 적은 수의 사람이 일제를 상대로 벌인 무력 투쟁을 말합니다. 일본과 강대국들이 3·1 독립 선언을 받아들이지 않자, 일부 독립운동가들은 무력을 사용해 독립을 이루고자 하였습니다.

의열단은 1919년 만주에서 ●김원봉을 중심으로 조직되어 **일제의 주요 기관을 폭파**하고 고위 관리와 친일파를 처단하고자 하였습니다. 의열단은 1920년 부산 경찰서를 시작으로 조선 총독부, 종로 경찰서, 도쿄의 일본 왕궁, 동양 척식 주식회사 등에 폭탄을 던지는 등 활발한 투쟁을 펼쳐나갔습니다.

1920년대 중반 이후 대한민국 임시 정부는 일제의 탄압으로 나라 안팎의 지원이 끊기면서 활동이 침체되었습니다. 이러한 상황에서 **김구는 한인 애국단을 조직해** 의열 투쟁을 전개하였습니다. 한인 애국단의 ●이봉창은 도쿄에서 일왕이 타고 가는 마차를 향해 폭탄을 던졌으나 일왕을 제거하지는 못하였습니다. 그러나 이후 수많은 애국 청년들이 한인 애국단을 찾아와 독립운동에 몸담게 하는 계기가 되었습니다. 한인 애국단의 윤봉길은 상하이 훙커우 공원에서 열린 일왕의 생일과 상하이 ●점령을 기념하는 식장에 폭탄을 던져 일본군 장교와 고위 관리들을 처단하였습니다. 일제는 이 사건에 큰 충격을 받았고, 일제의 침략에 분노하던 중국인들에게 큰 감명을 주었습니다. 윤봉길의 활약은 후에 대한민국 임시 정부가 **중국 국민당의 지원을 받는 계기**가 되었습니다.

한국사 용어 퀵!

● **김원봉** 일제에 맞서 무장 독립 투쟁을 이끈 인물로 암살이나 파괴 등의 방법으로 의열단을 이끌었고, 이후 조선 의용대를 이끌고 일제와 투쟁함.

● **이봉창** 이봉창은 원래 황국 신민이 되기 위해 일본으로 건너가 이름도 기노시타 쇼조로 바꾸고 생활했으나, 일본인에 의한 차별을 경험한 후 조국의 독립을 위해 몸을 바침.

● **점령**(占 차지할 점, 領 거느릴 령) 어떤 장소를 차지하여 자리를 잡음.

예문 영국이 거문도를 **점령**한 것은 한반도에서의 러시아 세력을 견제하기 위한 것이었어요.

● **중국 국민당** 1919년 10월 성립된 근대 중국의 정당.

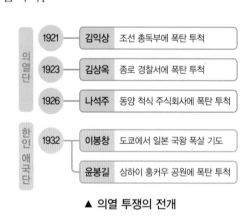

의열단			
	1921	김익상	조선 총독부에 폭탄 투척
	1923	김상옥	종로 경찰서에 폭탄 투척
	1926	나석주	동양 척식 주식회사에 폭탄 투척
한인 애국단	1932	이봉창	도쿄에서 일본 국왕 폭살 기도
		윤봉길	상하이 훙커우 공원에 폭탄 투척

▲ 의열 투쟁의 전개

▲ 이봉창

▲ 김구와 윤봉길

핵심 Point!

정답 및 풀이 **190쪽**

❶ ☐☐ 투쟁이란 개인이나 적은 수의 사람이 일제를 상대로 벌인 무력 투쟁이다.

❷ 김원봉은 1919년 만주에서 ☐☐☐을 조직해 의열 투쟁을 전개하였다.

❸ 김구는 대한민국 임시 정부의 어려움을 극복하기 위해 ☐☐☐☐☐을 조직하였다.

• 정답 및 풀이 190쪽

1 다음 (   ) 안에 들어갈 알맞은 인물의 이름을 쓰시오.

> 의열단은 1919년 만주에서 (   )을(를) 중심으로 조직되어 일제의 주요 기관을 폭파하고 고위 관리와 친일파를 처단하고자 하였다.

(   )

2 다음에서 설명하는 단체의 이름은 무엇인지 쓰시오.

> 대한민국 임시 정부의 활동이 침체되자 김구가 이를 극복하기 위해 조직한 단체로, 일본의 주요 인물을 암살하려는 목적으로 조직되었다.

(   )

4

단원

3 한인 애국단의 이봉창이 한 일로 알맞은 것은 어느 것입니까? (   )

① 우리 역사를 연구하여 책으로 남겼다.
② 일왕이 타고 가는 마차에 폭탄을 던졌다.
③ 독립군을 모아 일본과의 전쟁을 준비했다.
④ 일왕의 생일을 기념하는 식장에 폭탄을 던졌다.
⑤ 한글로 신문을 발행하여 독립운동 소식을 사람들에게 알렸다.

중학교 시험 맛보기

4 다음 ㉠ ~ ㉣ 중 틀린 내용을 찾아 기호를 쓰시오.

> 한인 애국단의 윤봉길은 ㉠상하이 훙커우 공원에서 열린 일왕의 생일과 상하이 점령을 기념하는 식장에 폭탄을 던져 ㉡일본군 장교와 고위 관리들을 처단하였다. 이 사건은 ㉢일제의 침략에 분노하던 중국인들에게 큰 감명을 주었다. 윤봉길의 활약은 ㉣일제가 한국에서 철수하는 계기가 되었다.

(   )

11 1930년대 이후 항일 무장 투쟁

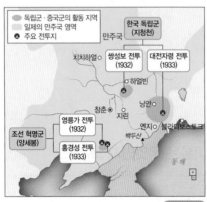

▲ 1930년대 무장 독립 투쟁

1931년 일제가 만주를 침략하고 [●]만주국을 수립하자 일본에 대한 중국의 반감이 커졌습니다. 이에 남만주에서는 **양세봉이 이끄는 조선 혁명군**이, 북만주에서는 **지청천 중심의 한국 독립군**이 중국군과 연합하여 항일 전쟁에서 여러 차례 승리하였습니다. 하지만 일제의 공격이 거세지면서 한국 독립군 중 일부 세력이 대한민국 임시 정부의 요청에 따라 중국 [●]관내로 이동하였습니다.

중국 관내에서는 독립운동 단체들이 연합해 [●]민족 혁명당이 만들어졌습니다. 1937년 중일 전쟁이 발발하자 민족 혁명당의 김원봉은 중국 국민당의 지원을 받아 **군사 조직인 [●]조선 의용대**를 만들었습니다. 조선 의용대는 일본군에 맞서 중국군과 함께 정보 수집, 포로 심문 등의 활동을 펼쳤으며, 이후 김원봉과 일부 군사는 한국 광복군에 합류하였습니다.

한편, 대한민국 임시 정부는 윤봉길 의거 이후 일제의 탄압을 피해 충칭에 정착하였습니다. 이곳에서 임시 정부는 **지청천을 사령관으로 하는 한국 광복군을 창설**하였습니다(1940년). 또 독립 전쟁을 효율적으로 수행하기 위해 김구를 주석으로 조직을 다시 정비하고, 일제의 [●]패망에 대비하여 '[●]건국 강령'을 발표하였습니다. 일제가 태평양 전쟁을 일으키자 대한민국 임시 정부는 일본에 전쟁을 선언하고 본격적으로 독립 전쟁에 나섰습니다. 한국 광복군은 미국과 합동으로 [●]국내 진공 작전을 준비하였으나 갑작스러운 일제의 항복으로 실행에 옮기지 못하였습니다.

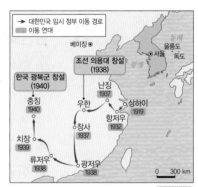

▲ 중국 관내의 독립운동

한국사 용어 퀵!

●**만주국** 일본이 1931년 9월에 '만주 사변'을 일으켜 중국 북동부를 점거한 뒤 1932년 3월 1일 세운 국가.

●**관내** 어떤 기관이 책임을 지고 있는 구역의 안.

●**민족 혁명당** 1935년 중국 난징에서 조직된 항일 독립운동 정당.

●**조선 의용대** 보다 적극적인 항일 무장 투쟁을 하고자 했던 세력이 중국 공산당이 머물던 화베이 지역으로 이동해 만든 군대.

●**패망** 싸움에 져서 망함.

●**건국 강령** 1941년 11월 대한민국 임시 정부가 발표한 새 민주 국가의 건설을 위한 기본 방침.

●**국내 진공 작전** 1945년에 대한민국 임시 정부가 8월 18일 미국군의 도움을 받아 수도 서울을 되찾으려고 했던 작전.

핵심 Point!

정답 및 풀이 **190쪽**

❶ 중국 관내에서 독립운동 단체들이 연합해 [ ][ ][ ][ ][ ]이 만들어졌다.

❷ 중일 전쟁이 일어나자 민족 혁명당의 김원봉은 군사 조직인 [ ][ ][ ][ ][ ]를 만들었다.

❸ 대한민국 임시 정부는 충칭에 정착한 이후 지청천을 사령관으로 [ ][ ][ ][ ][ ]을 창설하였다.

1 1930년대 독립군 부대와 대표 인물을 바르게 선으로 연결하시오.

(1) 한국 독립군 •

(2) 조선 혁명군 •

(3) 조선 의용대 •

• ㉠ 김원봉

• ㉡ 양세봉

• ㉢ 지청천

2 다음 보기 에서 조선 의용대에 대한 설명으로 옳은 것을 모두 골라 기호를 쓰시오.

─────── 보기 ───────

㉠ 지청천을 사령관으로 하여 창설되었다.

㉡ 중국 국민당의 지원을 받아 조직되었다.

㉢ 일본의 패망에 대비하여 건국 강령을 발표하였다.

㉣ 조선 의용대의 김원봉과 일부 군사는 한국 광복군에 합류했다.

( )

3 오른쪽 지도의 ㉠에 들어갈 알맞은 독립군 부대의 이름을 쓰시오.

( )

▲ 중국 관내의 독립운동

4 다음 ( ) 안에 들어갈 작전은 무엇인지 쓰시오.

일제가 태평양 전쟁을 일으키자 대한민국 임시 정부는 일본에 전쟁을 선언하고 본격적으로 독립 전쟁에 나섰다. 한국 광복군은 미국과 합동으로 ( )을(를) 준비하였으나 갑작스러운 일제의 항복으로 실행에 옮기지 못하였다.

( )

12 민족 문화 수호 운동

역사가들은 일제의 [●]식민 사관에 맞서 우리 민족의 우수성을 알리고자 하였습니다. 박은식은 민족정신으로서 [●]'국혼'을 강조하며 일본의 침략 과정을 담은 『한국통사』 등의 책을 남겼고, 신채호는 민족 중심의 자주적 역사관을 강조하며 고대사 연구를 통해 『조선상고사』와 『조선사연구초』 등을 저술하였습니다. 백남운은 한국사가 세계 여러 나라와 같은 역사 발전 과정을 거쳐 왔다고 주장하며 일제의 식민 사관을 비판하였습니다.

우리말을 지키려는 노력도 전개되었는데, 조선어 연구회는 '가갸날(한글날)'을 제정하고 『한글』이라는 잡지를 만들어 한글 연구와 보급을 위해 노력하였습니다. 이후 조선어 연구회는 조선어 학회로 개편되어 '한글 맞춤법 통일안'과 '표준어 및 외래어 표기법 통일안'을 제정하는 등 한글 표준화를 위해 노력하였

▲ 조선어 학회 회원들

습니다. 또 한글 강습 교재를 만들어 [●]문맹 퇴치 운동에 적극 참여했고, 우리말 『큰사전』을 편찬하고자 준비하였습니다. 그러나 조선어 학회는 일제에 의해 강제로 해산되었고 편찬 중이던 국어사전 원고의 상당 부분이 없어졌습니다.

3·1 운동에 참여했던 종교 단체들도 다양한 민족 운동을 전개했습니다. [●]대종교는 만주 지역의 독립군과 동포들에게 민족의식을 불어넣었고, [●]천도교는 청년·여성·청소년 운동을 전개하는 한편, 『개벽』, 『신여성』 등의 잡지를 간행하여 평등사상과 민족의식을 높였습니다. 불교에서는 승려이자 시인인 [●]한용운 등이 항일 운동에 참여하면서 불교 대중화를 위해 노력하였고, 개신교는 교육과 의료 사업 등을 활발히 전개하는 한편, 일제의 신사 참배 강요에 반대하는 운동을 전개하였습니다.

문학과 예술에서도 우리의 문화를 지키고 계승하려는 노력이 이어졌습니다. 한용운, 심훈, 이육사, 윤동주 등의 문학가들은 **민족의 항일 의식을 일깨우는 작품**을 발표하였습니다. 영화에서는 나운규가 일제 강점기 민족의 슬픔을 반영한 영화 '아리랑'을 제작하였습니다.

한국사 용어 퀴!

● **식민 사관** 일제의 한국 식민 지배를 정당화하고 한국인에 대한 통치를 쉽게 하기 위하여 일제에 의해 조작된 역사관.
● **국혼** 나라의 혼.
● **문맹**(文 글월 **문**, 盲 눈이 멀 **맹**) 배우지 못하여 글을 읽거나 쓸 줄을 모름. 또는 그런 사람.
예문 할머니는 70이 넘은 나이에도 열심히 한글을 공부하여 **문맹**에서 벗어나셨어요.
● **대종교** 단군 신앙을 내세운 종교. 북로 군정서군 대부분은 대종교 신도였음.
● **천도교** 최제우가 창시한 '동학'을 제3대 교주인 손병희가 바꾼 이름.
● **한용운** 3·1 운동 때 민족 대표 33인의 한 사람으로 항일 운동을 하다가 옥에 갇혔음.

핵심 Point!

정답 및 풀이 **190쪽**

❶ 일제의 식민 사관에 맞서 박은식과 신채호는 ☐☐ 책을 저술하였다.

❷ 조선어 연구회는 ☐☐☐☐ 로 개편되어 한글 표준화를 위해 노력하였다.

❸ ☐☐☐ 는 활발한 청년·여성·소년 운동을 전개하고, 『개벽』, 『신여성』 등의 잡지를 간행하였다.

1 다음에서 설명하는 인물은 누구인지 쓰시오.

> 일제의 식민 사관에 맞서 우리 민족의 우수성을 알리고자 노력한 역사가 중 한 사람으로, 민족 중심의 자주적 역사관을 강조하며 고대사 연구를 통해 『조선상고사』와 『조선사연구초』 등을 저술하였다.

( )

2 다음 보기 에서 조선어 학회에 대한 설명으로 옳은 것을 모두 골라 기호를 쓰시오.

보기

> ㉠ 우리말 『큰사전』을 편찬하였다.
> ㉡ 조선어 연구회가 개편된 단체이다.
> ㉢ 오늘날까지 국어 연구에 힘쓰고 있다.
> ㉣ 표준어 및 외래어 표기법 통일안을 제정하였다.

( )

중학교 시험 맛보기

3 다음 ㉠ ～ ㉤에 들어갈 말이 <u>잘못</u> 짝지어진 것은 어느 것입니까? ( )

> 우리 민족은 민족의 정신과 문화를 지키기 위하여 여러 가지 노력을 하였습니다. (㉠)은 민족정신으로서 '국혼'을 강조하였고, (㉡)은 '가갸날(한글날)'을 제정하였습니다. (㉢)는 만주 지역의 독립군과 동포들에게 민족의식을 불어넣었고, (㉣)는 일제의 신사 참배 강요에 반대하는 운동을 전개하였습니다. (㉤)는 영화 '아리랑'을 제작해 일제 강점기 민족의 슬픔을 드러냈습니다.

① ㉠: 박은식 ② ㉡: 백남운 ③ ㉢: 대종교
④ ㉣: 개신교 ⑤ ㉤: 나운규

4 다음 제시어와 관련 있는 종교는 무엇인지 쓰시오.

> • 동학 • 청년·여성·청소년 운동 • 잡지 『개벽』

( )

| 학습한 내용을 정리해 보며, 빈칸에 들어갈 키워드를 써 보세요.   • 정답 및 풀이 **190쪽**

30초 정리

1 일제의 무단 통치와 문화 통치

① **무단 통치**: 조선 총독부 설치, 헌병 경찰제, 조선 태형령, 애국 단체 해산 등

② **토지 조사 사업과 회사령**

토지 조사 사업	전국 토지의 소유권을 조사하여 식민 통치의 경제적 기반을 마련함.
회사령	회사를 세울 때 조선 총독의 허가를 받게 함.

③ (❶   )(1919년)

배경	민족 자결주의, 2·8 독립 선언 등
결과	일제의 무단 통치 → 문화 통치로 변화, 대한민국 임시 정부 수립의 계기

④ **대한민국 임시 정부**: 1919년 상하이에 조직된 민족 역사상 최초의 민주 공화제 정부임.

⑤ **문화 통치**: 보통 경찰제, 교육 기회 확대 → 친일파 양성·민족 분열 의도

⑥ (❷   ): 일본의 식량 부족 문제 해결 → 증산량보다 많은 양 유출 → 한국 식량 사정 악화

2 무장 독립 투쟁(1920년대)과 다양한 민족 운동

① **1920년대 무장 독립 투쟁**: (❸   )의 대한 독립군은 봉오동 전투에서, 김좌진의 북로 군정서군은 청산리 전투에서 일본군을 크게 물리쳤음.

② **민족 운동**: 실력 양성 운동, 물산 장려 운동, 민립 대학 설립 운동, 브나로드 운동, 광주 학생 항일 운동, 신간회 활동 등 다양한 민족 운동이 전개되었음.

30초 정리

3 일제의 민족 말살 정치와 민족 문화 수호 운동

① **민족 말살 정치**

목적	한국인의 민족 의식을 없애 불만을 잠재우고, 전쟁에 쉽게 동원하기 위해서
내용	내선일체 강조, 신사 참배 강요, 황국 신민의 서사 암송, 창씨 개명 강요 등

② **한국인의 전쟁 동원**: 일제는 병참 기지화 정책, 국가 총동원법을 실시하여 전쟁에 필요한 인력과 물자를 동원함.

③ **의열 투쟁**: 의열단(1920년대, 김원봉 조직), (❹   )(1930년대, 김구 조직)

④ **1930년대 이후 무장 독립 투쟁**: 조선 혁명군, 한국 독립군, 조선 의용대 등이 활약하였음.

⑤ (❺   ): 대한민국 임시 정부의 군대, 연합군과 함께 항일 전쟁, 국내 진공 작전 준비

⑥ **민족 문화 수호 운동**

국어	조선어 학회(조선어 연구회)	역사	신채호, 박은식, 백남운 등
문학	한용운, 심훈, 이육사, 윤동주 등	영화	나운규 '아리랑'

한국사 생각쓰기

• 정답 및 풀이 190쪽

1 다음 그래프를 보고, 산미 증식 계획으로 한국의 쌀 생산량이 늘었으나 한국인의 식량 사정이 나빠진 까닭은 무엇인지 쓰시오.

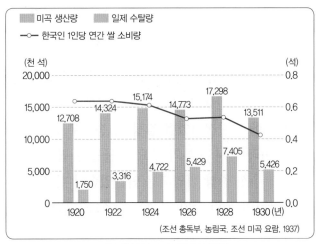

▲ 쌀 생산량과 수탈량의 변화

생각 쓰기 **Point**

Point 1
일제가 산미 증식 계획을 실시한 까닭

• 일본에서는 급속한 공업화로 노동자가 늘고 농민이 줄어 쌀이 부족해지는 문제가 생겼습니다.
• 일본 내의 쌀 부족 문제를 해결하기 위해 한국의 쌀 생산량을 늘리는 산미 증식 계획을 실시하였습니다.

4
단원

_____

_____

_____

2 일제가 다음과 같은 민족 말살 정치를 실시한 까닭은 무엇인지 쓰시오.

▲ 내선일체 포스터

▲ 신사 참배 강요

Point 2
일제의 상황

• 1929년 미국에서 발생한 대공황은 전 세계로 퍼져 나가 일본 경제 또한 심각한 어려움을 겪게 되었습니다.
• 일제는 경제 악화를 극복하기 위해 만주 사변을 시작으로 중일 전쟁, 태평양 전쟁을 일으키며 침략 전쟁을 확대해 갔습니다.

_____

_____

_____

13 광복과 미소 군정

제2차 세계 대전에서 일본이 연합국에 무조건 항복하면서 우리 민족은 1945년 8월 15일 **광복을 맞이**하였습니다. 광복은 연합국의 승리로 얻어진 것이었지만, 우리 민족이 일제를 상대로 **끊임없이 독립운동을 전개한 결과**이기도 합니다.

광복 이후 여운형과 안재홍 등은 **조선 건국 준비 위원회(건준)를 조직**하였습니다. 조선 건국 준비 위원회는 **치안대를 조직**하고 전국에 지부를 두어 질서를 유지하였습니다. 한편 건준의 활동에 비판적이었던 김성수, 송진우 등은 한국 민주당을 조직하였습니다. 김구 등 대한민국 임시 정부의 주요 인물들은 귀국 후 한국 독립당으로 활동하였고, 이승만은 독립 촉성 중앙 협의회를 만들었습니다. 이처럼 이념을 달리하는 여러 정치 단체들이 등장하여 독립 국가 건설은 순조롭지 않았습니다.

한편, 제2차 세계 대전 막바지에 소련은 일본에 전쟁을 선포하고 한반도 북쪽에서 일본군과 전투를 벌였습니다. 미국은 소련의 한반도 점령과 **공산주의 확산을 막기 위해 북위 38도선을 경계로 일본군을 무장 해제시키자고 소련에 제안하였습니다. 이로써 38도선을 경계로 북쪽에는 소련군이, 남쪽에는 미군이 **군정을 실시**하게 되었습니다.

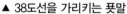
▲ 38도선을 가리키는 푯말

▲ 한반도로 들어오는 소련군(좌)과 미군(우)의 행렬

한국사 용어 퀵!

● **조선 건국 준비 위원회**
1945년 8·15 광복과 함께 만들어진 최초의 건국 준비 단체.
● **치안대** 나라를 편안하게 다스리기 위한 목적으로 조직된 군대.
● **공산주의** 재산의 공동 소유가 옳다고 주장하며 계급이 없는 사회를 지향하는 주의.
● **군정** 점령 지역 또는 독립 국가에 군부가 실질적인 권력을 장악하고 통치하는 방식.
예문 미국과 소련에 의한 **군정**은 한반도가 분단되는데 큰 영향을 끼쳤어요.
● **인민 위원회** 조선 건국 준비 위원회의 지부가 개편된 것.

1945년 9월 8일, 인천에 상륙한 미군은 대한민국 임시 정부 등 정부임을 내세우는 모든 정치 단체를 인정하지 않고, 조선 총독부 관료와 경찰 조직을 그대로 유지하면서 직접 통치하였습니다. 북쪽의 소련군은 각 지역에 설치된 **인민 위원회에 행정권을 넘겨 간접 통치하면서 김일성 등 **사회주의 세력이 정권을 장악**하도록 도와주었습니다. 38도선을 경계로 미국과 소련이 군정을 실시하며 대립하면서 38도선은 점차 **민족의 분단선**이 되어 갔습니다.

핵심 Point!

정답 및 풀이 **191쪽**

❶ 광복 이후 여운형과 안재홍은 ☐☐☐☐☐☐☐☐☐를 조직하였다.

❷ 미국과 소련은 북위 38도선을 경계로 한반도에서 ☐☐을 실시하였다.

❸ 미국과 소련이 군정을 실시하면서 38도선은 점차 민족의 ☐☐☐이 되어갔다.

1 다음 (　　) 안에 공통으로 들어갈 알맞은 조직을 쓰시오.

> 광복 이후 여운형과 안재홍 등이 (　　　)을(를) 조직하였다. (　　　)은(는) 치안
> 대를 조직하고 전국에 지부를 두어 질서를 유지하였다.

(　　　　　　　　　　)

2 다음 (　　) 안에 들어갈 알맞은 인물에 ○표 하시오.

> 조선 건국 준비 위원회의 활동에 비판적이었던 김성수, 송진우 등은 한국 민주당
> 을 조직하였다. (김구 , 이승만) 등 대한민국 임시 정부의 주요 인물들은 귀국 후 한
> 국 독립당으로 활동하였다.

4
단원

3 다음 ㉠, ㉡에 들어갈 군대가 속한 나라는 어디인지 각각 쓰시오.

> 미국은 소련의 한반도 점령과 공산주의 확산을 막기 위해 북위 38도선을 경계로
> 일본군을 무장 해제시키자고 소련에 제안하였다. 이로써 38도선을 경계로 북쪽에는
> (　㉠　)이, 남쪽에는 (　㉡　)이 군정을 실시하였다.

㉠ (　　　　　　　　　　), ㉡ (　　　　　　　　　)

중학교 시험 맛보기

4 광복 이후 38도선을 경계로 북쪽과 남쪽의 상황으로 알맞은 것을 선으로 바르게 연결
하시오.

(1) 북쪽 •

• ㉠ 미군이 조선 총독부 관료와 경찰 조직을 유지하면서 직접 통치함.

(2) 남쪽 •

• ㉡ 소련군이 인민 위원회에 행정권을 넘겨 간접 통치하면서 사회주의 세력이 정권을 장악하도록 함.

14 통일 정부 수립을 위한 노력과 분단

1945년 12월, 미국, 영국, 소련의 외무 장관이 모인 모스크바 3국 외상 회의에서 한반도에 임시 민주주의 정부를 세우고 미국, 영국, 소련, 중국 4개국이 **최고 5년간 신탁 통치를 실시**한다는 내용이 결정되었습니다. 신탁 통치 내용이 국내에 알려지자 김구 등의 세력은 신탁 통치를 또 다른 식민 지배라 여겨 대대적인 반대 운동을 전개하였습니다. 한편 회의의 자세한 내용이 알려지자 임시 정부 수립을 요구하며 회의의 결정을 지지하는 운동을 전개하는 세력도 있었습니다. 이렇게 남한에서는 신탁 통치에 반대하는 세력과 찬성하는 세력이 극심하게 대립하였습니다.

1946년 3월 서울에서 모스크바 회의의 결정에 따라 한반도의 임시 정부 수립을 논의하기 위해 **미소 공동 위원회**가 열렸습니다. 그러나 미국과 소련이 합의에 이르지 못하고 휴회에 들어갔습니다. 이에 여운형과 김규식 등은 대립하고 있는 세력들의 의견을 모아 통일 정부를 수립하기 위해 노력하였지만 성과를 거두지 못하였습니다. 휴회되었던 미소 공동 위원회가 1947년에 다시 열렸으나 성과 없이 끝나고 미국은 한반도 문제를 국제 연합에 넘겼습니다.

국제 연합에서는 남북한 총선거를 실시하기로 결정하였습니다. 그러나 소련이 이를 거부하였고, 국제 연합은 **남한만이라도 총선거를 실시하기로 결정**하였습니다. 김구와 김규식은 이에 반대하여 북측 지도자와 통일 정부 수립을 위한 남북 협상을 벌였으나 성과를 거두진 못하였습니다.

1948년 5월 10일, 남한에서 **역사상 최초의 총선거가 실시**되었습니다(5·10 총선거). 이를 통해 구성된 제헌 국회가 헌법을 제정·공포하였고, 이승만을 대통령으로 선출하였습니다. 이어 1948년 8월 15일 **대한민국 정부가 수립**되었습니다. 한편, 북한은 김일성을 수상으로 하는 조선 민주주의 인민 공화국을 수립하였습니다(1948년 9월). 이로써 한반도의 남과 북에는 서로 다른 두 개의 정부가 들어서게 되었습니다.

▲ 5·10 총선거

한국사 용어 퀵!

● **신탁 통치** 국제 연합의 위임을 받은 나라가 독립 국가로서 자치 능력이 부족하다고 여겨지는 지역을 통치하는 방식.

● **미소 공동 위원회** 모스크바 3국 외상 회의의 결정에 따라 한국의 임시 정부 수립을 도와줄 목적으로 미소 점령군 사령관들이 설치한 공동 위원회.

● **휴회**(休 쉴 휴, 會 모일 회) 하던 회의를 멈추고 잠깐 쉼.
예문 양편의 의견 대립이 심해지자 의장은 휴회를 선언하였어요.

● **총선거** 의회를 처음 구성하거나 의원 전원을 새로 뽑기 위해 실시하는 선거로, 보통 국회 의원 선거를 의미함.

핵심 Point!

정답 및 풀이 **191쪽**

❶ 미국, 영국, ☐☐ 은 모스크바 3국 외상 회의에서 한반도 문제를 논의하였다.

❷ 5·10 총선거를 통해 구성된 ☐☐☐ 는 이승만을 대통령으로 선출하였다.

❸ 북한은 ☐☐☐ 을 수상으로 하는 조선 민주주의 인민 공화국을 수립하였다.

1 밑줄 친 3국에 해당하는 나라를 모두 쓰시오.

> 1945년 12월, 모스크바 <u>3국</u> 외상 회의에서 한반도에 임시 민주주의 정부를 세우고 미·영·소·중 4개국이 최고 5년간 신탁 통치를 실시한다는 내용이 결정되었다.

(   )

2 다음에서 설명하는 것은 무엇인지 쓰시오.

> 1946년 3월 서울에서 미국과 소련이 한반도의 임시 정부 수립을 논의하기 위해 열린 위원회이다. 그러나 결국 미국과 소련은 합의에 이르지 못했다.

(   )

4
단원

3 다음 (   ) 안에 들어갈 인물로 알맞은 사람을 두 명 고르시오. (   )

> 국제 연합에서는 선거가 가능한 남한만이라도 총선거를 실시하기로 결정하였다. (   )은(는) 이에 반대하여 북측 지도자와 통일 정부 수립을 위한 남북 협상을 벌였으나 성과를 거두진 못하였다.

① 김구   ② 김일성   ③ 김규식
④ 이승만   ⑤ 송진우

중학교 시험 맛보기

4 다음 보기 의 사건들을 일어난 순서대로 기호를 나열하시오.

> **보기**
> ㉠ 5·10 총선거   ㉡ 대한민국 정부 수립
> ㉢ 모스크바 3국 외상 회의   ㉣ 조선 민주주의 인민 공화국 수립

(   ) → (   ) → (   ) → (   )

15 6·25 전쟁의 과정과 영향

한반도에 세워진 두 개의 정부는 서로를 비난하였고, 38도선 부근에서는 군사적 충돌이 자주 발생하였습니다. 이러한 상황에서 김일성은 비밀리에 **소련과 중국의 지원을 받아 전쟁을 준비**하였습니다. 1950년 6월 25일 새벽, 북한군이 ˙선전 포고도 없이 38도선 이남으로 쳐들어 왔습니다(6·25 전쟁). 북한군은 3일 만에 서울을 점령하였고, 이승만 정부는 피란을 떠나 부산을 임시 수도로 삼았습니다. 국제 연합은 북한을 침략자로 ˙규정하고, 16개국으로 구성된 유엔군의 파병을 결정하였습니다.

▲ 6·25 전쟁의 과정

국군과 유엔군은 미군 최고 사령관 맥아더의 지휘 아래 **인천 상륙 작전을 성공시켜 서울을 되찾았고**, 이어 38도선을 넘어 평양과 원산을 점령하고 압록강까지 진격하였습니다. 그러자 **중국은 대규모 군대를 보내 ˙참전**하였고, 국군과 유엔군은 서울을 다시 빼앗겼습니다. 이후 38도선 부근에서 남북의 밀고 밀리는 전투가 계속되었습니다.

1951년 7월부터 유엔군과 북한군, 중국군 사이에 휴전 협상이 시작되었습니다. 휴전선 설정 등에 대한 합의가 쉽지 않았고, 한때 이승만 정부가 북진 통일을 주장하며 휴전을 반대해 회담이 길어졌습니다. 전투가 계속되는 가운데 2년여에 걸쳐 진행된 회담은 1953년 7월 마침내 **양측이 휴전에 동의하여 전쟁은 중단**되었습니다.

6·25 전쟁은 3년 이상 계속되면서 많은 고통과 상처를 남겼습니다. 사상자는 약 500만 명에 이르렀고, **수많은 전쟁고아와 ˙이산가족**이 생겨났습니다. 또한 남북한 모두 대부분의 건물과 산업 시설이 파괴되고 **전 국토는 황폐화**되었습니다. 이후로도 남북한은 서로에 대한 적대적인 감정으로 오랫동안 대립하였습니다.

한국사 용어 콕!

˙**선전 포고** 한 나라가 다른 나라에 대하여 전쟁을 시작한다는 것을 공식적으로 알리는 일.

˙**규정(規 법 규, 定 정할 정)** 내용이나 성격, 의미 따위를 밝혀 정함. 또는 그 정하여 놓은 것.
예문 먼저 이 사건에 대하여 명확한 **규정**을 내려 봅시다.

˙**참전** 전쟁에 참가함.

˙**이산가족** 남북 분단으로 이리저리 흩어져 서로 소식을 모르는 가족.

핵심 Point!

정답 및 풀이 191쪽

❶ 1950년 6월 25일, 북한군의 기습 남침으로 ☐·☐☐☐☐이 발발하였다.

❷ 국군과 유엔군은 ☐☐☐☐☐☐을 성공하여 서울을 되찾았다.

❸ 6·25 전쟁으로 수많은 전쟁고아와 ☐☐☐☐이 생겨났다.

1 다음에서 설명하는 사건은 무엇인지 쓰시오.

> 1950년 6월 25일 새벽, 북한군이 선전 포고도 없이 38도선 이남으로 기습 남침하면서 전쟁이 발발하였다.

(   )

2 6·25 전쟁 중 있었던 다음 보기의 사건들을 일어난 순서대로 기호를 나열하시오.

━━━━ 보기 ━━━━

ⓐ 중국군이 참전하였다.
ⓑ 유엔군의 파병이 결정되었다.
ⓒ 북한은 3일 만에 서울을 점령하였다.
ⓓ 인천 상륙 작전으로 전세가 역전되었다.

(   ) → (   ) → (   ) → (   )

4
단원

3 오른쪽 지도와 관련된 6·25 전쟁 상황으로 알맞은 것은 어느 것입니까? (   )

① 북한군이 3일 만에 서울을 점령하였다.
② 중국군의 참전으로 유엔군과 국군이 후퇴하였다.
③ 북한군의 공격으로 정부는 부산으로 피난을 갔다.
④ 유엔군의 인천 상륙 작전으로 전세를 역전하였다.
⑤ 유엔군과 국군은 38도선을 넘어 압록강 부근까지 진격하였다.

4 6·25 전쟁의 결과로 옳지 <u>않은</u> 것은 어느 것입니까? (   )

① 전쟁고아 발생   ② 이산가족 발생   ③ 수많은 사상자
④ 국토의 황폐화   ⑤ 노인 인구 급증

16 이승만 정부와 4·19 혁명

6·25 전쟁 이후 **이승만 정부는 독재 체제를 강화**해 나갔습니다. 1950년 제2대 국회의원 선거에서 이승만 정부를 비판하는 무소속 후보들이 많이 당선되자, 이승만은 국회에서의 간접 선거 방식으로는 대통령 당선이 어렵겠다고 생각했습니다. 그리하여 이승만은 1952년 대통령 •직선제를 핵심으로 하는 •개헌안을 국회에서 •기립 투표의 방식으로 통과시켰습니다.

이승만은 직선제 선거를 통해 대통령에 다시 당선되었습니다. 그리고 장기 집권을 위해 1954년에 새로운 개헌안을 제출하였습니다. **초대 대통령은 횟수 제한 없이 대통령에 출마**할 수 있도록 하는 내용이었는데, 국회에서 찬성하는 사람이 1명 모자랐지만 •사사오입을 적용하여 통과시켰습니다(사사오입 개헌). 결국 1956년 대통령 선거에서 이승만은 제3대 대통령에 당선되었습니다. 부통령에는 민주당의 장면이 자유당의 이기붕을 누르고 당선되었습니다. 1960년 제4대 대통령 선거에서 이승만은 민주당 후보가 사망하면서 당선이 확실시되었지만, 자유당은 이승만의 후계자인 이기붕을 부통령에 당선시키기 위해 대대적인 부정 선거를 저질렀습니다(3·15 부정 선거).

전국 각지에서는 **부정 선거에 항의하는 시위**가 일어났습니다. 그러던 중 시위를 하다 실종된 고등학생 김주열의 시신이 마산 앞바다에 떠오르자 학생과 시민의 분노가 폭발하였고, 시위가 전국적으로 확대되었습니다(4·19 혁명). 정부는 •계엄령을 선포하고 시민들을 무력으로 진압하여 수많은 사람들이 다

▲ 4·19 혁명

치거나 목숨을 잃었습니다. 하지만 대학 교수들까지 정부를 비판하며 시위에 참여하는 등 국민의 저항은 막을 수 없었습니다. 결국 이승만은 '국민이 원하면 물러나겠다.'라는 성명을 발표하고 **대통령의 자리에서 물러나** 미국으로 망명하였습니다.

4·19 혁명은 불법적인 방식으로 권력을 유지하던 독재 정권을 학생과 시민이 힘을 합쳐 무너뜨린 민주주의 혁명으로, **우리나라 민주화 운동의 토대**가 되었습니다.

핵심 Point!   정답 및 풀이 **191쪽**

❶ 이승만은 1952년에 대통령 ☐☐☐ 를 핵심으로 하는 개헌안을 통과시켰다.

❷ 이승만과 자유당은 이기붕을 부통령에 당선시키기 위해 3·15 ☐☐☐☐ 를 일으켰다.

❸ ☐·☐☐☐☐ 은 이승만 독재 정권을 학생과 시민의 힘으로 무너뜨린 민주주의 혁명이었다.

1 다음 (　　) 안에 들어갈 알맞은 말을 쓰시오.

> 이승만은 국회에서의 (　　　) 방식으로는 대통령 당선이 어렵겠다고 판단하여 직선제로 개헌을 시도하였다. 그리하여 이승만은 1952년 대통령 직선제를 핵심으로 하는 개헌안을 국회에서 통과시켰다.

(　　　　　　)

2 다음 (　　) 안에 들어갈 알맞은 말을 쓰시오.

> 이승만은 1954년 초대 대통령에 한해 대통령 출마 횟수 제한을 없애기 위한 개헌을 추진하였으나 투표 결과 부결되었다. 그러나 국회 의장은 (　　　)을(를) 적용하여 개헌안이 통과되었다고 번복하였다.

(　　　　　　)

4
단원

3 다음에서 설명하는 사건으로 알맞은 것은 어느 것입니까? (　　　　)

> 제4대 대통령 선거에서 이승만은 민주당 후보가 사망하면서 당선이 확실시되었지만, 자유당은 이승만의 후계자인 이기붕을 부통령에 당선시키기 위해 대대적인 부정 선거를 저질렀다.

① 발췌 개헌　　　　　　　　② 4·19 혁명
③ 5·10 총선거　　　　　　　④ 사사오입 개헌
⑤ 3·15 부정 선거

4 4·19 혁명의 결과로 알맞은 것은 어느 것입니까? (　　　)
① 다친 사람 없이 시위가 마무리되었다.
② 이승만이 대통령의 자리에서 물러났다.
③ 대통령을 다시 간접 선거로 뽑게 되었다.
④ 이기붕을 대통령으로 하는 정부가 들어섰다.
⑤ 더 이상 민주화 운동이 일어나지 않게 되었다.

17 5·16 군사 정변과 박정희 정부

이승만 정부가 무너진 후 새 헌법에 따라 치러진 총선거에서 민주당이 크게 승리하였고, 장면을 국무총리로 하는 ●내각이 구성되었습니다(장면 내각). 그런데 1961년 박정희가 이끄는 일부 군인이 장면 정부의 무능과 사회 혼란을 구실로 군대를 동원해 정권을 장악하였습니다(5·16 군사 정변). 이들은 군정을 실시하고 대통령 중심제를 핵심으로 하는 개헌을 ●단행하였습니다. 새로운 헌법에 따라 치러진 선거에서 **박정희가 대통령에 당선**되었습니다.

▲ 5·16 군사 정변

박정희 정부는 경제 개발에 필요한 자금을 마련하기 위해 국민의 반대에도 **한일 협정을 체결**하여 일본과의 국교를 정상화하였습니다(1965년). 또한 베트남 전쟁에 국군을 파병하여 경제적 이익을 얻었지만 많은 젊은이가 전쟁터에서 희생되었습니다.

박정희 정부는 1960년대에 들어와 **경제 개발 5개년 계획을 추진**하여 높은 경제 성장과 수출 증가를 이루어냈습니다. 이러한 경제 발전의 성과를 토대로 박정희는 제6대 대통령 선거에서 다시 한번 당선되었습니다. 이후 박정희 정부는 나라를 지키고 경제 개발을 지속해야 한다는 이유를 내세워 ●**3선 개헌을 단행**하였습니다. 새 헌법에 따라 치러진 선거에서도 박정희가 대통령에 당선되었습니다.

1970년대 중반 이후에는 박정희의 장기 집권과 성장 위주의 경제 정책이 가져온 문제들로 국민들의 불만이 쌓여갔습니다. 이에 박정희 정부는 ●**유신 헌법을 제정**하였습니다(1972년). 유신 체제는 국민의 기본권과 ●삼권 분립을 무시하고 대통령에게 권한을 집중시킨 비민주적 독재 체제였습니다. 이에 학생과 시민은 유신 체제에 반대하는 **민주화 운동을 전개**하였으나 정부는 이를 탄압하였습니다. 1979년에는 부산과 마산에서 대규모 시위가 일어났으며(부마 민주 항쟁), 그해 **박정희가 피살**되면서 유신 체제는 막을 내렸습니다(10·26 사태).

▲ 부마 민주 항쟁

한국사 용어 퀵!

● **내각** 총리(수상)를 중심으로 행정권을 담당하는 최고 합의 기관.

● **단행**(斷 끊을 단, 行 갈 행) 결단하여 실행함.
예문 다음 달 초에 제도가 **단행**될 예정이에요.

● **3선 개헌** 대통령을 세 번 연속으로 할 수 있도록 헌법을 개정한 것.

● **유신 헌법** 대통령을 할 수 있는 횟수를 제한하지 않고, 대통령 직선제를 간선제로 바꾼다는 내용이 담겨 있음.

● **삼권 분립** 민주주의 국가에서 국가 권력이 함부로 사용되는 것을 막기 위해 국가 권력을 입법부, 사법부, 행정부 등 셋으로 나누어 서로 견제하도록 한 원리.

핵심 Point!

정답 및 풀이 **191**쪽

❶ 이승만 정부가 무너진 후 ☐☐☐☐ 이 구성되었다.

❷ ☐☐☐ 와 일부 군인들은 장면 정부의 무능을 이유로 5·16 군사 정변을 일으켰다.

❸ ☐☐ 체제는 국민의 기본권과 삼권 분립을 무시한 비민주적인 독재 체제였다.

1 다음 (　　) 안에 들어갈 알맞은 인물은 누구인지 쓰시오.

> 이승만 정부가 무너진 후 새 헌법에 따라 치러진 총선거에서 민주당이 크게 승리하였고, (　　　)을(를) 국무총리로 하는 내각이 구성되었다.

(　　　　　　　　)

2 다음에서 설명하는 사건은 무엇인지 쓰시오.

> 1961년 박정희가 이끄는 일부 군인들은 장면 정부의 무능과 사회 혼란을 구실로 군대를 동원해 정권을 장악하였다.

(　　　　　　　　)

3 다음 보기 에서 박정희 정부가 경제 개발에 필요한 자금을 마련하기 위해 펼친 정책을 모두 골라 기호를 쓰시오.

보기

㉠ 3선 개헌	㉡ 삼권 분립
㉢ 한일 협정 체결	㉣ 베트남 전쟁 파병

(　　　　　　　　)

4 박정희가 다음과 같은 일을 한 까닭은 무엇입니까? (　　　　)

> • 3선 개헌 실시　　　　　　　　• 유신 헌법 제정

① 다른 나라의 침입을 막기 위해서
② 대통령의 권한을 축소하기 위해서
③ 국민의 생활을 안정시키기 위해서
④ 민주적인 정부를 구성하기 위해서
⑤ 자신이 대통령을 계속하기 위해서

18 신군부의 등장과 5·18 민주화 운동

유신 체제가 무너진 후 국민은 민주화가 이루어질 것이라고 기대하였습니다. 그러나 **전두환을 중심으로 한** °**신군부 세력이 정변을 일으켜 권력을 장악하였습니다**(12·12 사태, 1979년). 1980년 5월에는 민주화를 바라는 시민들이 계엄령의 해제와 헌법 개정을 요구하며 시위를 벌였습니다. 이에 신군부는 오히려 계엄령을 전국으로 확대하면서 강압적으로 탄압하였습니다.

전라도 광주에서는 계엄령의 확대에도 불구하고 민주화 시위가 계속되었습니다. 그러자 신군부는 5월 18일부터 °공수 부대를 투입하는 등 **광주 시민들을 폭력적으로 진압**하였습니다. 신군부는 언론을 통제하여 광주 시민들이 폭동을 일으켰다고 몰아갔고, 광주로 통하는 모든 교통을 막았습니다. 분노한 광주 시민들은 시민군을 조직해 신군부에 저항하기도 하였으나, 곧 시민 수습 대책 위원회가 구성되어 자발적으로 무기를 회수하고 정부에 평화적 협상을 요구합니다. 그러나 계엄군은 탱크와 헬기까지 동원하여 광주 시민들을 무자비하게 진압하였고, 이 과정에서 많은 시민이 희생되었습니다(**5·18 민주화 운동**, 1980년). 5·18 민주화 운동을 진압하고 권력을 장악한 전두환은 유신 헌법에 의해 제11대 대통령에 당선되었습니다. 이어 다시 헌법을 고쳐 간접 선거를 통해 **7년** °**단임의 대통령에 당선**되었습니다.

5·18 민주화 운동은 이후 1980년대 우리나라 민주화 운동의 토대가 되었고, 필리핀을 비롯한 **아시아 국가들의 민주화 운동에 영향**을 주었습니다. 국가 폭력에 대한 국민의 저항을 담은 5·18 민주화 운동 관련 기록은 그 의미와 가치가 인정되어 2011년 유네스코 세계 기록 유산으로 등재되었습니다.

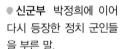

● **신군부** 박정희에 이어 다시 등장한 정치 군인들을 부른 말.

● **공수 부대** 낙하산·헬리콥터·수송기 등으로 낙하하여 전술상 중요한 곳을 기습해 작전을 수행하는 특수 부대.

● **단임**(單 홀 단, 任 맡길 임) 원래 정해진 임기를 다 마친 뒤에 다시 그 직위의 일을 맡지 않음.

예문 우리 동네 부녀 회장은 2년 **단임**으로 선출해요.

▲ 계엄군과 대치한 광주 시민

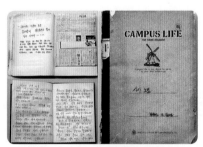

▲ 5·18 민주화 운동 기록물

핵심 Point!

정답 및 풀이 **192쪽**

❶ 12·12 사태를 통해 ☐☐☐ 등 신군부가 권력을 장악하였다.

❷ 광주 시민들이 전두환 정권에 민주화를 요구한 사건을 5·18 ☐☐☐ 운동이라고 한다.

❸ 전두환은 대통령이 된 후 헌법을 고쳐 간접 선거를 통해 ☐년 단임의 대통령에 당선되었다.

1 다음 ㉠에 대한 설명으로 옳은 것은 어느 것입니까? (   )

> 유신 체제가 무너진 후 ㉠신군부 세력이 권력을 장악하자 민주주의의 회복을 요구하며 각지에서 시위가 일어났다.

① 전두환이 대표적 인물이다.
② 5·16 군사 정변으로 권력을 잡았다.
③ 군대를 동원하여 10·26 사태를 일으켰다.
④ 국가 재건 최고 회의를 구성해 군정을 실시하였다.
⑤ 경제 개발을 지속해야 한다는 이유를 내세워 3선 개헌을 단행하였다.

2 다음에서 설명하는 사건은 무엇인지 쓰시오.

> 1980년 전라도 광주에서는 계엄령의 확대에도 불구하고 민주화 시위가 계속되었다. 이에 신군부는 공수 부대를 투입하여 광주 지역의 시위를 폭력적으로 진압하였고, 이 과정에서 많은 시민이 희생되었다.

(   )

3 5·18 민주화 운동을 진압한 후 유신 헌법에 의해 제11대 대통령에 당선된 사람은 누구인지 쓰시오.

(   )

4 5·18 민주화 운동의 의의로 옳지 <u>않은</u> 것은 어느 것입니까? (   )
① 우리나라 최초의 민주주의 혁명이었다.
② 1980년대 민주화 운동의 토대가 되었다.
③ 민주주의에 대한 국민의 열망을 보여 주었다.
④ 관련 기록물은 유네스코 세계 기록 유산으로 등재되었다.
⑤ 필리핀을 비롯한 아시아 여러 나라의 민주화 운동에 영향을 미쳤다.

국민의 승리, 6월 민주 항쟁

비민주적인 방법으로 정권을 장악한 전두환 정부는 물가 안정과 경제 성장을 위해 노력하면서 해외여행 자율화, 야간 ●통행금지 폐지, 학생의 두발과 교복 자율화, 프로 야구단 창단 등 국민들을 달래려는 정책을 펼쳤습니다. 그러나 여전히 전두환 정부는 언론을 통제하고 민주화 운동을 탄압하는 등 **독재 정치를 그대로 유지**하였습니다.

학생과 시민들을 중심으로 직선제 개헌 등을 요구하는 민주화 시위가 확산되는 가운데 1987년 1월, 서울대 학생 **박종철이 경찰의 고문으로 사망하는 사건이 발생**하였습니다. 그러나 정부는 언론을 통제하여 사실대로 보도하지 못하도록 했고, 박종철의 사망 원인에 대해서도 경찰은 '책상을 탁하고 치니 억하고 죽었다.'라는 식으로 사실을 왜곡해 국민들의 분노가 더욱 커졌습니다. 이러한 상황에서 전두환은 1987년 4월 13일 대통령 직선제 개헌을 하지 않겠다는 4·13 ●호헌 조치를 발표하였습니다.

언론이 통제되고 있는 상황에서 천주교 정의 구현 사제단은 5·18 민주화 운동 7주년 추모 ●미사에서 박종철이 물 고문에 의해 사망했고, 정부가 조직적으로 사건을 축소했다고 폭로하였습니다. 전두환 정권에 분노한 국민은 **직선제 개헌과 전두환 정권의 퇴진을 요구**하며 시위를 벌였습니다. 그런데 시위 도중 연세대 학생 이한열이 경찰이 쏜 ●최루탄에 맞아 크게 다

▲ 6월 민주 항쟁

쳐 결국 사망하는 사건이 발생하였습니다. 더욱 분노한 시민들은 6월 10일 전국에서 호헌 철폐와 독재 타도를 외치며 거리로 쏟아졌습니다(**6월 민주 항쟁**, 1987년).

정부의 진압에도 국민의 저항이 거세지자 정부는 다음 대통령 후보로 ●내정된 노태우를 통해 대통령 직선제를 수용한다는 **6·29 민주화 선언을 발표**하였습니다. 이에 따라 **5년 단임의 대통령 직선제**의 내용을 포함한 헌법 개정이 이루어졌고, 드디어 국민이 직접 대통령을 뽑을 수 있게 되었습니다. 6월 민주 항쟁은 학생과 시민이 함께 참여한 평화적 시위였다는 점에서 큰 의미를 지닙니다.

한국사 용어 퀵

● **통행금지** 일정한 장소를 지나다니지 못하게 함.
● **호헌** 헌법을 보호하여 지킴.
● **미사** 천주교에서 예수의 최후의 만찬을 기념하여 하는 제사 의식.
● **최루탄** 눈물샘을 자극하여 눈물을 흘리게 하는 약이나 물질을 넣은 탄환.
● **내정**(內 안 **내**, 定 정할 **정**) 내부적으로 미리 정함.
예문 김 의원은 위원장 **내정**에서 밀렸어요.

핵심 Point!

정답 및 풀이 **192쪽**

❶ 전두환 정권은 ☐☐☐☐ 자율화, 야간 통행금지 폐지 등의 정책을 펼쳤다.

❷ 전두환은 대통령 직선제 개헌을 하지 않겠다는 4·13 ☐☐ 조치를 발표하였다.

❸ 노태우는 대통령 ☐☐☐ 개헌을 수용한다는 6·29 민주화 선언을 발표하였다.

1 다음 보기 에서 전두환 시기에 일어난 일을 모두 골라 기호를 쓰시오.

보기

ㄱ 프로 야구단을 창단하였다.
ㄴ 경제 개발 5개년 계획을 처음 추진하였다.
ㄷ 언론을 통제하고 민주화 운동을 탄압하였다.
ㄹ 중·고등학생의 두발과 교복을 자율화하였다.

( )

2 다음에서 설명하는 사건을 무엇이라고 하는지 쓰시오.

연세대 학생 이한열이 시위 도중 경찰이 쏜 최루탄에 맞아 뇌사 상태에 빠지는 사건이 발생하였다. 분노한 시민들은 6월 10일 전국에서 호헌 철폐와 독재 타도를 외치며 거리로 쏟아졌다.

( )

3 6·29 민주화 선언으로 이루어진 헌법 개정의 내용으로 옳은 것은 어느 것입니까?

( )

① 대통령 직선제, 5년 중임제
② 대통령 직선제, 5년 단임제
③ 대통령 직선제, 7년 단임제
④ 대통령 간선제, 5년 중임제
⑤ 대통령 간선제, 5년 단임제

4 우리나라의 정치 발전 과정에서 일어난 다음 보기 의 사건들을 일어난 순서대로 기호를 쓰시오.

보기

ㄱ 4·19 혁명   ㄴ 6월 민주 항쟁
ㄷ 5·18 민주화 운동   ㄹ 부마 민주 항쟁

( ) → ( ) → ( ) → ( )

우리나라의 경제 성장

6·25 전쟁 이후 이승만 정부는 미국의 •원조를 바탕으로 경제를 발전시키고자 했습니다. 이 시기에는 미국에서 생산된 면화, 설탕, 밀가루를 이용한 •삼백 산업과 같은 •소비재 산업이 발달하여 식량과 생활필수품이 부족했던 상황에 큰 도움이 되었습니다. 그러나 미국에서 원조받은 농산물로 인해 국내 농산물 가격이 하락하여 농민이 큰 피해를 입기도 하였습니다.

우리나라 경제는 **경제 개발 5개년 계획을 추진하면서 본격적으로 발전**하기 시작하였습니다. 1960년대 제1·2차 경제 개발 계획에서 정부는 경공업을 키워 수출에 힘썼고, 1970년대 제3·4차 경제 개발 계획에서는 중화학 공업 육성에 힘썼습니다. 경제 개발 계획의 추진으로 '한강의 기적'이라 불릴 정도로 큰 경제 성장을 이루었습니다.

1970년대 말에 세계적으로 석유 가격이 크게 올라 위기를 겪던 우리 경제는 1980년대 중반에 유가가 안정되고 금리와 환율이 낮아지면서 회복되었습니다. 1980년대에는 반도체, 자동차 등 기술 집약 산업이 발달하였습니다. 1990년대에 우리나라는 **경제 개발 협력 기구(OECD)에 가입**하는 등 외국과의 경제 교류에 힘썼으나, 1997년에 일부 대기업의 과도한 빚, 계속되는 무역 적자 등으로 **외환 위기를 맞아** •국제 통화 기금(IMF)의 지원을 받았습니다. 정부는 기업과 금융 등을 개혁하고 구조 조정을 추진하여 외환 위기에서 벗어났으나, 이 과정에서 실업자가 증가하고 빈부 격차가 심화되는 등의 문제가 생겨났습니다. 2000년대 들어와서 우리나라 경제는 정보 기술·전자 산업 등 **첨단 산업을 중심으로 성장**하였고, 문화 콘텐츠 산업, 의료 서비스 산업, 관광 산업 등 서비스 산업도 빠르게 발달하고 있습니다.

한국사 용어 퀵!

● **원조**(援 도울 원, 助 도울 조) 물건이나 돈 등으로 도움을 줌.

예문 우리나라는 전쟁이 일어난 나라에 식량을 **원조**해 주고 있어요.

● **삼백 산업** 면화, 설탕, 밀가루를 원료로 하는 산업으로, 모두 흰색이라 삼백 산업이라 부름.

● **소비재** 사람들이 일상생활에서 직접 소비하는 물건. 음식·옷·가전제품 등을 말함.

● **국제 통화 기금**(IMF) 세계 무역 안정을 목적으로 설립한 국제 금융 기구.

1960년대 경공업 발달	1970년대 중화학 공업 발달	2000년대 첨단 산업 발달

▲ 섬유 공장

▲ 정유 공장

▲ 로봇의 모습

핵심 Point!

정답 및 풀이 **192쪽**

❶ 이승만 정부 시기에는 면화, 설탕, 밀가루를 이용한 ☐☐☐ 이 발달하였다.

❷ 우리나라 경제는 ☐☐☐☐☐☐☐☐☐ 을 추진하면서 크게 발전하였다.

❸ 2000년대 이후 우리나라는 정보 기술·전자 산업 등 ☐☐☐☐ 을 중심으로 성장하였다.

1 다음 ( ) 안에 들어갈 알맞은 말을 쓰시오.

> 이승만 정부 시기에는 미국에서 생산된 면화, 설탕, 밀가루를 이용한 ( )와
> (과) 같은 소비재 산업이 발달하였다.

( )

2 다음 ㉠, ㉡에 들어갈 알맞은 산업을 각각 쓰시오.

> 제1·2차 경제 개발 계획에서 정부는 (㉠)을 키워 수출에 힘썼고, 제3·4차 경
> 제 개발 계획에서는 (㉡) 육성에 힘썼다.

㉠ ( ), ㉡ ( )

중학교 시험 맛보기

3 1990년대 우리나라의 경제 상황에 대한 설명으로 알맞은 것은 어느 것입니까?

( )

① 석유 가격이 크게 올라 위기를 겪었다.
② 낮은 금리와 환율 덕에 경제가 회복되었다.
③ 외환 위기로 급격한 구조 조정이 이루어졌다.
④ 미국의 원조를 바탕으로 한 산업이 발달하였다.
⑤ 풍부한 노동력을 바탕으로 경공업을 육성하였다.

4 2000년대 이후 우리나라의 산업 발달과 관련 있는 모습에 ○표 하시오.

(1)

( )

(2)

( )

21 남북 평화 통일을 위한 노력

6·25 전쟁 이후 계속된 남북 간의 긴장 관계는 1970년대부터 변화하기 시작하였습니다. 남북한은 이산가족 문제 해결을 위해 남북 적십자 회담을 개최하였고, 1972년에는 서울과 평양에서 동시에 ●7·4 남북 공동 성명을 발표하였습니다. 이 성명은 남북한 정부가 최초로 합의한 통일 방안으로 자주·평화·민족적 대단결이라는 평화 통일의 원칙을 담고 있습니다.

1980년대 전두환 정부 시기에 **이산가족의 고향 방문과 예술 공연단의 교환**이 이루어졌습니다. 1990년대 노태우 정부 시기에는 남북한이 국제 연합에 동시 가입하였고, '남북 사이의 화해와 ●불가침 및 교류·협력에 관한 합의서(**남북 기본 합의서**)'를 체결하였습니다. 이어 한반도 비핵화 공동 선언에도 합의하였습니다. 김영삼 정부 시기에는 1992년 북한의 핵무기 개발

▲ 이산가족 고향 방문(1985년)

여부로 남북 관계가 위기를 맞이하였으나, 민간 기업의 교류는 지속되었습니다.

남북 관계는 김대중 정부에 들어서 크게 변화하였습니다. ●금강산 관광을 통해 경제 협력이 활발하게 진행되었고, 평양에서 최초의 **남북 정상 회담**이 개최되어 ●6·15 **남북 공동 선언**이 발표되었습니다(2000년). 그 뒤 남과 북은 올림픽 공동 입장, 이산가족 방문단 교환, 개성 공단 건설, 경의선 복구 등 교류를 강화하였습니다. 이러한 정책은 노무현 정부로 이어져 2007년에는 제2차 남북 정상 회담이 평양에서 열렸습니다.

▲ 판문점에서 만난 남북 정상(2018년)

이명박 정부 때에는 북한의 핵 실험과 미사일 시험 발사 문제, 연평도 포격 사건 등으로 남북 관계가 큰 위기를 맞이하였고, 이산가족 상봉도 중단되었습니다. 문재인 정부는 한반도의 평화와 통일을 위한 남북 관계 개선에 노력을 기울였으며, 2018년에는 **다시 남북 정상 회담이 성사**되었습니다.

핵심 Point!

정답 및 풀이 **192쪽**

❶ 남북한은 ⬜⬜⬜⬜ 문제 해결을 위해 남북 적십자 회담을 개최하였다.

❷ 노태우 정부 시기에는 ⬜⬜⬜⬜⬜⬜ 를 체결하였다.

❸ 김대중 정부 시기에는 최초로 ⬜⬜⬜⬜⬜ 이 개최되었다.

• 정답 및 풀이 192쪽

1 다음에서 설명하는 것은 무엇인지 쓰시오.

> 1972년 서울과 평양에서 동시에 발표된 성명으로 남북한 정부가 최초로 합의한 통일 방안이라는 의미가 있다. 자주·평화·민족적 대단결이라는 원칙을 담고 있다.

(   )

2 다음 보기 에서 1980년대 전두환 정부 시기에 이루어진 통일 노력을 모두 골라 기호를 쓰시오.

> **보기**
> ㉠ 경의선 철길 복구　　　　　　㉡ 이산가족의 고향 방문
> ㉢ 남북 올림픽 공동 입장　　　　㉣ 남북 예술 공연단의 교환

(   )

4
단원

 3 다음과 같은 통일 정책이 이루어진 시기는 언제입니까? (   )

> 남북한은 동시에 국제 연합에 가입하였고, 남북 사이의 화해와 불가침 및 교류·협력에 관한 남북 기본 합의서를 체결하였다.

① 박정희 정부　　　　　　　　② 전두환 정부
③ 노태우 정부　　　　　　　　④ 김영삼 정부
⑤ 김대중 정부

4 다음 제시어와 관련 있는 우리나라 대통령은 누구인지 쓰시오.

> • 금강산 관광　　　　• 남북 정상 회담　　　　• 6 · 15 남북 공동 선언

(   )

| 학습한 내용을 정리해 보며, 빈칸에 들어갈 키워드를 써 보세요.   • 정답 및 풀이 **192쪽**

30초 정리

❶ 대한민국 정부의 수립

① 8·15 광복(1945년)

광복	제2차 세계 대전에서 연합국의 승리와 우리 민족의 끊임없는 독립운동의 결과로 광복을 맞이함.
남북 분단	38도선 설정 → 냉전 → 정치적 분할선(미군과 소련군의 군정)
모스크바 3국 외상 회의	한반도에 임시 정부를 수립하고 미·영·중·소의 (❶) 결정 → 신탁 통치 반대와 신탁 통치 찬성하는 사람들 대립

② 대한민국 정부 수립

미·소 공동 위원회 결렬 → 국제 연합에서 남북 총선거 실시 결정 → 소련의 거부 → 국제 연합에서 남한 단독 정부 수립 결의 → 남한에서 (❷   ) 실시 → 제헌 국회 구성 → 이승만 대통령 선출 → 대한민국 정부 수립 선포(1948년)

③ (❸   )(1950년)

전개	북한의 남침 → 국군 낙동강 전선까지 후퇴 → 유엔군 참전과 인천 상륙 작전으로 서울 수복 → 압록강 진격 → 중국군 개입 → 유엔군과 국군 후퇴 → 휴전 협정
결과	많은 사상자 발생, 수많은 전쟁고아와 이산가족, 국토의 황폐화, 남북한 간의 적대감

30초 정리

❷ 자유 민주주의의 발전

4·19 혁명 (1960년)	• 배경: 이승만의 독재와 3·15 부정 선거 • 전개: 학생과 시민들의 시위 → (❹) 하야 → 장면 내각 성립
5·16 군사 정변 (1961년)	박정희 등 일부 군인이 정권 장악 → 박정희 대통령 당선 → 3선 개헌, 유신 헌법 등 독재 정치 → 박정희 피살
5·18 민주화 운동 (1980년)	12·12 사태로 전두환 등 신군부가 정권 장악 → 5·18 민주화 운동 → 신군부 세력의 무력 진압
6월 민주 항쟁 (1987년)	전두환 정부의 독재 → 6월 민주 항쟁 → 6·29 민주화 선언 → 대통령 (❺) 개헌

❸ 경제 성장과 통일의 길

① **경제 성장**: 1960년대(경공업 육성), 1970년대(중화학 공업 육성), 1980년대 중반 이후(반도체, 자동차 등 기술 집약 산업 발달), 1990년대(외환 위기), 2000년대(첨단 산업, 서비스 산업 발달)

② **통일을 위한 노력**: 7·4 남북 공동 성명, 남북 기본 합의서, 남북 정상 회담, 6·15 남북 공동 선언, 경제 교류와 이산가족 문제 해결 노력 등 통일을 위해 노력해 왔음.

한국사 **생각쓰기**

• 정답 및 풀이 **192쪽**

1 다음 지도에 표시된 전쟁이 한반도에 끼친 피해에는 무엇이 있는지 두 가지 쓰시오.

지도 범례:
→ 북한군의 남침로
→ 중국군의 공격로
→ 국군과 유엔군의 반격로

중국군 개입 (1950. 10.)

국군과 유엔군의 최대 북진선

정전 협정 조인 (1953. 7. 27.)

인천 상륙 작전 (1950. 9. 15.)

중국군 최대 남침선 (1951. 1)

국군의 최후 방어선 (1950. 9. 2.)

생각 쓰기 Point

Point 1
6 · 25 전쟁
• 북한군의 남침으로 전쟁이 시작되어 한반도 내에서 밀고 밀리는 전투가 계속되었습니다.
• 6 · 25 전쟁은 3년 이상 계속되면서 많은 고통과 상처를 남겼습니다.

---

2 다음 역사적 사건들의 공통점은 무엇인지 쓰시오.

▲ 4 · 19 혁명

▲ 5 · 18 민주화 운동

▲ 6월 민주 항쟁

Point 2
민주주의의 시련

4 · 19 혁명	이승만의 부정 선거와 독재 정치에 반발하여 일어난 시위임.
5 · 18 민주화 운동	전두환 등 정변을 일으킨 군인 세력에 대항하여 광주 시민들이 시위를 일으킴.
6월 민주 항쟁	전두환 정권의 독재 정치에 맞서 전국에서 일어난 시위임.

산업의 발달은 좋은 점만 있을까?

산업 발전에 따른 긍정적 측면

1인당 국민 총소득의 증가

빠른 경제 성장을 이루면서 1인당 국민 총소득도 급증하였다.

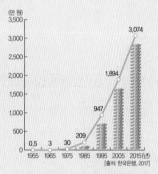

▲ 1인당 국민 총소득의 변화

생활 수준의 향상

소득이 증가함에 따라 도시의 환경이 좋아지고 질 좋은 의료와 교육 서비스, 스포츠나 여행과 같은 여가 활동을 즐길 수 있게 되었다.

▲ 해외여행을 떠나는 사람들로 붐비는 공항

교통 · 통신의 발달

교통과 통신이 발달하면서 전국이 일일 생활권이 되고, 해외에 있는 사람들과도 언제든지 쉽고 자유롭게 소통할 수 있게 되었다.

▲ 고속 철도(KTX) 개통

산업 발전에 따른 부정적 측면

도시와 농촌의 격차

산업화로 인해 도시의 규모는 커지는 반면, 젊은이들이 농촌을 벗어나며 농촌의 고령화 현상은 심화되었다.

▲ 고령화된 농촌

빈부 격차

경제 규모는 커졌지만, 빈부 격차가 심해져 빈곤층의 삶의 질은 더욱 나빠졌다.

▲ 서울의 고층 아파트와 판자촌

환경 오염

산업이 발달함에 따라 수질 오염, 공기 오염, 토양 오염 등 환경 오염 문제가 심각해졌다.

▲ 강으로 흘러나오는 공장 폐수

1 조선의 성립과 발전

01 새로운 나라, 조선   12~13쪽

핵심 Point! ❶ 위화도   ❷ 과전법   ❸ 조선

1 요동 정벌   2 과전법   3 ④   4 조선

1 이성계는 우왕과 최영이 추진한 요동 정벌에 네 가지 이유를 들며 반대하였습니다.

2 과전법의 실시로 권문세족과 사원이 소유하던 대농장을 몰수하여 신진 사대부에게 나누어 주면서 신진 사대부의 경제적 기반이 마련되었습니다.

3 정권을 잡은 이성계와 신진 사대부는 명과 친선 관계를 맺었습니다.

4 온건파 신진 사대부를 제거하고 새로운 나라를 세운 이성계와 급진파 신진 사대부는 고조선을 계승한다는 뜻에서 나라 이름을 조선이라고 정했습니다.

02 조선의 도읍, 한양   14~15쪽

핵심 Point! ❶ 한양   ❷ 유교   ❸ 종묘, 사직

1 한양   2 ㉠, ㉡, ㉢   3 ④   4 종묘

1 왕위에 오른 태조 이성계는 나라 이름을 조선으로 하고, 한양으로 도읍을 옮겼습니다.

2 한강 유역은 일찍이 삼국 시대부터 고구려, 백제, 신라가 저마다 차지하여 나라를 발전시키고자 하였습니다.

> ❓ 왜 틀렸지?
> ㉢ 한양은 산으로 둘러 싸여 있어 적의 공격으로부터 방어에 유리했습니다.

3 정도전은 조선의 개국 공신이며, 조선 초의 대표적인 성리학자 중 한 명입니다.

4 조상을 잘 모시는 것이 중요하다는 유교 이념에 따라 경복궁 옆에 종묘를 지었습니다.

03 조선의 국가 기틀 확립   16~17쪽

핵심 Point! ❶ 호패법   ❷ 세종   ❸『경국대전』

1 호패   2 ㉠ 집현전, ㉡ 경연   3 ②   4 (1) × (2) ○ (3) ×

1 호패법의 실시로 세금을 거둘 수 있는 인구를 파악하고 세금을 거두어 국가 재정을 안정시킬 수 있었습니다.

2 세종은 태종이 이룬 정치 안정을 바탕으로 유교 정치를 실현하고자 노력하였습니다.

3 세조는 국가 재정을 안정시키기 위해 현직 관리에게만 수조권을 주었습니다.

4 성종은『경국대전』을 완성하여 유교 중심의 통치 체제를 완성하였습니다.

> ❓ 왜 틀렸지?
> (1)『경국대전』은 세조 때부터 편찬되기 시작하여 성종 때 완성된 조선의 기본 법전으로, (3) 땅을 사고팔면 100일 이내에 관청에 보고해야 한다는 내용이 있습니다.

04 조선의 통치 체제 정비   18~19쪽

핵심 Point! ❶ 의정부   ❷ 성균관   ❸ 과거

1 의정부   2 (1) 사헌부 (2) 사간원   3 서당   4 ④

1 조선은 유교 정치의 이상을 실현할 수 있도록 국왕을 정점으로 의정부와 6조 중심의 중앙 정치 조직을 마련하였습니다.

2 조선은 권력의 독점과 부정을 막기 위해 3사의 기능을 강화하면서 왕권과 신권의 조화를 추구하였습니다.

3 조선 시대의 서당에서는 주로 유학에 바탕을 둔 한문 교육이 이루어졌습니다.

4 문관을 뽑는 문과에는 경제적으로 여유가 있던 양반의 자제가 주로 응시하였으며, 무과에는 양반·향리·상민의 자제가, 잡과에는 중인에 속하는 기술관이나 향리의 자제가 주로 응시하였습니다.

05 조선 전기의 대외 관계   20~21쪽

핵심 Point! ❶ 사대교린   ❷ 4군 6진   ❸ 쓰시마섬

1 사대교린   2 명   3 ④   4 쓰시마섬

1 조선은 큰 나라를 섬기는 사대와 이웃 나라와 가깝게 지내는 교린을 외교의 기본 원칙으로 삼았습니다.

2 조선은 명에 정기적으로 외교 사신을 파견하였으며 수시로 외교 사절을 보내기도 했습니다.

3 조선은 국경 지방에 무역소를 설치하여 여진에게 무역을 허용하였으나 국경을 침입하면 군대를 동원해 토벌하기도 하였습니다.

4 세종은 왜구의 침략이 끊이지 않자, 이종무를 시켜 왜구의 근거지인 쓰시마섬을 토벌하였습니다.

06 훈민정음 반포와 편찬 사업의 발달 `22~23쪽`

핵심 Point! ❶ 훈민정음 ❷ 『조선왕조실록』 ❸ 『국조오례의』

1 훈민정음 2 ㉣ 3 ⑤ 4 「혼일강리역대국도지도」

1 세종은 모든 말을 소리대로 쓸 수 있고 누구나 쉽게 배울 수 있는 훈민정음을 창제하여 반포하였습니다.

2 세종은 대부분의 백성이 글자를 몰라 일상생활에 어려움을 겪는 것을 안타깝게 여겨 훈민정음을 창제하였습니다.

3 조선은 조선 건국의 정당성을 내세우기 위해 『고려사』, 『고려사절요』, 『조선왕조실록』 등 역사서의 편찬을 중시했습니다.

4 조선은 국방을 강화하고 나라를 다스리는 데 필요한 지리 정보를 얻기 위해 지리지를 편찬하고 지도를 제작하였습니다.

07 조선의 과학 기술과 예술의 발달 `24~25쪽`

핵심 Point! ❶ 「천상열차분야지도」 ❷ 『칠정산』 ❸ 「몽유도원도」

1 「천상열차분야지도」 2 ② 3 (1) 분청사기 (2) 백자
4 ㉡, ㉣

1 천문학은 왕의 권위를 높이고 농사에도 도움을 주기 때문에 일찍부터 중시되었습니다.

2 『칠정산』이 편찬되기 이전에는 중국의 역법을 사용하였는데, 오차가 많아 불편을 겪었습니다.

> ❓ 왜 틀렸지?
>
> ② 『칠정산』은 한성을 기준으로 한 역법서로, 당시 자기 영토를 기준으로 하는 천문 관측 및 시간 측정 방법을 가진 곳은 이슬람 지역과 중국, 조선뿐이었습니다.

3 조선의 지배층인 양반은 유학을 중시하고 검소하게 생활하고자 하였는데 이러한 특성이 반영되어 화려한 청자 대신 분청사기와 백자 등의 자기가 유행했습니다.

4 제시된 작품은 「몽유도원도」로, 세종의 아들이었던 안평 대군이 꿈에서 본 무릉도원의 모습을 당시 도화서 화원이었던 안견에게 시켜 그린 산수화입니다.

눈으로 읽는 딱 1분 개념정리 `26쪽`

❶ 이성계 ❷ 태종 ❸ 과거 ❹ 사대
❺ 세종 ❻ 자격루

한국사 생각쓰기 `27쪽`

1 예 한반도의 중앙에 위치하고 한강이 흘러 육상과 해상 교통이 편리했기 때문입니다. 산으로 둘러싸여 있어 방어에 유리했기 때문입니다. 2 예 과학적인 원리로 모든 말을 소리대로 쓸 수 있어 누구나 쉽게 배울 수 있었습니다. 나라의 정책 등에 대해 알리는 데 효과적이었습니다.

1 한강 유역은 일찍이 삼국 시대부터 고구려, 백제, 신라가 저마다 점령하여 나라를 발전시키고자 하였고 고려 시대 때도 몇 차례 수도로 정하자는 논의가 이루어졌을 정도로 좋은 입지 조건을 갖춘 곳이었습니다.

생각쓰기 채점 기준	
상	육상과 해상 교통이 편리하고, 방어에 유리하다는 내용을 모두 쓴 경우
중	육상과 해상 교통이 편리하다거나, 방어에 유리하다는 내용 중 한 가지만 쓴 경우
하	주변에 넓은 평야가 있어 농사짓기 좋았다는 내용을 쓴 경우

2 훈민정음은 28자의 소리글자로 이루어져 있는 독창적이고 과학적인 글자입니다.

생각쓰기 채점 기준	
상	모든 말을 소리대로 쓸 수 있어 누구나 쉽게 배울 수 있었다는 내용을 쓴 경우
중	나라의 정책 등을 알리는 데 효과적이었다는 내용을 쓴 경우
하	한자를 사용하지 않아도 되었다는 내용을 쓴 경우

08 사림의 등장과 성장 `28~29쪽`

핵심 Point! ❶ 사림 ❷ 3사 ❸ 조광조
1 훈구 (세력) 2 ④ 3 ④ 4 ㉠ → ㉡ → ㉣ → ㉢

1 훈구 세력이 자신들의 권력을 바탕으로 비리와 부정을 저질러 사회 문제가 되었습니다.

2 사화는 사림이 훈구로부터 받은 정치적 탄압을 말합니다.

3 조광조는 여러 개혁 정책의 실시를 주장하며 왕에게 높은 도덕적 수준을 요구하였습니다.

4 연산군 시절 갑자사화가 발생했으며, 중종반정으로 왕이 된 중종 때에 기묘사화가 일어났습니다. 이후 명종 때 을사사화가 일어나며 사림이 큰 피해를 입었습니다.

09 붕당의 출현 `30~31쪽`

핵심 Point! ❶ 이조 전랑 ❷ 동인, 서인 ❸ 남인
1 사림 2 이조 전랑 3 ④ 4 ④

1 사림은 지방 양반들의 여러 의견을 모아 정책에 반영하며 정치를 이끌어 나갔습니다.

2 이조 전랑은 벼슬 자체는 높지 않았지만 3사의 관리와 자신의 후임자를 추천할 수 있는 권한이 있어 매우 중요한 자리였습니다.

3 이황과 조식, 서경덕의 학문을 계승한 사람들이 동인을 이루고, 이이와 성혼의 학문을 따르는 사람들은 서인을 이루었습니다.

4 광해군 때에는 북인이 정치를 주도했지만 서인을 중심으로 인조반정이 일어나면서 북인은 정권에서 쫓겨났고, 인조반정 이후에는 서인이 주도권을 잡았습니다.

---

10 서원의 발달과 향약의 보급   32~33쪽

핵심 Point! ❶ 서원   **❷** 백운동   **❸** 향약

1 서원   **2** (1) ㉡ (2) ㉠ (3) ㉢   **3** ④   **4** 덕업상권, 환난상휼

1 사림이 정치 주도 세력으로 성장할 수 있었던 것은 서원과 향약을 중심으로 향촌 사회에서 영향력을 키워갔기 때문입니다.

2 서원은 크게 강당, 사당, 동재·서재로 나뉘었는데 강당은 교육이 이루어지는 곳이고, 사당은 제사를 지내는 곳, 동재·서재는 학생들이 잠을 자고 밥을 먹는 곳이었습니다.

3 주세붕이 세운 백운동 서원은 명종 때 '소수서원'이라는 현판을 하사받고 사액 서원이 되었습니다.

4 향촌의 자치 규약인 향약의 4대 덕목에는 덕업상권, 과실상규, 예속상교, 환난상휼이 있습니다.

---

11 성리학의 발전과 유교 윤리의 보급   34~35쪽

핵심 Point! ❶ 『삼강행실도』   **❷** 『소학』   **❸** 족보

1 (1) 삼강 (2) 오륜   **2** 『국조오례의』   **3** (1) 혼례 (2) 제례   **4** ④

1 사림을 중심으로 성리학 연구가 활발해지면서 정치뿐 아니라 일상생활에서도 성리학적 질서가 보급되었고, 백성들에게 유교의 기본 윤리인 삼강오륜을 알리기 위해 노력하였습니다.

2 『국조오례의』는 조선 전기 신숙주·정척 등이 왕명을 받아 국가에서 행하기로 규정한 다섯 의례의 예법과 절차 등을 그림을 곁들여 편찬한 책입니다.

3 관혼상제는 관례, 혼례, 상례, 제례의 네 가지 예법을 말합니다.

4 『삼강행실도』는 백성들에게 유교의 기본 윤리인 삼강오륜을 알리기 위해 편찬한 책입니다.

> ❗ **지문에서 힌트 찾기**
>
> "조선은 백성들에게 유교의 기본 윤리인 삼강오륜을 알리기 위해 『삼강행실도』를 편찬하고, 충신, 효자, 열녀 등에게 상을 내렸습니다."

---

12 임진왜란의 발발   36~37쪽

핵심 Point! ❶ 임진왜란   **❷** 이순신   **❸** 의병

1 ㉣   **2** (1) ○   **3** 이순신   **4** ⑤

1 일본의 도요토미 히데요시는 내부의 불만 세력을 잠재우고 그들의 관심을 밖으로 돌리기 위해 명을 정복한다는 명분으로 조선을 침략했습니다.

2 임진왜란이 발발할 당시 조선은 오랫동안 지속된 평화로 국방력이 약화되고 전쟁에 대한 대비가 충분하지 못했습니다.

3 이순신의 활약으로 바다를 통해 여러 전쟁 물자를 보급하려던 일본의 계획을 어렵게 만들었습니다.

4 의병은 제대로 된 훈련을 받은 적도 없고 무기도 없었지만 고장의 지리에 익숙하여 적은 수로도 효과적으로 일본을 공격할 수 있었습니다.

---

13 정유재란과 전쟁의 결과   38~39쪽

핵심 Point! ❶ 정유재란   **❷** 노량 해전   **❸** 인구

1 정유재란   **2** ㉣ → ㉡ → ㉢ → ㉠   **3** ②   **4** ①, ④

1 일본의 지나친 요구로 명과 일본의 회담이 결렬되자 일본은 다시 조선을 공격했습니다.

2 명과 일본의 회담이 결렬된 후 정유재란이 발발했으며, 도요토미 히데요시가 사망하면서 철수하는 일본군을 노량에서 크게 물리쳤습니다.

3 7년간의 전쟁으로 조선은 큰 피해를 입었습니다.

> ❓ **왜 틀렸지?**
>
> ② 임진왜란으로 인구가 크게 줄고 토지가 황폐해져 세금을 제대로 걷지 못해 나라 살림이 어려워졌습니다.

4 임진왜란으로 경복궁, 불국사, 사고 등이 불 타고 많은 도자기, 서적, 그림 등을 일본에 빼앗겼습니다.

14 광해군의 중립 외교 `40~41쪽`

핵심 Point! ❶ 후금 ❷ 『동의보감』 ❸ 중립 외교

1 ㉢, ㉣   2 후금   3 ④   4 인조반정

1 광해군은 황폐화된 토지를 개간하고 토지대장과 호적대장을 다시 작성하여 국가 재정을 늘렸습니다.

2 후금은 1616년에 여진족의 지도자인 누르하치가 세운 나라입니다.

3 광해군이 명의 요청에 따라 지원군을 보내면서 후금과 싸우지 않고 항복하는 중립 외교를 펼쳐 후금과의 전쟁을 피할 수 있었습니다.

❓ 왜 틀렸지?
> ① 명에 대한 명분과 의리를 중시한 서인 세력은 광해군에 불만을 품었습니다. ② 인조반정은 중립 외교 이후에 일어난 일입니다. ③ 명의 요청을 받아들이면서 후금과도 싸우지 않았습니다. ⑤ 명과 후금 사이에서 펼친 정책입니다.

4 명과의 의리를 중시한 서인 세력은 광해군의 중립 외교에 불만을 품고 광해군을 쫓아내고 인조를 왕으로 추대했습니다.

15 정묘호란과 병자호란 `42~43쪽`

핵심 Point! ❶ 친명배금 ❷ 형제 ❸ 병자호란

1 정묘호란   2 ㉡ → ㉢ → ㉣ → ㉠   3 ③   4 남한산성

1 정묘호란이 일어나자 조선은 후금의 공격을 막아낼 힘이 없었고, 후금 또한 명과의 전쟁으로 오래 머물 수 없었기에 조선과 후금이 형제 관계를 맺는 조건으로 철수하였습니다.

2 후금이 광해군 폐위(인조반정)를 구실로 정묘호란을 일으키자 인조는 강화도로 피신했고, 결국 조선은 후금과 형제 관계를 맺었습니다. 이후 후금이 나라 이름을 청으로 바꾸고 병자호란을 일으켰습니다.

3 군신 관계를 맺을 것을 강요한 청의 요구를 조선이 끝까지 거부하자 청이 쳐들어온 사건이 병자호란입니다.

4 인조는 청군에 길이 막혀 강화도로 피란을 가지 못하자 한양에서 가까운 남한산성으로 피신하게 되었습니다.

16 양난 이후의 조선의 대외 관계 변화 `44~45쪽`

핵심 Point! ❶ 북벌 ❷ 북학론 ❸ 통신사

1 북벌 운동   2 효종   3 (1) ㉠ (2) ㉡   4 ③

1 조선은 표면적으로는 청과 경제적·문화적 교류를 이어갔지만, 오랑캐로 여기던 청에 패하여 군신 관계를 맺은 것에 큰 충격을 받았습니다.

2 효종은 적극적으로 북벌을 추진하였지만 국력이 날로 강해지는 청을 공격한다는 것은 쉽지 않았고, 갑작스럽게 효종이 사망하면서 북벌은 결국 실행되지 못하였습니다.

3 연행사는 조선에서 청의 도읍인 베이징에 보낸 사신을 말하고, 통신사는 에도 막부의 요청에 따라 일본에 보낸 사신을 말합니다.

4 통신사는 에도 막부의 요청에 따라 파견된 사신으로, 이들은 조선의 발달된 문물을 일본에 전해 주었습니다.

눈으로 읽는 ⏱1분 개념정리 `46쪽`

❶ 훈구 ❷ 이조 전랑 ❸ 향약 ❹ 이순신
❺ 인조반정 ❻ 병자호란

한국사 생각쓰기 `47쪽`

1 예 이조 전랑의 임명 문제를 둘러싸고 대립하였기 때문입니다.   2 예 많은 사람이 목숨을 잃거나 일본에 포로로 끌려가 인구가 줄었습니다. 농경지가 황폐해져 농민들의 생활은 힘들어졌고, 세금을 제대로 걷지 못해 나라 살림이 어려워졌습니다.

1 이조 전랑의 자리를 두고 사림은 김효원을 따르는 동인과 심의겸을 따르는 서인으로 나뉘어 붕당을 형성하였습니다.

생각쓰기 채점 기준	
상	이조 전랑의 임명 문제를 둘러싸고 대립하였기 때문이라는 내용을 쓴 경우
중	중요한 관직의 임명 문제를 둘러싸고 대립하였기 때문이라는 내용을 쓴 경우

2 7년간의 전쟁은 조선의 승리로 끝이 났지만 조선은 인구가 줄고 농경지가 황폐해지는 등 큰 피해를 입었습니다.

생각쓰기 채점 기준	
상	많은 사람이 목숨을 잃거나 일본에 포로로 끌려가 인구가 줄었고, 농경지가 황폐해져 세금을 걷지 못해 나라 살림이 어려워졌다는 내용을 모두 쓴 경우
중	많은 사람이 목숨을 잃거나 일본에 포로로 끌려가 인구가 줄었다거나, 농경지가 황폐해져 세금을 걷지 못해 나라 살림이 어려워졌다는 내용 중 한 가지만 쓴 경우
하	인구가 줄어들고 세금을 거둘 수 있는 토지가 줄었다는 내용만 쓴 경우

2 조선 사회의 변동

01 통치 제도와 조세 제도의 개편
52~53쪽

핵심 Point! ❶ 비변사 ❷ 속오군 ❸ 영정법

1 (1) ✕ (2) ○ (3) ✕ **2** ② **3** ④ **4** 균역법

1 비변사가 최고 회의 기구가 되면서 기존의 의정부와 6조는 유명무실해졌으며, 속오군은 양반에서 노비까지 모든 신분으로 구성되어 평상시에는 평소에 하던 일을 하다가 전쟁이 나면 전투에 동원되었습니다.
2 훈련도감, 어영청, 총융청, 수어청, 금위영을 중앙 5군영이라고 합니다.

> **❓ 왜 틀렸지?**
>
> ② 장용영은 조선 후기 왕권 강화를 위해 설치한 국왕 호위 군대입니다.

3 집집마다 각 지역의 토산물을 내는 공납이 백성들을 힘들게 하여 토산물 대신 토지 결수에 따라 쌀, 옷감, 동전을 내게 하는 대동법을 실시하였습니다.
4 기존에 군포를 2필 내던 것을 1필로 줄여 백성들의 부담을 줄였습니다.

02 붕당 정치의 전개와 변질
54~55쪽

핵심 Point! ❶ 공론 ❷ 예송 ❸ 환국

1 (1) ⓒ (2) ⊙ (3) ⓛ **2** 예송 **3** ⊙ 서인, ⓛ 남인
4 ④

1 광해군 때에는 북인이 정권을 차지했으나 인조반정 이후 정치 주도 세력이 서인으로 바뀌었고, 현종 때에 두 차례의 예송으로 붕당 간의 대립이 격해졌으며, 숙종은 여러 차례 환국을 벌이며 집권당을 수시로 바꾸었습니다.
2 예송은 단순히 예법에 국한된 논쟁이 아니라 효종의 왕위 계승에 따른 정통성 문제에 대한 두 붕당의 입장 차이를 보여 줍니다.
3 서인은 효종이 둘째 아들이므로 대비가 1년만 상복을 입어도 된다고 주장했고, 남인은 효종은 둘째 아들이어도 왕위를 이었으므로 장자의 예로 대우해서 대비가 3년 동안 상복을 입어야 한다고 주장했습니다.
4 환국은 숙종이 집권당을 수시로 바꾼 것으로, 각 붕당은 서로 정권을 잡을 때마다 권력을 독점하고 상대 당을 정계에서 쫓아냈습니다.

03 영조의 탕평책과 개혁 정치
56~57쪽

핵심 Point! ❶ 노론 ❷ 서원 ❸ 삼심제

1 영조 **2** (1) ✕ (2) ○ (3) ○ **3** ⑤ **4** 『속대전』, 『동국문헌비고』

1 영조는 즉위 과정에서 왕위 계승 문제로 노론과 소론의 대립을 경험하고, 탕평책을 실시하였습니다.
2 영조는 붕당 간 대립의 근원이 되었던 이조 전랑의 권한을 약화시켜 3사 관리의 추천권을 없앴습니다.
3 영조는 균역법을 시행하여 백성들에게 큰 부담이 되었던 군역 부담을 줄여 주었습니다.
4 영조는 『속대전』과 『동국문헌비고』 등을 편찬하여 문물 제도를 정비하였습니다.

04 정조의 탕평책과 개혁 정치
58~59쪽

핵심 Point! ❶ 규장각 ❷ 초계 문신제 ❸ 화성

1 ③ **2** 장용영 **3** 화성 **4** ①, ④

1 정조는 영조의 정책을 이어 더욱 강력한 탕평책을 실시하였으며, 영조 때부터 세력을 키워온 외척 세력을 제거하였습니다.
2 정조는 왕권을 뒷받침하기 위한 군사적 기반으로 장용영을 설치하였습니다.
3 화성은 당시 과학 기술의 성과가 결집되어 있는 자랑스러운 문화유산으로, 현재 유네스코 세계 문화유산으로 등재되어 있습니다.
4 정조는 여러 문물과 통치 제도를 정리하여 『대전통편』, 『탁지지』 등을 편찬하였습니다.

05 세도 정치의 전개와 삼정의 문란
60~61쪽

핵심 Point! ❶ 세도 ❷ 비변사 ❸ 삼정

1 세도 정치 **2** ⑤ **3** ⊙ 전정, ⓛ 군정 **4** 환곡

1 어린 순조가 왕위에 오르자 왕실과 혼인을 맺은 김조순 등 안동 김씨를 비롯한 몇몇 노론 가문이 권력을 장악하는 세도 정치가 시작되었습니다.
2 세도 정치 시기에는 과거에 합격하는데 실력보다 뇌물이나 세도 가문과의 관계가 중요해졌습니다.
3 뇌물로 관직에 오른 관리들이 이를 보상받으려고 백성들을 수탈하고 착취하여 삼정이 크게 문란해졌습니다.
4 삼정 중 백성들을 가장 힘들게 한 것은 환곡이었습니다.

06 농민 봉기의 발생　　62~63쪽

핵심 Point! ❶ 화전민　❷ 홍경래　❸ 임술 농민 봉기
1 (1) 벽서　(2) 소청　2 홍경래의 난　3 (1) ×　(2) ○
(3) ×　4 ⑤

1 농민들은 처음에는 정부를 비판하는 벽서를 붙이거나 소청을 하는 등 소극적으로 불만을 드러냈습니다.
2 평안도 지역의 몰락 양반인 홍경래는 어지러운 정치 상황과 평안도 지역에 대한 차별에 대항하여 봉기를 일으켰습니다.
3 홍경래의 난은 진압되었지만 이후 농민 봉기에 큰 영향을 미쳤습니다.

? 왜 틀렸지?

(1) 홍경래의 난은 홍경래가 어지러운 정치 상황과 평안도 지역에 대한 차별에 대항하여 일으킨 봉기로, (3) 한때 규모가 커지기도 했지만 관군에 패하여 진압되었습니다.

4 농민 봉기가 전국으로 확산되자 정부는 삼정이정청을 설치하는 노력을 보였으나 큰 효과를 보지 못했습니다.

눈으로 읽는 딱 1분 개념정리　64쪽

❶ 비변사　❷ 예송　❸ 정조　❹ 삼정
❺ 홍경래

한국사 생각쓰기　65쪽

1 예 백성들의 생활을 안정시키기 위해서입니다.　2 예 삼정의 문란이 심해져 농민들의 삶이 힘들어졌기 때문입니다.

1 영조는 백성들의 생활을 안정시키기 위해 균역법을 시행하여 백성들에게 큰 부담이 되었던 군역 부담을 줄여 주었고, 억울하게 사형을 당하는 일이 없도록 사형수에 대해 삼심제를 실시하였습니다.

생각쓰기 채점 기준	
상	백성들의 생활을 안정시키기 위해서라는 내용을 쓴 경우
중	백성을 위해서라는 내용만 쓴 경우

2 제시된 1은 전정, 2는 군정, 3은 환곡에 대한 내용입니다.

생각쓰기 채점 기준	
상	삼정의 문란이 심해져 농민들의 삶이 힘들어졌기 때문이라는 내용을 쓴 경우
하	농민들의 삶이 힘들어졌기 때문이라는 내용만 쓴 경우

07 조선 후기의 경제 발전　66~67쪽

핵심 Point! ❶ 모내기법　❷ 공인　❸ 금난전권
1 골뿌림법　2 ④　3 사상　4 (2) ○

1 골뿌림법이 널리 퍼지면서 밭농사를 더 잘 지을 수 있게 되었습니다.
2 모내기법의 도입으로 일부 농민들이 부농으로 성장할 수 있었지만, 대다수의 농민들은 경작할 땅을 잃었습니다.
3 사상들의 물건 판매를 제한했던 금난전권이 폐지되자 사상들의 활동이 활발해지고 상공업이 발달하였습니다.
4 조선 후기에는 장인세를 내고 자유롭게 물건을 만들어 판매하는 민영 수공업이 발달하였습니다.

08 조선 후기 신분제의 동요　68~69쪽

핵심 Point! ❶ 양반　❷ 공노비　❸ 서얼
1 공명첩　2 민성　3 ④　4 서얼

1 공명첩은 국가에서 부유한 사람들에게 재물을 받고 형식상의 관직을 부여하기 위해 발급한 임명장입니다.
2 조선 후기에는 붕당 간의 권력 다툼에서 밀려난 양반들이 일반 농민과 다를 바 없이 생활하기도 하였습니다.
3 정부에서는 상민의 수가 줄어 군역 대상자가 줄자, 아버지가 노비라도 어머니가 양인이면 그 자녀는 양인이 되는 노비종모법을 시행하였습니다.
4 서얼들은 신분 상승을 위해 끊임없이 노력하였고 점차 차별이 줄었습니다.

09 혼인 및 가족 제도의 변화　70~71쪽

핵심 Point! ❶ 부계　❷ 큰아들　❸ 열녀
1 (1) ×　(2) ○　(3) ○　2 일부일처제　3 ⑤　4 열녀문

1 조선 전기에는 고려처럼 가족 관계에서 부계와 함께 모계도 중시되었지만, 조선 후기로 가면서 성리학적 사회 질서가 강화되고 가문을 중시하면서 부계 중심의 가족 제도로 바뀌어 갔습니다.
2 조선 시대에는 기본적으로 한 명의 부인만 둘 수 있는 일부일처제였으나, 첩을 들이는 경우도 있었습니다.
3 조선 후기에는 재산 상속과 제사 등에서 큰아들만 우대 받고 딸과 다른 아들은 점차 소외되었습니다.
4 조선 후기에는 정부에서 과부의 재가를 금지했으며, 열녀를 표창하고 열녀문을 세워 정절을 강요하였습니다.

10 실학의 발달
72~73쪽

핵심 Point! ❶ 실학 ❷ 청 ❸ 박지원
1 실학 2 이익, 정약용 3 박지원 4 ⑤

1 실학이란 실생활에 도움이 되는 실용적인 학문을 뜻합니다.

2 유형원, 이익, 정약용은 농업 중심의 개혁론을 주장했고, 유수원, 박지원, 박제가는 상공업 중심의 개혁론을 주장했습니다.

3 박지원은 수레와 선박의 이용, 화폐의 사용 등을 강조하였고, 『양반전』 등의 한문 소설을 써서 양반의 무능력과 위선을 비판했습니다.

4 박제가는 상공업의 발달과 청의 선진 문화와 기술 수용을 주장한 실학자로, 소비를 장려하여 생산을 촉진해야 한다고 주장했습니다.

11 국학의 발달
74~75쪽

핵심 Point! ❶ 안정복 ❷ 「대동여지도」 ❸ 『동국문헌비고』
1 『동사강목』 2 ③ 3 「대동여지도」 4 ③

1 안정복은 고조선부터 고려까지의 역사를 체계적으로 정리한 『동사강목』을 저술하여 중국 중심의 역사관을 비판하고 우리 역사의 정통성을 내세웠습니다.

2 유득공은 『발해고』를 저술하여 발해사를 우리 역사에 편입시켰으며 고대사 연구를 만주 지역까지 확대했습니다.

3 「대동여지도」는 오늘날의 지도처럼 기호를 이용해 중요한 지형이나 도시들을 표시했습니다.

4 조선 후기에는 백과사전 형식의 책들도 많이 편찬되었는데 이익의 『성호사설』, 이수광의 『지봉유설』, 영조 때 편찬된 『동국문헌비고』 등이 있습니다.

12 새로운 문물의 수용과 회화의 발달
76~77쪽

핵심 Point! ❶ 자명종 ❷ 진경 산수화 ❸ 풍속화
1 ④ 2 진경 산수화 3 (1) 김홍도 (2) 신윤복 4 ③

1 조선 후기에 다양한 서양 문물이 조선에 들어오면서 조선 지식인들이 중국 중심의 세계관에서 벗어나, 새로운 세계관을 가지는 데 큰 영향을 미쳤습니다.

? 왜 틀렸지?
④ 「대동여지도」는 김정호가 만든 우리나라 지도입니다.

2 정선은 우리나라의 아름다운 자연을 사실적으로 그리는 화풍을 개척하였는데, 이것을 진경 산수화라고 합니다.

3 조선 후기에는 서민들의 생활 모습을 생동감 있게 그린 풍속화가 유행하였는데, 대표적인 화가로는 김홍도와 신윤복이 있습니다.

4 진경 산수화의 등장, 풍속화의 유행, 민화의 발달은 조선 후기 회화의 변화 모습입니다.

13 서민 문화의 발달
78~79쪽

핵심 Point! ❶ 한글 소설 ❷ 판소리 ❸ 탈놀이
1 ② 2 『홍길동전』 3 사설시조 4 ⓒ, ⓔ

1 조선 후기에 서민들 사이에는 한글 소설이 유행하였습니다.

2 한글 소설은 조선 후기의 대표적인 서민 문학으로, 서민들의 모습이나 감정이 잘 나타나 있고 지배층의 횡포와 사회적 차별 등의 내용이 담겨 있습니다.

3 사설시조는 형식에 얽매이지 않고 서민의 솔직한 감정을 표현하거나 현실 사회를 풍자하였습니다.

4 판소리는 광대들로부터 전해져 서민들이 즐기던 문화였지만, 점차 양반들에게까지 큰 인기를 끌었습니다.

14 새로운 종교의 등장
80~81쪽

핵심 Point! ❶ 예언 ❷ 천주교 ❸ 최제우
1 『정감록』 2 (1) ○ (2) × (3) ○ 3 ㉠ 제사, ㉡ 신분
4 ③

1 세도 정치, 자연재해, 전염병, 이양선의 출몰 등으로 삶이 불안해진 백성들 사이에서 새로운 세상이 온다는 예언 사상이 널리 퍼졌습니다.

2 천주교는 처음에는 서양 학문으로 들어와 서학이라고 불렸습니다.

3 정부는 조상에 대한 제사를 거부하는 천주교를 금지하고 천주교도들을 탄압했습니다.

4 최제우는 천주교와 서양 세력이 조선을 어지럽힌다고 생각하여 서학에 반대한다는 뜻으로 동학이라고 이름 지었습니다.

눈으로 읽는 딱 1분 개념정리
82쪽

❶ 모내기법 ❷ 양반 ❸ 청 ❹ 「대동여지도」
❺ 탈놀이

83쪽

1 ⑩ 벼와 보리의 이모작이 가능해져 수확량이 늘었습니다. 잡초를 쉽게 뽑을 수 있게 되어 필요한 일손이 크게 줄었습니다. **2 ⑩** 조선 후기에는 양반의 수는 크게 늘고, 상민의 수는 크게 줄었습니다.

1 모내기법이 널리 퍼지면서 일부 농민들은 경작지를 크게 늘려 부농으로 성장할 수 있었습니다.

생각쓰기 채점 기준

상	벼와 보리의 이모작이 가능해져 수확량이 늘었고, 잡초를 쉽게 뽑을 수 있게 되어 필요한 일손이 크게 줄었다는 내용을 모두 쓴 경우
중	벼와 보리의 이모작이 가능해져 수확량이 늘었다거나, 잡초를 쉽게 뽑을 수 있게 되어 필요한 일손이 크게 줄었다는 내용을 중 한 가지만 쓴 경우
하	수확량이 늘었다는 내용만 쓴 경우

2 조선 후기에는 중인과 상민이 공명첩을 구입하거나 족보를 위조하여 양반이 되었습니다.

생각쓰기 채점 기준

상	양반의 수는 크게 늘고, 상민의 수는 줄었다는 내용을 쓴 경우
하	신분 질서가 크게 변화했다는 내용만 쓴 경우

3 근대 국가 수립 노력과 국권 수호 운동

01 흥선 대원군의 개혁 정치
88~89쪽

핵심 Point! ❶ 흥선 대원군 **❷** 비변사 **❸** 호포제
1 ㉠, ㉡, ㉢ **2** ③ **3** 당백전 **4** 사창제

1 흥선 대원군이 집권하기 전에는 세도 정치로 인해 왕권이 크게 약해졌고 비변사로 권력이 집중되어 있었습니다.
2 흥선 대원군은 백성들을 힘들게 했던 서원을 대폭 정리하고 서원이 가지고 있던 토지와 노비를 몰수하여 재정을 확보하였습니다.
3 당백전의 발행은 물가가 크게 오르는 결과를 가져와 백성들의 불만을 샀습니다.
4 흥선 대원군은 환곡의 폐단을 해결하고자 사창제를 실시하였습니다.

02 병인양요와 신미양요
90~91쪽

핵심 Point! ❶ 병인박해 **❷** 신미양요 **❸** 척화비
1 ③ **2** (1) × (2) × (3) ○ **3** ① **4** 척화비

1 병인양요는 병인박해를 구실로 프랑스가 강화도를 침략한 사건이고, 신미양요는 제너럴셔먼호 사건을 구실로 미국이 강화도를 침략한 사건입니다.
2 제너럴셔먼호 사건을 구실로 신미양요가 일어났으며 병인양요 때 물러가던 프랑스군이 외규장각의 도서와 보물을 약탈해갔습니다.
3 병인박해(1866년) → 병인양요(1866년) → 오페르트 도굴 사건(1868년) → 신미양요(1871년) → 척화비 건립(1871년)의 순으로 일어났습니다.
4 흥선 대원군은 프랑스와 미국 두 나라와 전쟁을 치른 다음 서양과는 절대 외교를 맺지 않겠다는 생각을 더욱 굳게 가지게 되었고, 전국에 이 내용을 알리는 척화비를 세웠습니다.

03 강화도 조약 체결과 문호의 개방
92~93쪽

핵심 Point! ❶ 통상 **❷** 강화도 조약 **❸** 미국
1 (1) × (2) ○ (3) × **2** 운요호 사건 **3** ⑤ **4** 『조선책략』

1 흥선 대원군이 물러나고 고종이 직접 나라를 다스리게 되면서 개화의 분위기가 만들어졌습니다.

? 왜 틀렸지?

(1) 조선은 일본과 최초의 근대적 조약을 맺었으며, (3) 조선이 다른 나라들과 맺었던 조약에는 불평등한 내용이 포함되어 있었습니다.

2 운요호 사건은 1875년 9월에 일본 군함인 운요호가 강화도에 침입해 조선군과 일본군이 충돌한 사건입니다. 일본은 이 사건을 구실로 조선에 군대를 보냈고, 조선 정부를 무력으로 압박해 강화도 조약을 맺었습니다.
3 제시된 내용은 강화도 조약의 일부분으로, 강화도 조약은 조선이 외국과 최초로 맺은 근대적 조약이었으나, 조선에 불평등한 조약이었습니다.
4 『조선책략』이 퍼지면서 미국과 수교해야 한다는 주장이 제기되었고, 일본과 러시아의 간섭을 견제하려는 청의 적극적인 알선으로 조선은 미국과 수교하게 되었습니다.

04 개화 정책과 위정척사 운동
94~95쪽

핵심 Point! ❶ 보빙사 **❷** 위정척사 **❸** 임오군란
1 별기군 **2** (1) ㉠ (2) ㉢ (3) ㉡ **3** 위정척사 운동 **4** ②

1 조선은 개화 정책을 총괄하는 기구를 설치하고, 신식 군대인 별기군을 창설하였습니다.

2 조선은 강화도 조약 이후 여러 나라에 외교 사절단을 파견하여 근대 문물과 제도를 시찰하게 하였습니다.

3 위정척사 운동을 전개한 이들은 흥선 대원군의 통상 수교 거부 정책을 지지하고, 강화도 조약의 체결을 반대하였으며, 정부의 개화 정책에 반발하였습니다.

4 임오군란을 진압하기 위해 흥선 대원군이 재집권하자 조선에서 세력을 확대하려고 기회를 노리고 있던 청이 흥선 대원군을 납치하고 봉기를 진압하였습니다.

05 갑신정변의 과정과 결과   96~97쪽

핵심 Point! ❶ 온건   ❷ 갑신정변   ❸ 청
1 급진 개화파   2 ⓒ → ② → ⓛ → ⊙   3 ④   4 (1) ○

1 청의 내정 간섭이 심해지면서 개화 정책이 늦어지자 급진 개화파의 불만은 커져 갔습니다.

2 임오군란 이후 개화 방법을 두고 급진 개화파와 온건 개화파로 나뉘었으며, 급진 개화파는 청이 군대 일부를 조선에서 철수시킨 틈을 타 정변을 일으키고 개혁안을 발표했으나 실패로 끝났습니다.

3 급진 개화파인 김옥균은 갑신정변을 일으켰으나 실패했고, 이후 일본으로 망명하였습니다.

4 갑신정변의 개혁안은 이후 갑오개혁에 반영되는 등 근대 개혁 운동에 많은 영향을 주었습니다.

❓ 왜 틀렸지?

(2) 갑신정변은 일본에 의존하여 급진적으로 정권을 장악하려 했기 때문에 백성의 지지를 얻지 못했다는 한계가 있습니다.

06 새로운 세상을 꿈꾼 동학 농민 운동   98~99쪽

핵심 Point! ❶ 동학   ❷ 전봉준   ❸ 전주 화약
1 동학   2 ①   3 ⊙, ②   4 집강소

1 동학이 확산되자 정부는 동학의 창시자인 최제우를 처형하였고, 동학 세력은 동학에 대한 탄압을 중지할 것을 요구하는 운동을 벌여 나갔습니다.

2 청과 일본이 군대를 보내며 개입하자 동학 농민군은 정부와 화약을 맺고 휴전하였습니다.

3 동학 농민군은 전운소를 없애고, 백성을 잡역에 동원하는 일을 줄일 것을 개혁안에 제시했습니다.

4 동학 농민군은 외세의 개입을 막기 위해 정부와 화약을 맺고 휴전하였으며, 집강소를 설치하고 자신들이 제시한 개혁안을 실천하기 위해 노력하였습니다.

07 다시 봉기한 동학 농민군   100~101쪽

핵심 Point! ❶ 경복궁   ❷ 우금치   ❸ 자주적
1 청일 전쟁   2 ② → ⊙ → ⓛ → ⓒ   3 ④   4 우금치 전투

1 조선의 철수 요구에 따라 청은 일본에 공동으로 군대를 철수하자고 했지만, 일본은 조선 정부의 철수 요구를 무시하고 경복궁을 점령했으며, 이어 청군을 기습 공격하여 청일 전쟁을 일으켰습니다.

2 일본의 경복궁 점령 → 청일 전쟁 → 우금치 전투 → 전봉준 체포의 순으로 일어났습니다.

3 제2차 동학 농민 운동은 일본이 조선의 내정을 간섭하고, 한반도에서 청일 전쟁을 벌인 것에 반발하여 일본을 몰아내기 위해 일어났습니다.

4 우금치 전투는 동학 농민군이 벌인 전투 가운데 최대 규모였으며 농민군이 크게 패배하여 동학 농민 운동이 실패한 결정적 계기가 되었습니다.

08 근대 국가를 향한 갑오개혁   102~103쪽

핵심 Point! ❶ 김홍집   ❷ 군국기무처   ❸ 홍범 14조
1 ④   2 ⊙, ⓛ   3 (2) ○   4 홍범 14조

1 김홍집 내각은 군국기무처라는 관청을 설치하고 정치·경제·사회 전반에 걸친 개혁을 추진하였습니다.

2 제1차 갑오개혁을 통해 국왕의 권한을 제한하였으며, 세금을 돈으로 내도록 하였습니다.

3 제1차 갑오개혁은 일본이 청과의 전쟁으로 조선에 대한 간섭이 소홀하였던 덕분에 비교적 자주적으로 진행되었습니다.

4 제2차 갑오개혁은 일본의 개입이 컸으며, 일본은 고종으로 하여금 홍범 14조를 반포하게 하였습니다.

09 을미사변과 아관 파천   104~105쪽

핵심 Point! ❶ 삼국간섭   ❷ 을미사변   ❸ 단발령
1 러시아   2 ⓛ → ⓒ → ⊙ → ②   3 ②   4 아관 파천

1 삼국간섭 이후 조선 정부는 러시아의 힘을 깨닫고, 명성 황후를 중심으로 러시아를 이용해 일본의 간섭에서 벗어나야 한다고 주장하는 친러파가 등장하였습니다.

2 삼국 간섭 → 을미사변 → 을미개혁 → 아관 파천의 순으로 일어났습니다.

3 제시된 내용은 을미개혁에 대한 설명으로, 을미개혁은 단발령, 태양력의 사용, 종두법 시행 등의 내용을 담고 있습니다.

4 고종은 일본의 위협에서 벗어나기 위해 러시아 공사관으로 거처를 옮겼습니다.

눈으로 읽는 딱 1분 개념정리   106쪽

❶ 경복궁   ❷ 강화도 조약   ❸ 임오군란   ❹ 청
❺ 명성 황후

한국사 생각쓰기   107쪽

1 ⑩ 흥선 대원군의 통상 수교 거부 정책은 서양의 침략을 일시적으로 막아냈지만, 조선의 자주적 근대화가 늦어지는 결과를 낳았다는 한계가 있습니다.   **2** ⑩ 갑오개혁은 갑신정변과 동학 농민 운동의 요구가 일부 반영된 근대적 개혁이었습니다.

1 흥선 대원군은 전국 각지에 척화비를 세워 서양과의 통상 수교 거부 의지를 널리 알렸습니다.

생각쓰기 채점 기준

상	서양의 침략을 일시적으로 막아냈지만, 조선의 자주적 근대화가 늦어지는 결과를 낳았다는 한계가 있다는 내용을 쓴 경우
하	서양의 침략을 일시적으로 막아냈다는 의의와 조선의 자주적 근대화가 늦어지는 결과를 낳았다는 한계 중 한 가지만 쓴 경우

2 갑오개혁은 갑신정변과 동학 농민 운동 과정에서 나온 요구 사항들을 정부의 정책에 반영하는 것을 핵심으로 전개되었습니다.

생각쓰기 채점 기준

상	갑신정변과 동학 농민 운동의 요구가 일부 반영된 근대적 개혁이었다는 내용을 쓴 경우
하	갑신정변과 동학 농민 운동의 요구와 비슷한 개혁을 했다는 내용을 쓴 경우

---

10 『독립신문』 창간과 독립 협회의 활동   108~109쪽

핵심 Point! ❶ 서재필   ❷ 독립 협회   ❸ 만민 공동회

1 서재필   **2** 독립문   **3** 만민 공동회   **4** ③

1 갑신정변을 일으켰다가 미국으로 망명했던 서재필은 조선으로 돌아온 후 국민에게 자주 독립 의식과 근대 의식을 보급하기 위해 『독립신문』을 창간하였습니다.

2 독립 협회는 청의 사신을 맞이하던 영은문을 헐고 독립문을 세워 조선이 자주독립 국가임을 널리 알리고자 하였습니다.

3 만민 공동회는 이후 정부 관료까지 참석하는 관민 공동회로 확대되었습니다.

4 헌의 6조의 내용이 탐탁지 않았던 고종은 독립 협회의 해산을 명령하였습니다.

> **❗ 지문에서 힌트 찾기**
>
> "당시 대한 제국을 선포하고 황제가 된 고종은 자신의 권한이 줄어드는 헌의 6조의 내용이 탐탁지 않았습니다."

---

11 대한 제국과 광무개혁   110~111쪽

핵심 Point! ❶ 대한 제국   ❷ 광무개혁   ❸ 지계

1 ㉠ 대한 제국, ㉡ 광무   **2** 대한국 국제   **3** ㉠, ㉡, ㉢
4 ⑴ ○

1 고종은 러시아와 일본의 간섭이 상대적으로 약해진 상황에서 나라의 위신을 높이고자 노력했습니다.

2 고종은 '대한국 국제'를 반포하여 황제가 모든 분야의 권한을 갖도록 했습니다.

3 광무개혁은 '옛 제도를 근본으로 삼고, 새로운 제도를 참고한다.'라는 구본신참의 원칙에 따라 추진되었습니다.

4 광무개혁은 자주적인 근대 국가를 이루기 위해 노력했다는 의의가 있습니다.

---

12 을사늑약과 국권 피탈 과정   112~113쪽

핵심 Point! ❶ 한일 의정서   ❷ 을사늑약   ❸ 퇴위

1 ㉡ → ㉢ → ㉠   **2** 한일 의정서   **3** ③   **4** ②

1 러일 전쟁 중에 일본은 대한 제국에 한일 의정서와 제1차 한일 협약을 강요하였고, 러일 전쟁에서 승리한 일본은 대한 제국에 을사늑약 체결을 강요했습니다.

2 대한 제국은 중립을 선언하였지만 일본은 이를 무시하고 한일 의정서 체결을 강요하였습니다.

3 을사늑약은 일본이 대한 제국의 외교권을 빼앗기 위해 강제로 체결한 조약입니다.

4 일본은 헤이그 특사 파견을 구실로 고종을 강제로 퇴위시켰습니다.

13 일제의 독도 침탈과 간도 협약   114~115쪽

핵심 Point! ❶ 독도   ❷ 러일 전쟁   ❸ 간도

1 안용복   2 독도   3 ㉢   4 ⑤

1 옛날부터 우리나라 사람들은 독도를 우리 영토로 인식하여 지키려고 노력해 왔습니다.

2 일본은 러일 전쟁 중에 독도를 주인 없는 땅이라고 하며 일본의 영토로 몰래 편입하였습니다.

3 독도는 삼국 시대 신라가 우산국을 정복한 이후 줄곧 우리의 영토였으며, 대한 제국은 칙령 제41호를 통해 독도가 우리의 영토임을 확실히 하였기 때문에 일본의 주장은 틀린 것입니다.

4 대한 제국의 외교권을 빼앗은 일본은 청으로부터 만주의 철도 부설권을 얻는 대신 간도를 넘겼습니다.

14 항일 의병 운동   116~117쪽

핵심 Point! ❶ 단발령   ❷ 평민   ❸ 서울 진공 작전

1 ⓔ 을미사변, 단발령   2 신돌석   3 ㉢, ㉣   4 ④

1 위정척사를 주장한 유생들은 을미사변과 단발령을 계기로 의병을 일으켰는데, 이를 을미의병이라고 합니다.

2 신돌석은 '태백산 호랑이'라 불릴 정도로 뛰어난 유격 전술을 바탕으로 3천 명이 넘는 의병들을 지휘 아래 두고 여러 전투에서 일본군에게 승리를 거두었습니다.

3 고종의 강제 퇴위와 군대 해산을 계기로 전개된 의병 운동을 정미의병이라고 합니다.

4 서울 진공 작전이 실패한 이후에도 의병 전쟁은 계속되었습니다.

15 항일 의거 활동   118~119쪽

핵심 Point! ❶ 을사오적   ❷ 안중근   ❸ 이완용

1 장지연   2 ③   3 ③   4 ④

1 을사늑약이 체결되자 이에 반대하는 저항 운동이 각계각층에서 일어났습니다.

2 나철과 오기호 등은 을사오적을 처단하기 위한 암살단을 조직하여 이완용 등을 처단하려는 시도를 하였으나 실패하였습니다.

3 전명운과 장인환은 일제의 한국 침략이 정당하다고 주장하던 일본의 외교 고문 스티븐스를 저격하였고, 스티븐스는 사망하였습니다.

4 안중근은 법정에서 자신은 '대한의군의 참모 중장으로서 독립 전쟁의 일환으로 이토를 죽였기 때문에 형사범이 아니라 전쟁 포로로 대우해 줄 것'을 당당하게 요구하였습니다.

16 애국 계몽 운동과 국채 보상 운동   120~121쪽

핵심 Point! ❶ 애국 계몽 운동   ❷ 보안회   ❸ 국채 보상 운동

1 애국 계몽 운동   2 ②   3 ㉡, ㉣   4 국채 보상 운동

1 개화 지식인들은 교육을 통해 백성들을 깨우쳐 근대 국가에 맞는 국민으로 만들고, 산업을 발전시켜 경제력을 키워 국권을 지켜야 한다고 생각하였습니다.

2 황무지 개간권에 반대한 것은 보안회, 입헌 군주제를 주장한 것은 헌정 연구회, 고종의 강제 퇴위 반대 운동을 전개한 것은 대한자강회입니다.

3 신민회는 통감부가 애국 계몽 운동을 심하게 탄압하자 안창호, 양기탁 등이 조직한 비밀 단체입니다.

> **? 왜 틀렸지?**
> ㉠은 대한 자강회가 한 일이고, ㉢ 송수만과 심상진은 보안회를 조직했습니다.

4 국채 보상 운동 당시 남자는 술과 담배를 끊고, 여자는 비녀와 반지를 성금으로 내기도 했습니다.

17 신문물의 수용과 근대 의식의 성장   122~123쪽

핵심 Point! ❶ 전차   ❷ 양복   ❸ 신분제

1 전차   2 ④   3 ②   4 『대한매일신보』

1 한성에 전기 시설이 갖추어지면서 전차가 운행되기 시작하였습니다.

2 개항 이후 양복을 입기 시작하면서 신분에 따른 의복 차이가 점차 사라졌습니다.

3 4부 학당은 조선 시대 한양에 있었던 중등 교육 기관입니다.

4 『독립신문』과 『대한매일신보』 등의 신문은 사람들에게 새로운 생각과 의식을 전달하는 역할을 하였습니다.

눈으로 읽는 딱 1분 개념정리   124쪽

❶ 대한 제국   ❷ 을사늑약   ❸ 단발령   ❹ 안중근
❺ 국채 보상 운동

125쪽

1 예 떨어진 나라의 위신을 높이고 자주독립 국가로 나아가기 위해서입니다.   **2 예** 신분에 따른 의복 차이가 점차 사라졌어요.

1 고종은 환구단에서 황제 즉위식을 거행하여 대한 제국 수립을 선포하였습니다.

생각쓰기 채점 기준	
상	떨어진 나라의 위신을 높이고 자주독립 국가로 나아가기 위해서라는 내용을 쓴 경우
하	다른 나라에 보여 주기 위해서라는 내용을 쓴 경우

2 개항 이후 사람들의 생각도 변하기 시작했습니다.

생각쓰기 채점 기준	
상	신분에 따른 의복 차이가 점차 사라졌다는 내용을 쓴 경우
하	사람들이 비슷한 옷을 입게 되었다는 내용을 쓴 경우

4 민족 운동의 전개와 대한민국의 발전

01 일제의 무단 통치와 토지 조사 사업   130~131쪽

핵심 Point! ❶ 조선 총독부   ❷ 무단 통치   ❸ 토지 조사 사업
1 조선 총독부   **2** ㉡, ㉣   **3** ④   **4** 회사령

1 조선 총독부는 일제 강점기에 일제가 한국을 통치하기 위해 설치한 최고의 식민 통치 기구입니다.
2 일제는 헌병 경찰을 앞세워 강압적으로 한국인을 통치하였습니다.

🤔 왜 틀렸지?

일제는 ㉠ 한국인에게 일본어를 국어로 가르쳤고, ㉢ 한국의 언론의 자유를 빼앗아 여러 애국 신문을 없앴습니다.

3 토지 조사 사업의 결과 조선 총독부는 토지에서 세금을 많이 걷게 되었습니다.
4 회사령은 일제가 조선의 경제를 통제하여 식민 지배를 강화하려는 뜻으로 추진한 정책이었습니다.

02 1910년대 국내외 민족 운동   132~133쪽

핵심 Point! ❶ 독립 의군부   ❷ 경학사   ❸ 대한 광복군 정부
1 예 만주, 연해주   **2** ②   **3** ㉠, ㉡   **4** 대한 광복군 정부

1 국권을 빼앗긴 후 나라 안에서는 일제의 탄압이 심해져 독립운동이 어려워졌고, 많은 민족 지도자들은 나라 밖으로 이동해 독립운동을 전개하였습니다.
2 독립 의군부는 의병장 출신 임병찬이 전국 곳곳의 의병장과 유생을 모아 조직하고 전국적인 봉기를 준비하였으나 사전에 발각되어 실패하였습니다.
3 권업회는 연해주 지역에 조직된 독립운동 단체이고, 경학사는 만주 삼원보 지역에 만들어진 독립운동 단체입니다.

⚠ 지문에서 힌트 찾기

"1910년대 국내에서 활동한 항일 비밀 단체로는 독립 의군부와 대한 광복회가 있습니다."

4 대한 광복군 정부는 1914년 러시아 블라디보스토크에서 권업회를 이끈 이상설 등이 중심이 되어 조직한 정부입니다.

03 3·1 운동의 전개와 의의   134~135쪽

핵심 Point! ❶ 민족 자결주의   ❷ 2·8 독립 선언   ❸ 대한민국 임시 정부
1 민족 자결주의   **2** 2·8 독립 선언   **3** 3·1 운동   **4** ②

1 민족 자결주의는 패전국 식민지에만 적용되어 승전국인 일본의 식민지였던 한국에는 해당되지 않았습니다.
2 2·8 독립 선언은 곧장 국내의 민족 지도자·학생들에게 알려져 3·1 운동을 일으키는 계기가 되었습니다.
3 3·1 운동을 시작으로 만세 운동은 서울 및 전국의 대도시에서 중소 도시로, 중소 도시에서 농촌으로 퍼져 나갔습니다.
4 3·1 운동은 전 민족이 참여한 역사상 최대 규모의 독립운동이었습니다.

04 대한민국 임시 정부의 수립   136~137쪽

핵심 Point! ❶ 대한민국 임시 정부   ❷ 민주 공화정   ❸ 연통제
1 ㉠ 대한 국민 의회, ㉡ 대한민국 임시 정부, ㉢ 한성 정부   **2** ⑤   **3** (1) ㉡ (2) ㉠ (3) ㉢   **4** ④, ⑤

1 여러 지역에 세워진 각 임시 정부의 지도자들은 더 강력한 힘을 위해 임시 정부들을 하나로 통합하여 중국 상하이에 대한민국 임시 정부를 수립했습니다.
2 대한민국 임시 정부는 민주 공화정 체제를 갖추고 이승만을 임시 대통령으로 선출하였습니다.

3 대한민국 임시 정부는 독립운동 자금을 안정적으로 확보하고, 나라 안팎의 원활한 연락망을 만들기 위해 노력했습니다.

4 대한민국 임시 정부는 파리 강화 회의 등 국제 회의에 대표를 보내 한국 독립의 정당성을 알리는 한편, 미국에는 구미 위원회를 두고 외교 활동을 전개하였습니다.

---

05 일제의 문화 통치와 산미 증식 계획 138~139쪽

핵심 Point! ❶ 문화 통치 ❷ 보통 경찰제 ❸ 산미 증식 계획

1 문화 통치 **2** ㉠ 보통 경찰제, ㉡ 치안 유지법 **3** 산미 증식 계획 **4** ㉢, ㉣

---

1 일제는 문화 통치를 통해 분노한 백성들을 안정시키고 잘해 주는 것처럼 눈속임을 하려고 했습니다.

2 일제는 경찰 관서와 경찰 인원 수를 3배 이상 늘리고 치안 유지법을 만들어 한국인에 대한 감시와 탄압을 강화하였습니다.

3 일본에서는 급속한 공업화로 노동자가 늘고 농민이 줄어 쌀이 부족해지는 문제가 생겼고, 이를 해결하기 위해 한국의 쌀 생산량을 늘리는 산미 증식 계획을 실시했습니다.

4 산미 증식 계획으로 쌀 생산량은 늘었지만 일제가 늘어난 양보다 더 많은 양을 일본으로 가져가 한국인의 식량 사정이 나빠졌습니다.

---

06 봉오동 전투와 청산리 전투 140~141쪽

핵심 Point! ❶ 봉오동 ❷ 청산리 ❸ 간도 참변

1 홍범도 **2** 간도 참변 **3** ④ **4** ㉠ 참의부, ㉡ 신민부

---

1 의병 출신인 홍범도는 일제 강점기 대한 독립군의 총사령관으로 봉오동 전투를 승리로 이끌었습니다.

2 일본군은 독립군 대신 간도 지역에 살고 있던 무고한 우리 민족을 잔인하게 죽였습니다.

3 봉오동 전투와 청산리 전투에서 크게 패한 일본군이 간도 참변을 일으켰으며, 독립군이 일본군을 피해 러시아의 자유시로 이동하면서 자유시 참변이 일어났습니다.

4 참의부, 정의부, 신민부를 3부라고 하며, 3부는 만주에 거주하는 한국인들의 생명과 재산을 지키면서 무장 투쟁을 이어간 군정부의 성격을 지녔습니다.

---

07 실력 양성 운동과 다양한 사회 운동 142~143쪽

핵심 Point! ❶ 실력 양성 운동 ❷ 물산 장려 운동 ❸ 소작 쟁의

1 물산 장려 운동 **2** 자치 운동 **3** ⑤ **4** ①

---

1 물산 장려 운동은 한국인의 산업을 보호하고 민족 자본을 기르기 위해 '내 살림 내 것으로'라는 구호를 내걸고 국산품 애용, 소비 절약 등을 강조하였습니다.

2 타협적 민족주의자들은 조선의 독립은 아직 이르다고 주장하면서 독립운동 대신 일제 지배 하에서의 자치 운동을, 정치 운동 대신 문화 운동과 실력 양성 운동을 전개해야 한다고 주장했습니다.

3 경제와 교육, 문화 방면의 힘을 키워 독립을 준비하고자 한 것을 실력 양성 운동이라고 합니다.

4 평등한 대우를 요구하며 백정 출신들이 벌인 사회 운동을 형평 운동이라고 합니다.

---

08 민족 유일당 운동과 신간회 144~145쪽

핵심 Point! ❶ 신간회 ❷ 근우회 ❸ 광주 학생 항일 운동

1 민족 유일당 운동 **2** ④ **3** 신간회 **4** 광주 학생 항일 운동

---

1 1920년대 민족 운동은 크게 민족주의 세력과 사회주의 세력으로 나뉘어 전개되었는데, 이들은 이념과 사상은 달랐지만 독립에 대한 열망은 같았습니다.

2 6·10 만세 운동은 일제의 탄압으로 널리 확산되지는 못하였으나 민족주의 세력과 사회주의 세력이 서로 연대함으로써 민족 유일당을 결성할 수 있는 계기가 마련되었습니다.

3 신간회는 전국적으로 지부를 만들어 각지에서 민족의식과 항일 의식을 심어 주는 강연회를 열어 일제의 식민 통치를 비판하였습니다.

4 광주 학생 항일 운동은 전국적으로 확산되어 이듬해 봄까지 모두 194개 학교에서 5만 4천여 명의 학생이 시위에 참가하였습니다.

---

09 일제의 민족 말살 통치와 전쟁 동원 146~147쪽

핵심 Point! ❶ 침략 전쟁 ❷ 민족 말살 통치 ❸ 병참 기지화 정책

1 민족 말살 통치 **2** ⑤ **3** 병참 기지화 정책 **4** 위안부

---

1 일제는 어려워진 경제 상황을 전쟁을 통해 극복하려 했고, 전쟁에 한국인을 쉽게 동원하기 위해 민족 말살 통치를 실시하였습니다.

2 제시된 포스터는 일본과 조선은 한 몸이라는 뜻으로 일본인이 조선인의 정신을 말살하기 위해 만든 내선일체를 홍보하는 포스터입니다.

3 병참 기지화 정책으로 북부 지방에 공장이 치우쳐 광복후 남한 지역이 어려워졌습니다.

4 일제는 청년들을 군대에 동원했을 뿐만 아니라 여성들을 일본군 위안부로 끌고 가 고통을 주었습니다.

10 의열단과 한인 애국단 148~149쪽

핵심 Point! ❶ 의열 ❷ 의열단 ❸ 한인 애국단
1 김원봉 2 한인 애국단 3 ② 4 ㉣

1 김원봉이 조직한 의열단은 1920년 부산 경찰서를 시작으로 조선 총독부, 종로 경찰서, 도쿄의 일본 왕궁, 동양 척식 주식회사 등에 폭탄을 던지는 활발한 투쟁을 펼쳐나갔습니다.

2 1920년대 중반 이후 대한민국 임시 정부는 일제의 탄압으로 나라 안팎의 지원이 끊기면서 활동이 침체되었고, 이러한 상황을 극복하고자 김구가 한인 애국단을 조직하였습니다.

3 일본에서 일본인과의 차별을 겪은 후 한인 애국단에 가입한 이봉창은 도쿄에서 일왕이 타고 가는 마차를 향해 폭탄을 던졌습니다.

4 윤봉길의 활약은 대한민국 임시 정부가 중국 국민당의 지원을 받는 계기가 되었습니다.

11 1930년대 이후 항일 무장 투쟁 150~151쪽

핵심 Point! ❶ 민족 혁명당 ❷ 조선 의용대 ❸ 한국 광복군
1 (1) ㉢ (2) ㉡ (3) ㉠ 2 ㉡, ㉣ 3 한국 광복군 4 국내 진공 작전

1 한국 독립군은 북만주에서 지청천이 이끈 독립군 부대, 조선 혁명군은 남만주에서 양세봉이 이끈 독립군 부대, 조선 의용대는 김원봉이 중국 국민당의 지원을 받아 조직한 군사 조직입니다.

2 민족 혁명당의 김원봉은 중국 국민당의 지원을 받아 조선 의용대를 만들었습니다.

3 대한민국 임시 정부는 일제의 탄압을 피해 충칭에 정착한 후 지청천을 사령관으로 하는 한국 광복군을 창설하였습니다.

4 국내 진공 작전은 대한민국 임시 정부가 미국의 도움을 받아 수도 서울을 탈환하려고 했던 작전입니다.

12 민족 문화 수호 운동 152~153쪽

핵심 Point! ❶ 역사 ❷ 조선어 학회 ❸ 천도교
1 신채호 2 ㉠, ㉣ 3 ② 4 천도교

1 신채호는 일제 강점기의 독립운동가이자 역사가·언론인으로, 『황성신문』, 『대한매일신보』 등에서 활약하며 민족 영웅전과 역사 논문을 발표하여 민족의식 고취에 힘썼습니다.

2 조선어 학회는 우리말 『큰사전』을 편찬하기 위해 노력하였으나 일제의 탄압으로 단체가 해산되면서 편찬 중이던 국어사전 원고의 상당 부분이 없어졌습니다.

3 백남운은 한국사가 세계 여러 나라와 같은 역사 발전 과정을 거쳐 왔다고 주장했습니다.

? 왜 틀렸지?
② '가갸날(한글날)'을 제정한 것은 조선어 연구회입니다.

4 천도교는 활발한 청년·여성·청소년 운동을 전개하는 한편, 『개벽』, 『신여성』 등의 잡지를 간행하여 평등사상과 민족의식을 높였습니다.

눈으로 읽는 딱 1분 개념정리 154쪽

❶ 3·1 운동 ❷ 산미 증식 계획 ❸ 홍범도 ❹ 한인 애국단 ❺ 한국 광복군

한국사 생각쓰기 155쪽

1 ⑩ 한국의 쌀 생산량은 늘었지만 일제가 늘어난 양보다 더 많은 양을 일본으로 가져갔기 때문입니다. 2 ⑩ 한국인의 민족의식을 없애 불만을 잠재우고, 한국인을 침략 전쟁에 쉽게 동원하기 위해서입니다.

1 일제는 산미 증식 계획에 따른 비용도 한국 농민들이 부담하게 하였습니다.

생각쓰기 채점 기준	
상	일제가 늘어난 쌀의 양보다 더 많은 양을 일본으로 가져갔기 때문이라는 내용을 쓴 경우
중	일제가 쌀을 많이 가져갔기 때문이라는 내용을 쓴 경우

2 일제는 한국인을 일본 국왕에게 충성하는 백성으로 만들기 위해 황국 신민화 정책을 실시했습니다.

생각쓰기	채점 기준
상	한국인의 민족의식을 없애 불만을 잠재우고, 한국인을 침략 전쟁에 쉽게 동원하기 위해서라는 내용을 모두 쓴 경우
중	한국인의 민족의식을 없애 불만을 잠재운다거나, 한국인을 침략 전쟁에 쉽게 동원하기 위해서라는 내용 중 한 가지만 쓴 경우
하	한국인을 일본인으로 만들기 위해서라는 내용을 쓴 경우

---

13 광복과 미소 군정   156~157쪽

핵심 Point! ❶ 조선 건국 준비 위원회   ❷ 군정   ❸ 분단선

1 조선 건국 준비 위원회   **2** 김구   **3** ㉠ 소련, ㉡ 미국
4 (1) ㉡   (2) ㉠

1 조선 건국 준비 위원회는 광복과 함께 만들어진 최초의 건국 준비 단체입니다.

2 이승만은 독립 촉성 중앙 협의회를 만들어 활동하였습니다.

3 광복 이후 한반도는 소련과 미국에 의해 둘로 나뉘게 되었습니다.

4 38도선을 경계로 북쪽은 소련군이 간접 통치하면서 사회주의 세력이 정권을 장악하도록 했습니다.

---

14 통일 정부 수립을 위한 노력과 분단   158~159쪽

핵심 Point! ❶ 소련   ❷ 제헌 국회   ❸ 김일성

1 미국, 영국, 소련   **2** 미소 공동 위원회   **3** ①, ③   **4** ㉢ → ㉠ → ㉡ → ㉣

1 모스크바 3국 외상 회의에서 신탁 통치가 결정되자 국내에서는 신탁 통치 반대 세력과 신탁 통치 찬성 세력이 대립하였습니다.

2 미소 공동 위원회는 두 번 열렸으나 성과 없이 끝났고 미국은 한반도 문제를 국제 연합에 넘겼습니다.

3 남한만의 총선거가 결정되자 김구와 김규식은 이에 반대하여 북측 지도자와 통일 정부 수립을 위한 남북 협상을 벌였으나 성과를 거두진 못하였습니다.

4 모스크바 3국 외상 회의에서 신탁 통치가 결정되었고, 5·10 총선거가 치러진 후 대한민국 정부가 수립되었으며, 이후 북한에서는 조선 민주주의 인민 공화국이 수립되었습니다.

---

15 6·25 전쟁의 과정과 영향   160~161쪽

핵심 Point! ❶ 6·25 전쟁   ❷ 인천 상륙 작전   ❸ 이산가족

1 6·25 전쟁   **2** ㉢ → ㉡ → ㉣ → ㉠   **3** ②   **4** ⑤

1 김일성은 비밀리에 소련과 중국의 지원을 받아 전쟁을 준비하고 있었고, 남한은 무방비 상태였습니다.

2 북한이 3일 만에 서울을 점령하자 국군과 유엔군은 인천 상륙 작전을 펼쳐 압록강까지 진격하였으나 중국군이 참전하면서 서울을 다시 빼앗겼습니다.

3 북한군의 참전으로 압록강까지 진격하였던 국군과 유엔군이 후퇴한 것을 나타낸 지도입니다.

4 6·25 전쟁으로 약 500만 명에 이르는 사상자가 발생하여 인구가 크게 줄었습니다.

---

16 이승만 정부와 4·19 혁명   162~163쪽

핵심 Point! ❶ 직선제   ❷ 부정 선거   ❸ 4·19 혁명

1 간접 선거   **2** 사사오입   **3** ⑤   **4** ②

1 이승만 정부를 비판하는 무소속 후보들이 많이 당선되자 이승만은 국회에서의 간접 선거 방식으로는 대통령 당선이 어렵겠다고 생각하고 개헌을 했습니다.

2 찬성 한 명이 부족하여 개헌안이 부결되었으나 사사오입을 적용하여 개헌안을 통과시켰습니다.

3 고령인 이승만의 건강이 악화되면 부통령에게 권력이 넘어가게 되는데 이를 염려한 자유당이 이기붕을 부통령에 당선시키기 위해 부정 선거를 저질렀습니다.

4 전국 각지에서 시위가 벌어지고 대학 교수들까지 시위에 참여하자 이승만은 대통령의 자리에서 물러나 미국으로 망명하였습니다.

---

17 5·16 군사 정변과 박정희 정부   164~165쪽

핵심 Point! ❶ 장면 내각   ❷ 박정희   ❸ 유신

1 장면   **2** 5·16 군사 정변   **3** ㉢, ㉣   **4** ⑤

1 장면 내각은 독재 정치를 청산하기 위한 법을 제정하였지만 각계각층의 다양한 요구를 제대로 수용하지 못했습니다.

2 박정희는 5·16 군사 정변으로 정권을 장악하고 대통령 중심제를 핵심으로 하는 개헌을 단행하였습니다.

3 박정희 정부의 이러한 정책은 나라에 경제적 이익이 되었지만 많은 우리나라 젊은이들이 희생되었습니다.

4 3선 개헌은 대통령을 세 번 연임할 수 있도록 하는 내용이고, 유신 헌법은 대통령을 할 수 있는 횟수를 제한하지 않는다는 내용입니다.

18 신군부의 등장과 5·18 민주화 운동 166~167쪽

핵심 Point! ❶ 전두환 ❷ 민주화 ❸ 7

1 ① **2** 5·18 민주화 운동 **3** 전두환 **4** ①

1 박정희에 이어 다시 등장한 정치 군인들을 신군부라고 합니다.
2 5·18 민주화 운동 당시 계엄군은 탱크와 헬기까지 동원하여 광주 시민들을 무자비하게 진압하였습니다.
3 전두환은 대통령에 당선된 이후 다시 헌법을 고쳐 간접 선거를 통해 7년 단임의 대통령에 당선되었습니다.
4 5·18 민주화 운동은 신군부에 맞서 시민들이 시위를 벌인 일입니다.

⚡ 왜 틀렸지?
① 우리나라 최초의 민주주의 혁명은 4·19 혁명입니다.

19 국민의 승리, 6월 민주 항쟁 168~169쪽

핵심 Point! ❶ 해외여행 ❷ 호헌 ❸ 직선제

1 ㉠, ㉢, ㉣ **2** 6월 민주 항쟁 **3** ② **4** ㉠ → ㉣ → ㉢ → ㉡

1 경제 개발 5개년 계획을 처음 추진한 것은 박정희 정부입니다.
2 시위 도중 이한열이 경찰이 쏜 최루탄을 맞아 쓰러지는 사건이 발생하자 수많은 시민들이 거리로 쏟아졌습니다.
3 6·29 민주화 선언에 따라 5년 단임의 대통령 직선제의 내용을 포함한 헌법 개정이 이루어졌습니다.
4 ㉠ 4·19 혁명(1960년) → ㉣ 부마 민주 항쟁(1979년) → ㉢ 5·18 민주화 운동(1980년) → ㉡ 6월 민주 항쟁(1987년)의 순으로 일어났습니다.

20 우리나라의 경제 성장 170~171쪽

핵심 Point! ❶ 삼백 산업 ❷ 경제 개발 5개년 계획 ❸ 첨단 산업

1 삼백 산업 **2** ㉠ 경공업, ㉡ 중화학 공업 **3** ③ **4** (2) ○

1 모두 흰색이라 삼백 산업이라 불렸습니다.

2 우리나라 경제는 경제 개발 5개년 계획을 추진하면서 본격적으로 발전하기 시작하였습니다.
3 1997년에 우리나라는 외환 위기를 겪었습니다.
4 2000년대 들어와서 한국 경제는 정보 기술·전자 산업 등 첨단 산업을 중심으로 성장하였습니다.

21 남북 평화 통일을 위한 노력 172~173쪽

핵심 Point! ❶ 이산가족 ❷ 남북 기본 합의서 ❸ 남북 정상 회담

1 7·4 남북 공동 성명 **2** ㉡, ㉣ **3** ③ **4** 김대중

1 1972년에 7·4 남북 성명이 발표되었습니다.
2 ㉠ 경의선 철길 복구와 ㉢ 남북 올림픽 공동 입장은 2000년대 이후 이루어진 일입니다.
3 1990년대 노태우 정부 시기에 남북한이 국제 연합에 동시 가입하였고, 남북 기본 합의서를 체결하였습니다.
4 남북 관계는 김대중 정부에 들어서 크게 변화하였습니다.

👁 눈으로 읽는 딱 1분 개념정리 174쪽

❶ 신탁 통치 ❷ 5·10 총선거 ❸ 6·25 전쟁 ❹ 이승만 ❺ 직선제

한국사 생각쓰기 175쪽

1 예 많은 사람이 다치거나 죽고 전쟁고아와 이산가족이 생겨났습니다. 많은 건물과 산업 시설이 파괴되는 등 국토가 황폐화되었습니다. **2** 예 국민의 자유와 권리를 보호하고 민주주의를 실현하기 위해 국민들이 노력한 일입니다.

1 6·25 전쟁으로 사상자가 500만 명에 이르렀으며, 전 국토가 황폐화되었습니다.

생각쓰기 채점 기준	
상	많은 사람이 다치거나 죽고 전쟁고아와 이산가족이 생겼고, 국토가 황폐화되었다는 내용을 모두 쓴 경우
하	많은 사람이 다치거나 죽고 전쟁고아와 이산가족이 생겼다거나, 국토가 황폐화되었다는 내용 중 한 가지만 쓴 경우

2 제시된 사건들은 민주주의를 실현하기 위한 국민들의 노력입니다.

생각쓰기 채점 기준	
상	국민의 자유와 권리를 보호하고 민주주의를 실현하기 위해 국민들이 노력한 일이라는 내용을 쓴 경우
중	국민이 독재 정치에 맞서 싸운 일이라는 내용을 쓴 경우

초고필
지금
한국사
를 해야 할 때 **2권**

부록

한국사능력검정시험
기본(4·5·6급) 대비

10일 완성
워크북

조선 ~ 대한민국

동아출판

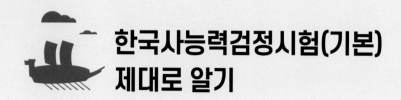

한국사능력검정시험(기본) 제대로 알기

○ 한국사능력검정시험(기본) 정보

• 한국사능력검정시험(기본)은 한국사 기본 과정으로 기초적인 역사 상식을 바탕으로 한국사 필수 지식과 기본적인 흐름을 이해하는 능력을 평가합니다.

• 응시 대상은 한국사에 관심이 있는 누구나 가능합니다.

• 문항 출제 유형은 선택형(객관식)이며, 문항 수는 기본 기준 총 50문항입니다.

○ 한국사능력검정시험(기본) 응시 안내

시험 접수 방법	• 한국사능력검정시험 홈페이지(http://www.historyexam.go.kr)에서 시험 일정 확인 후 정해진 접수 기간에 실시합니다.
시험 응시 준비물	• 수험표, 신분증, 컴퓨터용 수성사인펜, 수정테이프(수정액) 등
수험표 출력 방법	• 한국사능력검정시험 홈페이지(www.historyexam.go.kr)에서 수험표를 출력하면 됩니다. • 수험표에는 본인 여부를 명확히 판단할 수 있는 증명사진이 있어야 하며, 본인 식별이 불가능할 경우 응시가 불가합니다.
시험 접수 유의 사항	• 원서 접수를 신청할 때에는 회원 가입 시 등록한 정보에서 변경된 사항은 없는지 확인합니다. • 올바른 사진 등록, 시험 급수 선택, 장애 여부 체크, 시험장 선택, 응시 동기/응시 목적 체크 완료 후, 시험 접수가 제대로 되었는지 확인합니다.

○ 시험 시간

10:00 ~ 10:10	10분	오리엔테이션(시험 시 주의 사항)
10:10 ~ 10:15	5분	신분증 확인(감독관)
10:15 ~ 10:20	5분	문제지 배부 및 파본 검사
10:20 ~ 11:30	70분	시험 실시(50문항)

○ 시험 인정 등급

기본	4급	80점 이상	100점 만점으로 기본은 문항에 따라 1점~3점 등 차등 배정되어 있습니다.
	5급	70점~79점	
	6급	60점~69점	

부록

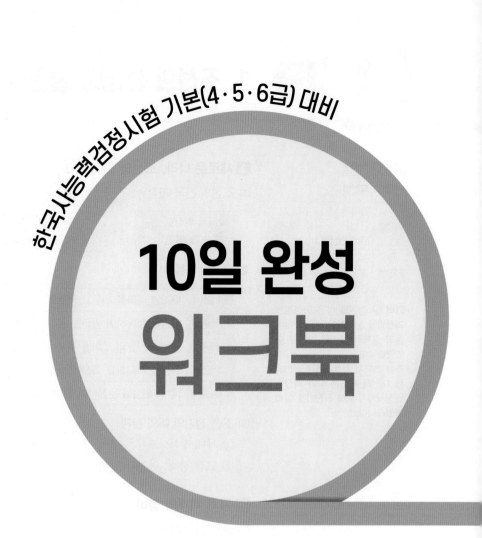

한국사능력검정시험 기본(4·5·6급) 대비

10일 완성 워크북

| 조선 ~ 대한민국 |

한국사능력검정시험 10일 완성 스케줄

1. 조선의 성립과 발전

핵심 개념 강의

1 새로운 나라, 조선의 건국

(1) 조선의 건국 과정

┌ 고려 우왕과 최영을 제거하고 권력을 잡았어요.
┌ 신진 사대부 세력과 이성계가 새로운 나라를 세웠어요.

이성계 위화도 회군 (1388년)	→	과전법 실시✔ (1391년)	→	조선 건국 (1392년)	→	한양 천도 (1394년)

(2) 국가의 기틀 마련

태조	1392년 나라를 세우고 국호를 '조선'이라고 하였으며, 한양으로 천도함(1394년).
태종	사병을 철폐하여 왕권을 강화하고, 호패법을 실시하여 나라의 재정을 확보하고자 함.
세종	왕권과 신권의 조화를 추구하고 집현전을 설치하여 학문을 연구하고 과학을 발전시킴.
세조	경연을 폐지하고 직전법을 실시하여 왕권을 강화하고 국가 재정을 안정시킴.
성종	『경국대전』을 완성하여 유교 중심의 통치 체제를 마련함.

(3) 조선 전기의 대외 관계
  ① 사대 정책: 조선은 명에 사신을 파견하거나 공물을 바치고, 명과 친선 관계를 가짐.
  ② 교린 정책: 여진과 일본에 강경책과 회유책을 실시함. → 평소 자유롭게 교류하다 갈등이 생기면 군사를 동원해 무력을 사용했어요. 예 이종무 쓰시마 섬 정벌

2 통치 체제의 정비

(1) 중앙 정치 제도

의정부	최고 통치 기관으로 3정승이 합의를 통해 나랏일을 총괄하였으며 밑에 6조를 둠.
6조	이·호·예·병·형·공조가 나라의 주요 업무를 나누어 집행함.
3사	사헌부(감찰, 풍기 단속), 사간원(간쟁 등의 언론 기관), 홍문관(왕의 정책에 대한 자문과 경연 담당)을 두고 권력의 독점과 부정을 막고자 함.

(2) 지방 행정 제도: 전국을 8도로 나누고 그 아래 부·목·군·현을 설치함. → 각 도에는 관찰사를 파견하여 군·현의 수령을 감독함.

(3) 군사 제도
  • 군사 조직으로 중앙에는 5위, 지방에는 병마절도사와 수군절도사가 육군과 수군을 지휘함.
  • 군역은 16세 이상부터 60세까지의 양인 남자를 대상으로 함.

(4) 교육 제도: 양인 이상이면 누구나 교육을 받을 수 있었으나, 주로 양반 자제 중심으로 유교 교육이 이루어짐. → 한양에는 4부 학당과 최고의 교육 기관으로 성균관을 두었고 지방에는 향교를 두었어요.

(5) 관리 선발 제도
  ① 과거: 보통 3년마다 시행했으며, 양인 이상이면 누구나 과거에 응시할 수 있었음.
  ② 음서, 천거: 고려에 비해 대상이 축소되고 고위 관직 승진이 어려웠음. └ 과거는 문과, 무과, 잡과 시험이 있었어요.

3 과학과 문화의 발달

(1) 훈민정음 창제와 반포
  ① 배경: 한자는 배우기 어렵고 우리말과 달라 일반 백성이 쉽게 사용하지 못함.
  ② 훈민정음: 세종은 집현전 학자들과 연구하여 누구나 쉽게 배우고 쓸 수 있는 우리글인 훈민정음을 창제(1443년)하고, 반포(1446년)함.

(2) 과학 기술의 발달: 혼천의와 간의(천체의 운행과 위치 측정), 앙부일구(해시계), 자격루(물시계), 측우기(강우량 측정)를 만듦. → 천문과 농업 발전에 도움을 주었어요.

4 성리학적 질서의 강화

(1) 성리학적 윤리의 보급

① 조선은 성리학을 통치 이념으로 삼고 일상생활에서도 성리학적 의례에 따라 관혼상제를 지내고, 조상에 대한 제사를 중시하였음.

② 서원이 늘면서 지방 향촌 사회에 성리학적 질서가 자리잡고, 향약을 만들어 보급함.

(2) 유교 질서에 따른 생활 모습: 양인과 천인으로 나뉘었고, 양인은 양반, 중인, 상민으로 구분되었음.

양반	관리가 되어 나랏일을 맡아보거나 유학을 공부함. → 조선 시대 지배 계층	상민	대부분 농사를 지으며 나라에 세금을 내고 군역의 의무를 함.
중인	의관, 역관, 향리 등 낮은 관직에서 일하는 사람들이 많았음.	천민	노비, 무당, 백정, 기녀 등 가장 신분이 낮은 사람들

└─ 태어날 때부터 신분이 정해져 있었어요.

꼭 나오는 자료

서원과 향약

서원	덕망 높은 유학자의 제사를 지내고, 성리학 연구, 지방 양반 자제의 교육을 담당함.
향약	향촌의 자치 규약으로 공동체 조직의 풍속과 유교 윤리를 강조함.

5 임진왜란(1592년)

(1) 전쟁의 시작: 일본을 통일한 도요토미 히데요시가 명을 정복하겠다는 명분으로 조선을 침략함.

(2) 과정: 부산으로 쳐들어온 일본은 한성을 빼앗고 함경도까지 진격했으나, 조선의 수군과 의병이 활약하였고 명의 지원군이 조선에 오면서 전세가 불리해진 일본은 휴전을 제안함.

(3) 결과: 정유재란을 일으킨 일본은 도요토미 히데요시가 사망하면서 퇴각함.

(4) 전쟁으로 인한 피해 복구 노력 → 광해군은 전쟁 피해 복구를 위해 여러 정책을 펼쳤어요.

① 토지와 인구를 조사해 재정 수입을 늘리고 성곽을 수리하여 국방을 강화하였음.

② 백성들의 세금 부담을 덜어 주기 위해 대동법을 실시하였으며, 허준에게 『동의보감』을 짓게 하여 보급함.

꼭 나오는 자료

임진왜란 중 의병과 관군의 활약

6 청의 침략과 결과

→ 누르하치가 여진족을 통일하고 건국한 나라

(1) 광해군의 중립 외교: 명과 세력이 강력해진 후금 사이에서 중립 외교를 펼쳐 전쟁을 피함.

(2) 인조반정(1623년): 서인 세력이 정변을 일으켜 광해군을 몰아내고 인조가 즉위함.

(3) 정묘호란(1627년): 조선이 명을 받들고 후금을 멀리하자 이에 불만을 가진 후금이 조선을 침략하였고, 조선과 형제 관계를 맺고 돌아감. ┘ 서인들은 광해군의 중립 외교를 반대하였어요.

(4) 병자호란(1636년)

이순신	조선 수군을 이끌고 일본군에 맞서 한산도와 명량 전투에서 크게 승리함.
권율	행주산성 전투에서 일본군을 크게 물리침.
김시민	백성들과 힘을 모아 진주성을 지켜냄.
곽재우	의령 지방에서 의병을 일으켜 활약함.

원인	후금은 나라 이름을 청으로 바꾸고 조선에 군신 관계를 요구함. → 조선이 거절하자 청 태종은 군대를 이끌고 조선을 침략함.
과정	한성이 함락되고 인조는 남한산성에서 끝까지 버텼으나 결국 청에 항복함.
결과	청과 조선은 임금과 신하의 관계로 화친을 맺고, 조선의 많은 사람들이 청에 인질로 끌려감.

(5) 북벌론: 청을 정벌하여 명에 대한 의리를 지키고 치욕을 씻어야 한다는 주장을 바탕으로 효종이 적극적으로 북벌을 추진하였으나, 효종의 사망으로 실행에 옮기지 못함.

출제 100% 키워드 다지기

정답 및 풀이 **36쪽**

❶ 이성계는 ⬚ㅇㅎㄷ⬚ 회군을 통해 고려 우왕과 최영을 몰아내고 권력을 잡았다. ·········· ( )

❷ 조선 시대에는 ⬚ㅇㅇ⬚ 이상이면 누구나 과거를 치를 수 있었다. ························· ( )

❸ 세종은 집현전 학자들과 함께 ⬚ㅎㅁㅈㅇ⬚을 창제하였다. ································· ( )

❹ 임진왜란이 일어나자 바다에서는 ⬚ㅇㅅㅅ⬚이 이끄는 조선 수군이 일본을 격파하였다. ·········· ( )

❺ 병자호란 당시 인조는 ⬚ㄴㅎㅅㅅ⬚에서 항전하였으나 결국 청에 굴욕적으로 항복하였다. ········ ( )

1. 조선의 성립과 발전

조선의 건국 과정 출제율 ★★★★☆

이성계가 조선을 건국하는 과정에서 있었던 일들을 묻는 문제가 자주 출제됩니다. 사건들이 일어난 순서에 따라 정리해 보세요.

개념

01 다음에서 설명하는 사건은 무엇인지 쓰시오.

> 고려 말 1388년에 요동 정벌의 명령을 받았던 이성계가 압록강의 위화도에서 군사를 돌려 개경으로 향해 정변을 일으키고 권력을 차지한 사건이다.

(   )

기출 초급 28회

02 (가)~(다) 사건을 일어난 순서대로 옳게 나열한 것은? (   )

① (가) - (나) - (다) ② (가) - (다) - (나)
③ (나) - (다) - (가) ④ (다) - (가) - (나)

조선의 기틀 마련을 위한 노력 출제율 ★★★★★

조선의 기틀을 마련하기 위해 왕들이 각각 어떤 일들을 했는지 묻는 문제가 출제됩니다. 각 왕들의 업적이 무엇인지 정리해 보세요.

개념

03 다음 조선의 왕들이 한 일을 바르게 선으로 연결하시오.

(1) 태종 •　• ㉠ 직전법 실시
(2) 세종 •　• ㉡ 집현전 설치
(3) 세조 •　• ㉢ 호패법 실시

기출 초급 39회

04 (가)에 들어갈 내용으로 옳은 것은? (   )

세조 때 만들기 시작하여 성종 때 완성된 조선의 기본 법전입니다. 이것은 무엇일까요?
• 한국사 퀴즈 대회 •
(가)

① 『경국대전』 ② 『대전통편』
③ 『대전회통』 ④ 『조선경국전』

조선의 교육 제도　　　출제율 ★ ★ ★ ★ ☆

조선 시대의 교육 제도와 교육 기관에 따라 어떤 교육이 이루어졌는지 묻는 문제가 출제됩니다. 조선 시대의 교육 기관과 특징을 정리해 보세요.

개념

05 다음 (　　) 안에 들어갈 알맞은 말에 ○표 하시오.

> 조선 시대에는 한성의 4부 학당과 지방의 (향교, 집현전)에서 『소학』과 사서 등 유교 경전을 가르쳤다.

기출 초급 29회

06 다음 주제에 대한 학생들의 대화 내용으로 옳지 않은 것은? (　　　)

* 학습 주제
조선 시대의 교육 기관

① 서당에서는 기초적인 교육을 담당하였어.
② 지방의 고을에는 향교가 있었어.
③ 최고 교육 기관으로 국자감이 있었어.
④ 사림들이 세운 서원도 있었어.

조선 시대 과학 기술의 발달　　　출제율 ★ ★ ★ ★ ☆

조선 세종 시기에 발달한 과학 기술에 대해 묻는 문제가 자주 출제됩니다. 당시 발명된 과학 기구와 쓰임새를 정리해 보세요.

개념

07 다음 설명의 과학 기구는 무엇인지 쓰시오.

> 세종 때 만든 천체 관측 기구로 하늘의 움직임, 해와 달, 별의 운행을 나타낼 수 있다.

(　　　　　　　　　)

기출 초급 40회

08 (가)에 들어갈 기구로 옳은 것은? (　　　)

□□신문

제△△호　　　　　　　○○○○년 ○○월 ○○일

과학의 날 특집
조선, 세계 최초로 강우량 측정 기구를 제작하다

조선은 백성의 생활을 안정시키고자 과학 기술의 발전에 힘썼다. 특히 농업을 중시하여 비가 내린 양을 측정하는 기구를 제작하였다.

(가)

① ▲ 거중기
② ▲ 자격루
③ ▲ 측우기
④ ▲ 앙부일구

성리학 중심의 조선 사회   출제율 ★ ★ ★ ★ ☆

조선 시대에 성리학적 질서를 바탕으로 나타난 사회 모습에 대해 묻는 문제가 출제됩니다. 성리학이 확산되면서 나타난 모습을 정리해 보세요.

개념

09 조선에 성리학이 확산되면서 나타난 사회 모습으로 알맞은 것에 ○표, 틀린 것에 ×표 하시오.

(1) 신분 제도가 약화되었습니다.   (   )

(2) 여성의 사회적 지위가 높아졌습니다.
                                        (   )

(3) 유교 예법에 따라 관혼상제를 지냈습니다.
                                        (   )

기출 초급 25회

10 (가)에 들어갈 장면으로 옳은 것은? (   )

조선 시대에는 남자 아이가 15세가 넘으면 좋은 날을 받아 어른이 되었음을 알리는 의례를 치렀습니다.

① ▲ 관례
② ▲ 혼례
③ ▲ 상례
④ ▲ 제례

임진왜란   출제율 ★ ★ ★ ★ ★

1592년에 일어난 임진왜란의 발발 원인과 과정, 결과 등을 묻는 문제가 출제됩니다. 전쟁 과정에서 활약했던 인물이나 전투에 대해 정리해 보세요.

개념

11 다음에서 설명하는 인물은 누구인지 쓰시오.

조선 시대의 장군으로 임진왜란이 일어나자 조선 수군을 이끌고 옥포 전투를 시작으로 전투마다 승리를 거두어 일본군을 물리치는 데 큰 공을 세웠습니다.

(   )

기출 초급 32회

12 다음 가상 영화에 나올 수 있는 장면으로 적절하지 <u>않은</u> 것은? (   )

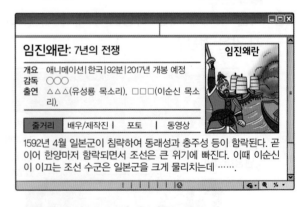

임진왜란: 7년의 전쟁   임진왜란

개요 애니메이션 | 한국 | 92분 | 2017년 개봉 예정
감독 ○○○
출연 △△△(유성룡 목소리), □□□(이순신 목소리),

| 줄거리 | 배우/제작진 | 포토 | 동영상 |

1592년 4월 일본군이 침략하여 동래성과 충주성 등이 함락된다. 곧 이어 한양마저 함락되면서 조선은 큰 위기에 빠진다. 이때 이순신이 이끄는 조선 수군은 일본군을 크게 물리치는데 …….

① 남한산성으로 피란 가는 인조
② 의령에서 의병을 이끄는 곽재우
③ 행주산성에서 전투를 지휘하는 권율
④ 진주성에서 일본군을 무찌르는 김시민

광해군의 중립 외교
출제율 ★★★☆☆

광해군이 후금과 명 사이에서 어떤 외교 정책을 펼쳤는지 묻는 문제가 출제 됩니다. 광해군이 펼친 외교 정책과 결과를 정리해 보세요.

병자호란
출제율 ★★★★★

병자호란이 발생한 원인과 결과에 대해 묻는 문제가 자주 출제됩니다. 병자호란의 원인, 과정, 결과를 정리해 보세요.

개념

13 다음에서 설명하는 왕은 누구인지 쓰시오.

> 임진왜란의 피해를 복구하고자 노력했으며, 후금과 명 사이에서 중립 외교를 펼쳤습니다. 그러나 명에 대한 의리를 중시한 서인 세력이 중립 외교를 반대하였고 인조반정으로 왕위를 빼앗겼습니다.

(   )

개념

15 다음 (   ) 안에 들어갈 알맞은 말에 ○표 하시오.

> 병자호란의 결과 청과 조선은 (형제 , 군신)의 관계를 맺게 되었습니다.

기출 초급 41회

14 다음 탐구 주제에 대한 학생들의 대화 내용으로 옳은 것은? (   )

탐구 주제: 광해군의 대외 정책

① 4군 6진을 개척했어.
② 중립 외교를 펼쳤어.
③ 쓰시마섬을 정벌했어.
④ 쌍성총관부를 수복했어.

기출 초급 37회

16 ㈎에 들어갈 내용으로 옳은 것은? (   )

㈎의 역사가 남아 있는 곳
강화산성
남한산성
강화
송파
삼전도비
광주

① 병인양요
② 병자호란
③ 6·25 전쟁
④ 러일 전쟁

DAY 3 핵심 개념

2. 조선 후기의 사회 변화

핵심 개념 강의

1 제도의 개편과 정치 개혁의 노력

(1) 통치 체제의 정비

정치 제도	임진왜란과 병자호란을 겪으며 임시 기구였던 비변사가 모든 정책을 결정하는 최고 통치 기구로 강화됨. → 의정부와 6조의 기능이 약화됨.
군사 제도	중앙군 – 5군영(훈련도감, 어영청, 총융청, 수어청, 금위영), 지방군 – 속오군(평상시 양반부터 노비에 이르기까지 자신의 일을 하다가 전투에 동원됨.)
조세 제도	전세 – 영정법(토지 1결당 쌀 4두), 공납 – 대동법(토지 1결당 쌀 12두), 군역 – 균역법(1년에 군포 1필 부과) → 노동력을 나라에 제공하는 요역도 있었어요.

(2) 영조와 정조의 탕평책과 개혁 정치
① 붕당 정치 심화: 영조가 집권하기 전 정치 주도권을 가진 사림들이 각자 세력을 나누어 붕당을 이루었고, 갈수록 이들의 정치 대립이 매우 심해짐.
② 영조의 개혁 정치

정치	임금의 정치가 어느 한쪽 세력에 치우치지 않도록 탕평책을 실시하여 붕당의 대립을 약화시켰음.
학문	『속대전』, 『동국문헌비고』 등을 편찬함.
사회	• 균역법을 실시해 백성들의 군역 부담을 줄임. • 신문고를 부활시키고, 사형수의 처벌 전에 세 번의 조사를 하도록 함.

③ 정조의 개혁 정치 ┌ 『대전통편』, 『탁지지』 등을 편찬하고 중국과 서양의 과학 기술을 수용하여 실용적인 학문 발전을 위해 노력했어요.

정치	강력한 탕평책을 실시하고 규장각 기능을 강화함
군사	친위 부대인 장용영을 설치하여 왕권을 뒷받침하는 군사적 기반으로 삼음.
사회 · 경제	서얼 차별 완화, 노비 처우 개선, 자유로운 상업 활동 보장
화성 건설	수원에 화성을 건설하여 군사와 상업의 중심지로 만들고자 함.

└ 정약용이 개발한 거중기를 사용해 화성을 건설했어요.

2 세도 정치의 과정과 민중의 저항

(1) 세도 정치 ✔️
① 순조부터 철종까지 60여 년 동안 외척 가문이 권력을 독점하는 세도 정치가 나타남.
② 세도 정치의 폐단: 권력 독점 현상, 왕권 약화, 세도 가문의 부정과 비리, 삼정의 문란 등

(2) 새로운 종교의 유행 → 19세기 세도 정치 시기의 사회 불안이 심화되어 나타났어요.

천주교	서학이란 이름으로 중국에서 소개됨. → 여러 계층에 퍼지기 시작하자 정부가 탄압함.
동학	인내천 사상(평등 사상), 후천 개벽 사상 주장 → 최제우 처형, 정부의 탄압

└ 새로운 세상의 열린다는 사상

(3) 농민 봉기의 발생
① 원인: 세도 정치로 인한 사회 혼란, 탐관오리의 수탈로 농민들의 생활이 더욱 어려워짐.
② 봉기의 발생 모습

홍경래의 난	세도 정치로 인한 사회 혼란, 평안도 지역에 대한 차별 → 몰락한 양반 출신 홍경래의 주도로 난을 일으킴. → 이후의 농민 봉기에 큰 영향을 줌.
임술 농민 봉기	세금 제도의 부당함과 탐관오리의 횡포 → 진주 관아 습격, 농민 봉기 발생 → 전국으로 확산 → 나라에서 세금 제도를 고치겠다는 약속을 하여 봉기 세력을 달램.

③ 새로운 사회 변화 모습

(1) 경제 활동의 변화 ✔

농업	• 모내기법이 전국으로 확대되고 수확량이 크게 증가함. • 벼와 보리의 이모작 가능, 큰 부를 가진 농민이 나타남. • 상품 작물 재배: 장에 내다 팔기 위해 인삼, 채소, 담배 등을 재배하여 많은 이익을 거둠. • 고구마, 토마토, 고추 등의 새로운 작물이 들어왔음.
상업	• 장시의 발달: 여러 물건을 사고파는 사람들이 늘어나며 큰 장이 들어섰음. • 상인 등장과 화폐 사용: 전국에 시장이 늘어나고 자유로운 상업 활동이 가능해지면서 상인이 크게 증가하고 화폐(상평통보)가 널리 사용됨.

(2) 신분제의 변화 ✔

① 양반: 소수 양반의 권력 장악, 벼슬을 하지 못하거나 몰락한 양반들은 농민과 같은 처지로 전락함.

② 중인 · 상민: 부유한 중인과 상민들은 공명첩을 구입하거나 족보 위조를 통해 신분을 상승시킴.

③ 노비: 나라에서는 노비가 상민이 되도록 해줌. → 상민으로부터 세금을 거둬 나라 재정을 확보하고자 했어요.

④ 조선 후기 문화의 새로운 변화

(1) 실학의 등장 → 실학은 백성이 잘살고 실생활에 도움을 주는 것을 연구하는 학문이에요.

농업 중심 개혁론	• 이익, 유형원, 정약용 등 • 토지 제도를 바꿔 농민들에게 땅을 나누어 주어야 한다고 주장함. • 농업 생산량을 늘리기 위해 농사 기술을 개발하여 보급해야 한다고 주장함.
상공업 중심 개혁론	• 박지원, 박제가, 홍대용 등 • 상업과 무역이 활발히 이루어져야 나라가 부강해진다고 주장함. • 청의 새로운 문물을 적극적으로 받아들이고자 함.

(2) 국학 연구와 과학 기술의 발달 📄

국학 연구	• 역사: 안정복 『동사강목』, 유득공 『발해고』 • 국어: 신경준 『훈민정음운해』, 유희 『언문지』	• 지리: 이중환 『택리지』, 김정호 「대동여지도」 • 백과사전: 이수광 『지봉유설』
과학	시헌력 도입, 홍대용의 지전설, 「곤여만국전도」 전래, 정약용의 거중기 등	

(3) 서민 문화의 성장

① 배경: 서민들의 생활 수준이 향상되며 교육 · 문화에 대한 욕구 증가함. → 서당 보급 · 한글 사용이 늘어나고 서민들의 의식 수준이 향상됨.

② 종류: 한글 소설(『홍길동전』, 『춘향전』), 사설시조, 판소리 · 탈놀이 등이 유행함.

(4) 다양한 문화의 발달

미술	진경 산수화(정선의 「인왕제색도」, 「금강전도」), 풍속화(김홍도와 신윤복), 민화 등
공예	백자가 널리 사용되었으며 청화 백자가 유행, 목공예품, 죽세공품, 나전 칠기 등

✔ 출제 POINT

모내기법의 전파
• 모내기법은 모판에 볍씨를 뿌려 모를 기른 후 논에 옮겨 심는 농사 방법입니다.
• 모내기법은 잡초 제거에 드는 노동력을 아끼고 일 년에 벼와 보리를 재배하는 이모작이 가능합니다.

✔ 출제 POINT

공명첩

• 임진왜란과 병자호란을 겪으며 나라의 살림이 어려워지자 부유한 백성에게 돈이나 곡식을 받아 명예 관직을 주는 공명첩을 팔았습니다.
• 공명첩을 산 사람들로 인해 양반의 수가 크게 늘어났습니다.

📄 꼭 나오는 자료

김정호의 「대동여지도」

출제 100% 키워드 다지기

정답 및 풀이 **36쪽**

❶ 임진왜란과 병자호란을 겪으며 임시 기구였던 ㅂㅂㅅ가 최고 통치 기구로 강화되었다. .... (　　　)

❷ 영조는 임금의 정치가 어느 쪽에도 치우치지 않는 ㅌㅍㅊ을 실시하였다. .... (　　　)

❸ 세도 정치에 대한 비판과 평안도에 대한 차별에 반발하여 ㅎㄱㄹ가 난을 일으켰다. .... (　　　)

❹ 부유한 중인과 상민은 ㄱㅁㅊ을 구입하여 신분을 상승시키기도 했다. .... (　　　)

❺ 조선 후기 서민들의 생활 수준이 향상되면서 『홍길동전』, 『춘향전』 등 ㅎㄱㅅㅅ이 유행하였다. .... (　　　)

The right edge tab reads DAY 3 | 10일 완성

2. 조선 후기의 사회 변화

정조의 개혁 정치   출제율 ★★★★★

정조가 어떤 개혁 정치를 펼쳤는지 묻는 문제가 자주 출제됩니다. 정조가 즉위하였을 때 당시 조선의 정치 상황과 관련해 정조가 한 일들을 정리해 보세요.

개념

01 정조가 펼친 개혁 정치와 관련 <u>없는</u> 내용은 어느 것입니까? (　　　　)

① 화성 건설   ② 서얼 차별 완화
③ 탕평책 추진   ④ 규장각 기능 축소

기출 초급 41회

02 밑줄 그은 '이 성'에 해당하는 문화유산으로 옳은 것은? (　　　　)

이 건축물은 무엇인가요?

정조 때 만들어진 이 성의 일부로 서북공심돈이라고 해요.

① ▲ 해미 읍성

② ▲ 수원 화성

③ ▲ 공산성

④ ▲ 진주성

환곡의 문란   출제율 ★★★☆☆

조선 시대에 시행하였던 환곡이 어떻게 문란해졌는지 묻는 문제가 자주 출제됩니다. 환곡의 원래 목적과 변질되면서 생긴 폐해를 정리해 보세요.

개념

03 다음에서 설명하는 것은 무엇인지 쓰시오.

> 삼정 중 가장 폐해가 심했던 것으로 정해진 이자율을 원칙보다 높이고, 상태가 안 좋은 곡식을 빌려주고 온전한 곡식으로 갚게 하였다. 또한 문서를 위조하여 이자를 받아내는 등 고리대처럼 운영되어 백성들이 고통을 받았다.

(　　　　　　　　　)

기출 초급 44회

04 다음 퀴즈의 정답으로 옳은 것은? (　　　　)

단계 별로 제시된 힌트를 종합하여 알 수 있는 용어는 무엇일까요?

퀴즈 한국사

1단계 | 조선 시대에 가난한 농민을 도와주는 제도임.

2단계 | 굶주리는 백성들에게 봄에 곡식을 빌려주고 가을에 갚게 함.

3단계 | 점차 강제로 빌려주고 비싼 이자를 받아 백성을 수탈하는 수단으로 변질됨.

① 공납   ② 군정
③ 책화   ④ 환곡

동학의 창시와 확산   출제율 ★ ★ ★ ★ ☆

조선 후기 새로운 사상으로 최제우가 창시한 동학에 대한 문제가 자주 출제됩니다. 당시 사람들에게 널리 퍼졌던 배경과 동학의 사상 등을 정리해 보세요.

개념

05 다음 (   ) 안에 들어갈 알맞은 말에 ○표 하시오.

> 최제우는 인내천 사상, 후천 개벽 사상을 내세운 (동학 , 천주교)을(를) 창시했다.

기출 초급 24회

06 밑줄 그은 '이 종교'에 대한 설명으로 옳지 <u>않은</u> 것은? (   )

① 용담유사라는 포교 가사집이 있다.
② 인내천과 후천 개벽 사상을 내세웠다.
③ 유교, 불교, 민간 신앙 등이 융합되어 있다.
④ 조상의 제사를 지내지 않아 정부의 탄압을 받았다.

조선의 경제 변화와 발전   출제율 ★ ★ ★ ★ ☆

조선 후기에 농업과 상공업에 어떤 변화가 생겼는지 묻는 문제가 자주 출제됩니다. 조선 후기 경제적 변화 모습을 분야별로 정리해 보세요.

개념

07 다음에서 설명하는 것은 무엇인지 쓰시오.

> 모판에 볍씨를 뿌려 모를 기른 후 논에 옮겨 심는 농사 방법이다. 조선 후기에 도입되면서 노동력을 아끼고, 쌀의 생산량이 크게 증가하였다.

(   )

기출 초급 26회

08 다음 대화가 이루어진 시기의 사실로 옳지 <u>않은</u> 것은? (   )

① 건원중보가 만들어져 사용되었다.
② 벼와 보리의 이모작이 실시되었다.
③ 전국에 1,000여 개의 장시가 생겨났다.
④ 경강 상인, 송상 등이 활발하게 활동하였다.

신분 사회의 변화   출제율 ★ ★ ★ ★ ★

조선 시대 후기의 양반 중심의 신분 질서가 어떻게 변화되었는지 묻는 문제가 자주 출제됩니다. 조선 후기 신분의 변화 과정을 정리해 보세요.

개념

09 다음 ㉠, ㉡에 들어갈 알맞은 신분에 각각 ○ 표 하시오.

> 공명첩, 납속책, 호적이나 족보 위조 등으로 ㉠ (양반 , 상민)의 수가 증가하고, 군공·납속·도망 등으로 ㉡ (중인 , 노비)의 수는 감소하였다.

기출 초급 28회

10 (가)에 들어갈 용어로 옳은 것은? (   )

나라에 쌀 100석을 내고 (가) 을(를) 발급 받기로 했소.

당신도 이제 명예직이지만 벼슬을 얻을 수 있겠네요.

① 마패   ② 호적
③ 호패   ④ 공명첩

실학자들의 주장   출제율 ★ ★ ★ ★ ☆

조선 후기 실학자들과 이들이 주장한 내용은 무엇인지 묻는 문제가 자주 출제 됩니다. 실학자마다 어떤 주장을 펼쳤는지 정리해 보세요.

개념

11 다음 실학자들과 관련 있는 내용을 알맞게 선으로 연결하시오.

(1) 유형원 •　　　• ㉠ 수레와 선박을 이용해야 해.

(2) 박지원 •　　　• ㉡ 농민들도 토지를 가질 수 있어야 해.

기출 초급 33회

12 학생이 생각하고 있는 인물로 옳은 것은?

(   )

『열하일기』를 지었어.

수레와 선박 이용을 확대하자고 주장했어.

조선 후기 실학자야.

① ▲ 이익

② ▲ 박지원

③ ▲ 송시열

④ ▲ 정약용

국학의 연구
출제율 ★★★★☆

조선 후기 우리의 역사와 문화를 연구한 국학 연구자들과 국학에 대해 묻는 문제가 출제 됩니다. 분야별로 연구 모습과 업적이 무엇인지 정리해 보세요.

개념

13 다음에서 설명하는 지도는 무엇인지 쓰시오.

> 조선 후기 김정호가 제작한 우리나라 지도로, 우리의 산과 강을 자세히 표시하였으며 보기 쉽고 가지고 다니기 쉽게 만든 지도이다.

(   )

기출 초급 38회

14 ㈎에 들어갈 문화유산으로 옳은 것은?

(   )

> 〈역사 다큐멘터리 제작 기획안〉
>
> **조선 후기 학문 연구의 새로운 길을 연 사람들**
> 1. 기획 의도: 학문을 연구하여 실생활에 도움을 준 조선 후기 인물들의 노력을 보여 준다.
> 2. 구성
>   제1부 지도 연구 – 김정호와 「대동여지도」
>   제2부 바다 생물 연구 – 정약전과 ㈎
>   제3부 천문 연구 – 홍대용과 혼천의

① 『발해고』   ② 『동의보감』
③ 『삼국사기』   ④ 『자산어보』

서민 문화의 발달
출제율 ★★★★★

조선 후기에 서민 문화가 발달하게 된 배경과 서민 문화의 종류에 대해 묻는 문제가 자주 출제됩니다. 서민 문화의 발달 배경과 다양한 서민 문화의 모습을 정리해 보세요.

개념

15 조선 후기에 발달한 서민 문화와 예술품으로 알맞지 <u>않은</u> 것은 어느 것입니까? (   )

① 판소리   ② 풍속화
③ 상감 청자   ④ 한글 소설

기출 초급 36회

16 ㈎에 들어갈 내용으로 가장 적절한 것은?

(   )

학습 주제: ㈎

▲ 풍속화   ▲ 한글 소설(춘향전)   ▲ 민화
(씨름도)   (작호도)

① 성리학의 도입
② 과학 기술의 발전
③ 서민 문화의 발달
④ 서양 문물의 수용

3. 근대 국가 수립 노력과 국권 수호 운동

핵심 개념 강의

꼭 나오는 자료

병인양요와 신미양요

1 흥선 대원군의 개혁과 조선의 개항 과정

(1) 흥선 대원군의 개혁 → 세도 가문을 물리치고 왕권을 강화시키고자 했어요.

인재 등용	세도 정치 세력을 쫓아내고, 능력 있는 관리를 등용하고자 함.
서원 정리	나라의 재정에 부담을 주던 서원을 대부분 없앰.
경복궁 중건	임진왜란 때 불탄 경복궁을 다시 지어 왕실의 권위를 세우고자 함. → 무리한 공사로 백성들의 원망을 삼. └ 건설 비용을 마련하기 위해 화폐를 대량으로 발행하고 물가를 크게 올려 문제가 되었어요.

(2) 병인양요와 신미양요

① 병인양요(1866년)

원인	병인박해를 구실로 프랑스군이 강화도를 침략함.
결과	전투에서 패배한 프랑스군이 물러가면서 조선의 문화재를 약탈함. └ 외규장각 의궤와 서적 등

② 신미양요(1871년)

원인	제너럴셔먼호 사건을 구실로 미국의 군함이 강화도를 침략함.
결과	조선군이 격렬히 저항하여 결국 미국의 군함은 물러감.

③ 흥선 대원군의 척화비 건립: 병인양요, 신미양요, 오페르트 도굴 사건의 결과로 전국 각지에 서양과의 교류를 금지하는 내용의 척화비를 세움. ─ 서양 세력의 침략을 일시적으로 막았지만 조선의 근대화가 늦어지는 결과를 가져왔어요.

(3) 강화도 조약과 문호 개방 ✔

① 강화도 조약: 1876년에 우리나라가 외국과 맺은 최초의 근대적 조약이자 불평등 조약

② 강화도 조약 이후 서양 세력이 본격적으로 조선에 들어오게 됨.

(4) 임오군란(1882년)

원인	신식 군대인 별기군에 비해 차별 대우를 받던 구식 군인들이 불만을 가짐.
과정	구식 군인들은 관청을 습격하고 무기를 빼앗아 일본 공사관을 공격함.
결과	• 청의 군대가 난을 진압하면서 청은 조선에 대한 영향력을 넓혔음. • 일본은 피해를 보상받고, 조선과 제물포 조약을 체결함.

✔ 출제 POINT

강화도 조약

제1조 조선국은 자주 국가로서 일본국과 동등한 권리를 갖는다.

제2조 조선 정부는 부산 이외에 두 항구를 개방하고 일본인이 자유롭게 왕래하면서 통상을 할 수 있게 한다.

제7조 조선 연해를 일본국 항해자들이 자유로이 측량하도록 허가한다.

제10조 일본국 사람이 조선이 지정한 각 항구에 머무는 동안 죄를 범하는 것이 조선국 사람에게 관계되는 사건일 때는 모두 일본 관리가 심판한다.

• 강화도 조약의 제1조는 청의 간섭을 배제하기 위한 것이고, 제4조는 항구의 개항을 나타냅니다.

• 제7조의 해안 측량권과 제10조의 치외 법권은 강화도 조약이 불평등 조약임을 알 수 있는 근거입니다.

2 사회의 혼란과 개화 노력

(1) 갑신정변(1884년): 김옥균, 박영효, 서재필 등 급진 개화파가 주도하여 정변을 일으켰으나 청의 개입으로 3일 만에 실패하였고, 청의 조선에 대한 간섭이 더욱 심해졌음.

(2) 동학 농민 운동(1894년)

제1차 봉기	전봉준을 지도자로 한 동학 농민 세력들이 관아를 습격하고 전주성을 점령하며 봉기하였음. → 청과 일본이 개입하자 전주 화약을 맺고 스스로 해산함.
제2차 봉기	청일 전쟁에서 승리한 일본이 조선 정치에 간섭하자 다시 동학 농민군이 일어났음. → 우금치 전투에서 패배하고 전봉준은 처형됨.

(3) 갑오개혁과 을미사변

① 갑오개혁(1894년) ─ 조선이 근대 국가로 발전하기 위해 스스로 시도한 노력이에요.

• 나라의 낡은 제도를 없애고 근대 국가로 나아가기 위해 김홍집 등이 중심이 되어 개혁을 실시함.

• 청으로부터 독립, 능력에 따른 인재 선발, 신분 제도 폐지 등을 내용으로 함.

┌→ 을미사변 이후 일본의 주도 아래 친일 세력들이
│   단발령 등의 을미개혁을 실시했어요.
② 을미사변(1895년): 명성 황후가 러시아 세력을 끌어들인 데 위기를 느낀 일본이 명성 황후를 시해함.

③ 아관 파천: 신변에 위협을 느낀 고종이 러시아 공사관으로 거처를 옮김.

(4) 독립 협회 조직(1896년)📑

배경	아관 파천 후 열강들의 이권 침탈이 계속되자, 서재필이 정부의 지원으로 독립신문을 창간하고, 관료와 개화파 지식인들과 함께 독립 협회를 조직함.
활동	독립신문 발행, 독립문과 독립관 설립, 만민 공동회 개최

└→ 누구나 자유롭게 토론할 기회가 주어졌어요.

❸ 대한 제국의 수립과 국권 수호 운동

(1) 대한 제국 수립(1897년)

① 러시아 공사관에서 돌아온 고종은 국호를 '대한 제국', 연호를 '광무'로 정하고 환구단에서 황제 즉위식을 거행함.

② 광무 개혁: 근대적 공장과 회사 설립, 근대적 학교 설립과 교육의 진흥, 우편과 통신 시설의 근대화 등

(2) 을사늑약(1905년)과 국권 침탈 과정

러일 전쟁		을사늑약 체결		통감부 설치		국권 강탈
러일 전쟁을 승리한 일본의 내정 간섭이 심해짐.	→	고종 황제의 거부에도 대한 제국의 외교권을 빼앗는 조약이 맺어짐.	→	통감부가 설치되고 일제는 우리나라의 모든 분야를 간섭함.	→	일제는 우리의 사법권과 경찰권을 빼앗음.

(3) 일제의 영토 강탈: 러일 전쟁 중 일제는 독도를 시마네현 고시 제 40호로 강제로 일본 영토로 편입했고, 청과 간도 협약을 맺고 만주 철도 부설권과 맞바꿔 간도를 청에 넘겨줌.

└→ 우리나라와 청이 서로 자국 영토라고
    주장하던 곳이에요.

(4) 우리 민족의 국권 수호 운동📑

항일 의병 운동의 전개	을미의병, 을사의병, 정미의병
항일 의거 활동	안중근(하얼빈에서 이토 히로부미 사살), 이재명(이완용 습격)
애국 계몽 운동	보안회, 헌정 연구회, 대한 자강회, 신민회
국채 보상 운동	일본에 진 빚을 갚아 침략을 막자는 운동

└→ 안창호, 양기탁 등이 세운 비밀 단체

❹ 신문물의 수용과 근대 의식의 성장

(1) 신문물의 수용

① 전기가 들어오고 전신과 철도가 개통되며 사람들의 생활이 보다 편리해짐.

② 도로가 깨끗해지고 위생적으로 생활할 수 있었음.

(2) 근대 의식의 성장

① 학교 설립: 원산 학사, 육영 공원, 배재 학당, 이화 학당 등을 세워 근대 교육을 실시함.

② 언론 발달: 한성순보, 독립신문, 황성신문, 제국신문, 대한매일신보

└→ 자주독립을 지지하고 외세의 침입을 반대하는 성격의 여러 신문이 발간되었어요.

출제 100% 키워드 다지기

정답 및 풀이 **37쪽**

❶ 흥선 대원군은 ㄱㅂㄱ을 무리하게 다시 짓다가 백성의 불만을 샀다. .... (   )

❷ 흥선 대원군은 병인양요와 신미양요를 겪은 후 전국에 ㅊㅎㅂ를 세웠다. .... (   )

❸ 전라도 고부 군수의 수탈에 맞서 ㅈㅂㅈ을 중심으로 동학 농민 세력이 봉기하였다. .... (   )

❹ 서재필은 자주독립 의식과 근대 의식을 보급하기 위해 ㄷㄹㅅㅁ을 창간하였다. .... (   )

❺ 1905년 ㅇㅅㄴㅇ으로 대한 제국은 외교권을 빼앗기고 일제는 통감부를 설치하였다. .... (   )

📑 **꼭 나오는 자료**
독립신문 발간

· 서재필이 미국에서 귀국하여 자주독립 의식과 근대 의식을 보급하기 위해 만들었습니다.
· 독립신문은 최초의 민간 발행 신문이며, 한글판과 영문판으로 제작되었습니다.

📑 **꼭 나오는 자료**
항일 의병 부대의 활동

3. 근대 국가 수립 노력과 국권 수호 운동

흥선 대원군의 개혁 정치　　출제율 ★★★★☆

흥선 대원군이 왕권을 강화하기 위해 실시한 개혁 정치의 내용을 묻는 문제가 출제됩니다. 흥선 대원군이 펼친 개혁 정치의 내용과 결과를 정리해 보세요.

개념

01 다음과 같은 일을 한 사람은 누구인지 쓰시오.

> 어린 고종을 대신해 나랏일을 살피면서 왕권 강화와 민생 안정을 위해 비변사 기능을 축소하고, 서원 철폐, 경복궁 중건 등의 일을 하였다.

(　　　　　　)

기출 초급 37회

02 (가)에 들어갈 내용으로 옳은 것은? (　　)

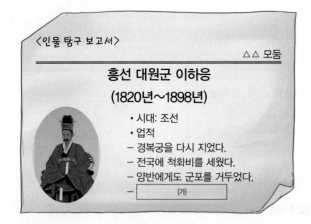

〈인물 탐구 보고서〉

△△ 모둠

흥선 대원군 이하응

(1820년~1898년)

· 시대: 조선
· 업적
 – 경복궁을 다시 지었다.
 – 전국에 척화비를 세웠다.
 – 양반에게도 군포를 거두었다.
 – 　　(가)　　

① 삼별초를 조직하였다.
② 통감부를 설치하였다.
③ 서원을 대폭 정리하였다.
④ 한산도 대첩을 이끌었다.

병인양요와 신미양요　　출제율 ★★★★★

흥선 대원군 집권 당시 일어난 병인양요와 신미양요에 대한 문제가 출제됩니다. 병인양요와 신미양요의 원인, 과정, 결과 등을 정리해 보세요.

개념

03 다음에서 설명하는 사건은 무엇인지 쓰시오.

> 1866년의 제너럴셔먼호 사건을 빌미로 미국의 군함이 조선의 강화도를 공격한 사건이다. 어재연이 이끈 조선군은 광성보에서 미국에 맞서 싸워 결국 미국은 철수했다.

(　　　　　　)

기출 초급 39회

04 밑줄 그은 '이 사건'으로 옳은 것은? (　　)

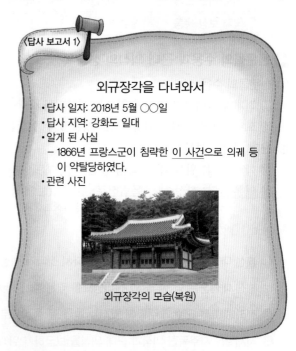

〈답사 보고서 1〉

외규장각을 다녀와서

· 답사 일자: 2018년 5월 ○○일
· 답사 지역: 강화도 일대
· 알게 된 사실
 – 1866년 프랑스군이 침략한 이 사건으로 의궤 등이 약탈당하였다.
· 관련 사진

외규장각의 모습(복원)

① 병인양요 ② 신미양요
③ 정묘호란 ④ 운요호 사건

강화도 조약

출제율 ★ ★ ★ ★ ☆

강화도 조약의 내용과 성격을 묻는 문제가 출제됩니다. 강화도 조약을 맺게 된 배경과 조약의 내용, 의미에 대해 정리해 보세요.

개념

05 다음 ( ) 안에 들어갈 알맞은 말에 ○표 하시오.

> 강화도 조약은 조선이 외국과 맺은 최초의 근대적 조약이자 (평등, 불평등)한 조약이다.

기출 초급 27회

06 (가) 조약이 맺어진 결과로 옳은 것은? ( )

운요호 사건을 계기로 이곳에서 조선은 일본과 (가) 을 맺었습니다.

① 일본군이 조선에 주둔하였다.
② 조선이 외교권을 박탈당하였다.
③ 조선이 일본에 배상금을 지불하였다.
④ 조선이 부산을 포함한 3개 항구를 개항하였다.

동학 농민 운동

출제율 ★ ★ ★ ★ ★

동학 농민 운동을 이끈 인물과 전개 과정, 결과 등을 묻는 문제가 자주 출제됩니다. 사건의 순서대로 동학 농민 운동을 일으킨 까닭과 과정을 정리해 보세요.

개념

07 다음에서 설명하는 사건은 무엇인지 쓰시오.

> 동학 농민군과 지도자 전봉준이 전라도 고부 군수 조병갑의 횡포에 맞서 일으킨 봉기이다. 두 차례에 걸쳐 봉기하였으나 우금치 전투에서 관군에게 크게 패하고 전봉준이 체포되면서 실패하였다.

( )

기출 초급 38회

08 밑줄 그은 '이 사람'으로 옳은 것은? ( )

이 사진은 동학 농민군의 지도자인 이 사람이 재판을 받으러 가는 모습입니다. 그는 녹두 장군이라고 불리기도 하였습니다.

① 김옥균
② 김좌진
③ 유득공
④ 전봉준

독립 협회의 활동   출제율 ★ ★ ★ ★ ☆

독립 협회에서 어떤 활동을 했는지 묻는 문제가 출제됩니다. 독립 협회에서 활동한 인물과 독립 협회의 다양한 활동들을 정리해 보세요.

개념

09 다음에서 설명하는 것은 무엇인지 쓰시오.

> 청의 사신을 맞이하던 영은문을 헐고 그 자리에 세운 문으로, 독립 협회가 자주독립 의지를 알리기 위해 국민의 성금을 모아 세웠다.

(   )

기출 초급 36회

10 ㈎ 단체의 활동으로 옳은 것은? (   )

미국에서 돌아온 서재필은 독립신문을 창간하고 ⟮㈎⟯ 을/를 설립한 후 자주독립을 상징하는 독립문을 세웠습니다.

서재필   독립신문

① 항일 의병을 일으켰다.
② 태극 서관을 운영하였다.
③ 만민 공동회를 개최하였다.
④ 국채 보상 운동을 주도하였다.

일제의 국권 침탈   출제율 ★ ★ ★ ★ ★

일제에 의해 우리나라의 국권이 침탈되는 과정을 묻는 문제가 출제됩니다. 일제의 국권 침탈 과정의 순서, 각 과정에서 있었던 일들을 정리해 보세요.

개념

11 다음 사건들을 일어난 순서대로 기호를 나열하시오.

> ㉠ 을사늑약   ㉡ 국권 강탈
> ㉢ 러일 전쟁   ㉣ 고종 강제 퇴위

(   ) → (   ) → (   ) → (   )

기출 초급 29회

12 밑줄 그은 '이 조약'의 내용으로 옳은 것은?

(   )

역사 신문

1905년 ○○월 ○○일

사설 강제로 체결된 이 조약은 무효이다!

고종 황제는 끝까지 조약에 반대하였으나, 이토 히로부미는 궁궐 주변을 군대로 포위하고 친일 대신들을 부추겨 강제로 조약을 체결하였다. 따라서 조약 체결은 무효이다.

① 군대의 해산
② 사법권의 상실
③ 외교권의 박탈
④ 세 항구의 개항

나라를 지키기 위한 안중근의 의거   출제율 ★★★★☆

안중근이 일제에 대항하여 한 일에 대한 문제가 출제 됩니다. 안중근의 의거 과정과 업적이 무엇인지 살펴 보세요.

개념

13 안중근이 우리나라를 위해 한 일로 옳은 것은 어느 것입니까? (   )

① 의병을 일으켰다.
② 독립운동 단체를 설립하였다.
③ 이토 히로부미를 사살하였다.
④ 우리나라의 역사를 연구하였다.

기출 초급 43회

14 밑줄 그은 '나'에 해당하는 인물로 옳은 것은?

(   )

① 김상옥   ② 김원봉
③ 안중근   ④ 윤봉길

근대 문물과 생활 모습의 변화   출제율 ★★★★☆

개항 이후 새로운 문물을 받아들이며 달라진 생활 모습을 묻는 문제가 출제됩니다. 근대 문물이 소개되고 달라진 생활 모습을 사진과 함께 정리해 보세요.

개념

15 다음 (   ) 안에 공통으로 들어갈 시설이 무엇인지 쓰시오.

> (   )(은)는 경인선이 처음 개설된 후 경부선, 경의선이 개설되었다. (   )의 개통으로 이동이 보다 쉬워져 생활이 편리해졌으나 건설 과정에서 농민들이 토지를 빼앗기고 강제 노동에 시달렸다.

(   )

기출 초급 32회

16 다음 사진전에 전시될 사진으로 적절하지 <u>않은</u> 것은? (   )

> **근대 문물 사진전**
> 개항 이후 처음 들어온 근대 문물의 모습이 담긴 사진을 특별 전시합니다.
> • 장소: 장소: □□ 초등학교 강당
> • 기간: 2016년 ○○월 ○○일~○○월 ○○일

①
▲ 기차

②
▲ 전화기

③
▲ 전신기

④
▲ 자명종

4. 민족 운동의 전개와 대한민국의 발전

핵심 개념 강의

✔️ **출제 POINT**

토지 조사 사업의 결과

조선 총독부	세금 수입 증가, 토지 소유 증가, 일본인 대지주가 나타남.
농민	농사를 짓던 농민들은 토지를 잃고, 땅 주인의 소유권만 인정함 → 농민들은 소작농·화전민으로 전락함.

1 일제의 무단 통치와 3·1 운동
→ 일제는 을사늑약 체결 이후 우리나라의 사법권, 경찰권을 빼앗고 마침내 우리 민족을 식민 통치하기 시작했어요.

(1) **일제의 무단 통치와 경제 수탈**

① 무단 통치: 1910년대 일제는 조선 총독부를 설치하고 헌병 경찰제를 실시하여 강압적인 식민 통치를 함.

② 일제의 경제 수탈 정책

도지 조사 사업	토지 주인이 직접 토지 소유를 신고하도록 하였음. → 신고되지 않은 땅을 많은 일본인들이 차지하였고, 농민들의 토지 사용료와 세금 부담이 늘어남.✔️
회사령	회사를 설립할 때 조선 총독부의 허가를 받도록 하여 우리나라 경제를 통제함.

(2) **3·1 운동** → 대한민국 임시 정부 수립의 계기가 되었고 5·4 운동에 영향을 주었어요.

배경	민족 자결주의와 2·8 독립 선언의 영향을 받고, 일제의 무단 통치에 대한 반감이 커짐.
모습	1919년 3월 1일, 민족 대표들을 중심으로 독립 선언식을 가지고, 학생과 시민이 참여하여 만세 운동을 벌였음. → 일제는 무력으로 이들을 제압하고 많은 이들이 희생되었어요.

✔️ **출제 POINT**

일제의 식민 통치 방법의 변화

조선 총독부 설치, 헌병 경찰의 강압적인 무단 통치를 실시함.

↓

3·1 운동을 겪은 뒤 민족 분열 통치를 실시하여 한국인의 불만을 잠재우고자 함.

↓

경제 위기를 극복하고자 일제는 1930년대 전쟁을 확대하면서 민족 말살 통치를 펼친 뒤 중일 전쟁을 일으킨 뒤에는 황국 신민화 정책을 실시함.

(3) **대한민국 임시 정부 수립** → 한국 광복군을 창설해 일본과의 전쟁을 준비했어요.

① 활동: 1919년 중국 상하이에서 설립되었으며, 비밀 연락망을 조직해 국내의 독립운동을 지휘하고, 독립 자금을 모아 다른 나라와의 외교 활동도 하며 독립운동을 펼쳤음.

② 의의: 민주 공화제 정부 수립, 삼권 분립, 대통령 중심제 채택 등
└ 나라의 주권이 국민에게 있음을 밝혔어요.

2 일제의 민족 분열 통치와 우리 민족의 저항 노력

(1) **민족 분열 통치**: 일제는 보통 경찰제를 실시하여 경찰력을 강화하고, 친일 단체를 조직해 친일파를 양성함.

(2) **산미 증식 계획**: 일본 내의 식량 부족 문제로 우리나라에서 쌀의 생산량을 늘림. → 늘어난 양보다 더 많은 쌀을 일본으로 유출하여 한국의 식량 사정이 악화됨.

(3) **우리 민족의 저항 노력**: 실력 양성 운동, 물산 장려 운동, 민립 대학 설립 운동, 사회주의 계열 운동, 차별 철폐 운동, 6·10 만세 운동, 광주 학생 항일 운동 등

(4) **신간회**: 최대 규모 항일 단체로 민족주의 진영과 사회주의 진영이 뜻을 모아 합침.

3 일제의 민족 말살 정책과 수탈 ✔️

(1) **민족 말살 정책**: 신사 참배, 창씨개명 강요, 한국사 왜곡, 한국어 사용과 교육 금지 등

(2) **전쟁 물자 동원**: 일본은 전쟁에 필요한 물자와 사람을 우리나라에서 강제로 동원함.
└ 중일 전쟁과 태평양 전쟁을 일으킨 일본은 노동력을 착취하고, 무기 원료나 식량을 빼앗아 갔어요.

4 우리 민족의 무장 독립 투쟁과 문화 수호 노력

(1) **무장 독립 투쟁**

무장 독립운동	홍범도의 봉오동 전투, 김좌진의 청산리 대첩 → 대한 독립군, 조선 혁명군, 조선 의용대, 조선 의용군 등이 활약했어요.
한국 광복군	대한민국 임시 정부에 속한 군대, 연합군과 함께 일본에 맞서 전쟁을 함.
한인 애국단	김구가 조직하였으며 이봉창 의사, 윤봉길 의사가 활약하며 의열 투쟁을 함.

(2) **민족 문화 수호 운동**

국어	조선어 학회(조선어 연구회)	문학	한용운, 이육사, 윤동주 등
역사	신채호, 박은식 등	예술	이중섭(미술), 나운규(영화) 등

📑 **꼭 나오는 자료**

1920년대 항일 무장 투쟁

5 대한민국 정부의 수립과 남북의 북단

(1) **8·15 광복**: 1945년 8월 15일, 제2차 세계 대전 중 일본이 연합군에게 항복하면서 우리나라는 광복을 맞이함. → 북위 38도선을 경계로 남쪽은 미군, 북쪽에는 소련군이 주둔하게 되었음.

(2) **대한민국 정부 수립 과정**

모스크바 삼국 외상 회의	미국과 소련, 영국이 한반도 문제를 협의하였고, 미국과 영국, 소련, 중국의 신탁 통치가 결정되자 국내에서 신탁 통치 반대와 찬성으로 세력이 나뉘어 대립함.
남북한 총선거 실시 결정	미국과 소련은 임시 정부 수립을 실행하고자 했으나 합의를 보지 못하고, 유엔 총회에서 남북한 총선거 실시를 결정하여 통일 정부를 수립하고자 함.
대한민국 정부 수립	소련의 반대로 단독 정부 수립이 결의되었고, 남한에서 5·10 총선거, 제헌 국회 구성, 헌법 제정 등을 거쳐 국회에서 이승만 대통령을 선출하고 정부가 수립됨.

(3) **6·25 전쟁**

과정	북한의 남침(1950.6.25.) → 남한은 낙동강 전선까지 후퇴함. → 유엔군 지원, 인천 상륙 작전으로 국군은 서울을 되찾음. → 중국군의 북한군 지원, 참전 → 압록강까지 진격했던 국군은 한강 이남으로 후퇴함. → 휴전 협정 체결(1953.7.27.)
결과	인명 피해 발생, 국토와 시설 파괴, 이산가족 발생, 남북한 사이의 적대감 확대 등

6 민주주의의 발전과 경제 성장

(1) **민주주의의 발전 과정**

국민의 힘으로 독재 정권을 무너뜨린 우리나라 최초의 민주 혁명이에요.

4·19 혁명	• 배경: 이승만이 독재 체제를 강화하려고 3·15 부정 선거를 일으킴. • 전개: 학생과 시민들의 시위 → 이승만은 대통령 자리에서 물러남.
5·16 군사 정변	• 박정희가 이끄는 일부 군인들이 권력 장악 → 국가 재건 최고 회의 구성 • 1963년 박정희가 대통령으로 선출됨.
10월 유신	유신 헌법을 통과시키고 계속해서 박정희가 대통령으로 집권함.
5·18 민주화 운동	박정희가 죽은 뒤 전두환을 중심으로 신군부가 정권을 장악함. → 광주에서 민주주의를 요구하는 많은 시민들이 계엄군에 의해 죽거나 다침.
6월 민주 항쟁	전두환 정부의 독재에 대해 민주화를 요구하는 시위가 크게 일어남. → 6·29 민주화 선언 → 대통령 직선제 개헌

대통령을 국민이 직접 뽑을 수 있게 되었어요.

(2) **경제 성장의 모습**

경제 성장 노력	• 경제 개발 계획 추진: 1960년대(경공업 육성), 1970년대(중화학 공업 육성) • 고속 국도, 조선소, 정유 시설, 발전소 등을 건설함.
1980년대 이후	• 1980년대 중반 이후: 반도체, 자동차, 전자 등 기술 집약 산업 발달 • 1990년대 외환 위기 발생: → 구조 조정, 외국 자본 유치, 금 모으기 운동 등으로 극복

(3) **남북 평화와 통일을 위한 노력**: 7·4 남북 공동 성명, 남북 기본 합의서 채택, 남북 정상 회담, 개성 공단, 문화 체육 교류 실시 등

실업자가 늘어나고 빈부 격차가 커지는 문제가 나타났어요.

꼭 나오는 자료

6·25 전쟁 과정

- 북한군의 남침로
- 중국군의 공격로
- 국군과 유엔군의 반격로

중국군 개입 (1950. 10.)

국군과 유엔군의 최대 북진선

인천 상륙 작전 (1950. 9. 15.)

정전 협정 조인 (1953. 7. 27.)

중국군 최대 남침선 (1951. 1)

국군의 최후 방어선 (1950. 9. 2.)

✔ **출제 POINT**

6·25 전쟁의 피해와 영향

인명 피해	500만여 명의 사상자, 전쟁 고아와 이산가족 발생
재산 피해	대부분의 건물과 산업 시설 파괴, 전 국토의 황폐화
정신 피해	남과 북은 서로에 대한 적대 감정과 불신으로 오랫동안 대립

출제 100% 키워드 다지기

정답 및 풀이 **38쪽**

❶ 일제는 식민 통치 최고 기관으로 ㅈㅅㅊㄷㅂ를 설치하였다. ⋯⋯⋯⋯⋯⋯⋯ (　　　　)

❷ 일제는 일본의 식량 부족을 해결하기 위해 조선에서 ㅅㅁㅈㅅㄱㅎ을 실시했다. ⋯⋯ (　　　　)

❸ 김구가 조직한 ㅎㅇㅇㄱㄷ은 이봉창 의사와 윤봉길 의사가 의거를 일으키며 활약했다. ⋯ (　　　　)

❹ 5·10 총선거로 구성된 제헌 국회에서 ㅇㅅㅁ을 초대 대통령으로 선출했다. ⋯⋯⋯ (　　　　)

❺ 전두환의 독재에 맞서 일어난 6월 민주 항쟁의 결과로 6·29 ㅁㅈㅎ 선언이 발표되었다. (　　　　)

4. 민족 운동의 전개와 대한민국의 발전

문제 풀이 강의

일제의 무단 통치   출제율 ★ ★ ★ ★ ☆

1910년대에 일제 강점기의 강압적인 식민 통치와 수탈에 대한 문제가 출제됩니다. 일제가 실시한 식민 통치의 내용을 정리해 보세요.

개념

01 다음에서 설명하는 제도는 무엇인지 쓰시오.

> 1910년부터 1918년까지 일제가 토지의 주인이 직접 가격, 토지 크기 등을 정해진 날짜까지 신고하도록 하는 내용의 대규모의 조사 사업이었다. 실제로는 식민 통치를 위한 자료를 확보하고 토지 약탈을 위해 실시한 것이다.

(   )

기출 초급 32회

02 선생님의 질문에 대한 학생의 대답으로 옳지 <u>않은</u> 것은? (   )

> 일제의 식민지 경제 정책에 대해 말해 볼까요?
>
> (가) 토지 조사 사업을 실시했어요.
>
> (나) 산미 증식 계획을 실시했어요.
>
> (다) 당백전을 발행했어요.
>
> (라) 회사령을 시행했어요.

① (가)   ② (나)

③ (다)   ④ (라)

3·1 운동   출제율 ★ ★ ★ ★ ★

1919년 3·1 운동이 일어난 배경과 의의를 묻는 문제가 자주 출제됩니다. 3·1 운동의 전개 과정과 의의를 정리해 보세요.

개념

03 다음에서 설명하는 것은 무엇인지 쓰시오.

> 각 민족은 정치적 운명을 스스로 결정할 권리가 있으며, 다른 민족의 간섭을 받을 수 없다는 주장으로, 우리나라에서 3·1 운동이 일어나는데 큰 영향을 주었다.

(   )

기출 초급 37회

04 밑줄 그은 '이 운동'으로 옳은 것은? (   )

> 이 운동은 1919년에 일어났어. 전국적으로 많은 사람들이 독립 만세를 외치며 시위에 참여했지.
>
> 그 영향으로 중국 상하이에 대한민국 임시 정부가 수립되었어.

① 3·1 운동

② 국채 보상 운동

③ 물산 장려 운동

④ 광주 학생 항일 운동

일제의 민족 말살 정책   출제율 ★ ★ ★ ★ ☆

일제 강점기에 일제가 우리 민족의 정신과 문화의 뿌리를 말살하기 위해 펼친 정책에 대해 묻는 문제가 출제됩니다. 일제의 민족 말살 정책의 내용을 정리해 보세요.

개념

05 일제가 실시한 민족 말살 정책으로 옳지 <u>않은</u> 것은 어느 것입니까? (   )

① 신사 참배 강요
② 한국어 사용 금지
③ 일본 역사 교육 금지
④ 일본식 이름 사용 강요

기출 초급 39회

06 다음 상황이 나타난 시기에 볼 수 있는 모습으로 적절하지 <u>않은</u> 것은? (   )

① 대동법 시행에 반대하는 지주
② 공출로 가마솥을 빼앗기는 농부
③ 일본군 '위안부'로 끌려가는 여성
④ 황국 신민 서사를 암송하는 학생

무장 독립 투쟁의 모습   출제율 ★ ★ ★ ☆ ☆

군대를 조직하고 무력을 사용해 일제에 맞서 싸운 우리 민족의 모습에 대해 묻는 문제가 출제됩니다. 여러 독립군 부대들의 활약을 정리해 보세요.

개념

07 다음에서 설명하는 사람은 누구인지 쓰시오.

> 일제에 맞서 무장 독립운동을 한 독립운동가이자 군인입니다. 독립군의 총사령관으로서 1920년 일본군과 맞서 싸운 청산리 전투에서 큰 승리를 거두었습니다.

(   )

기출 초급 31회

08 다음 대본에 나타난 전투로 옳은 것은?
(   )

> **독립군 부대, 일본군을 크게 물리치다!**
> • 때: 1920년 10월
> • 장소: 백운평 · 천수평 · 어랑촌 등 일대
> • 등장 인물: 김좌진, 홍범도, 독립군 부대원들, 일본 군인들
>
> # 1
> (백운평 계곡에 김좌진이 이끄는 독립군 부대가 결전을 준비하며 총을 겨누고 있다.)
> 김좌진: (결의에 찬 목소리로) 모두 숨소리를 죽여라! 일본군이 가까이 오면 바로 기습 공격할 것이다.
> 독립군 부대원들: (낮고 긴장된 목소리로) 네!

① 백강 전투   ② 청산리 전투
③ 쌍성보 전투   ④ 매소성 전투

대한민국 정부 수립 과정   출제율 ★★★★☆

대한민국 정부가 수립되는 과정을 묻는 문제가 출제됩니다. 광복 이후부터 대한민국 정부가 수립되기까지의 사건을 잘 정리해 보세요.

개념

09 다음에서 설명하는 사건은 무엇인지 쓰시오.

> 1948년 5월 10일에 실시한 우리나라 최초의 민주적 선거이다. 이 선거를 통해 국회 의원이 선출되었고, 제헌 국회가 구성되었다.

(   )

기출 초급 42회

10 (가)~(다)를 일어난 순서대로 옳게 나열한 것은?

(   )

사진으로 보는 대한민국 정부 수립

(가)	(나)	(다)
제헌 국회 개원식	미·소 공동 위원회 개최	5·10 총선거

① (가) - (나) - (다)
② (가) - (다) - (나)
③ (나) - (가) - (다)
④ (나) - (다) - (가)

6·25 전쟁   출제율 ★★★★★

6·25 전쟁의 과정에서 어떤 일들이 있었는지 묻는 문제가 출제됩니다. 6·25 전쟁의 전개 과정과 결과를 정리해 보세요.

개념

11 다음 사건들을 일어난 순서대로 기호를 나열하시오.

> ㉠ 휴전 협정   ㉡ 북한의 남침
> ㉢ 중국군 개입   ㉣ 인천 상륙 작전

(   ) → (   ) → (   ) → (   )

기출 초급 36회

12 (가) 전쟁에서 있었던 사실로 옳은 것은?

(   )

사진으로 보는 (가)

북한군의 침입	흥남 철수	휴전 협정 체결

① 베트남에 국군을 파병하였다.
② 7·4 남북 공동 성명을 발표하였다.
③ 인천 상륙 작전으로 서울을 되찾았다.
④ 청산리에서 김좌진 부대가 승리하였다.

우리나라 민주주의의 발전　　출제율 ★★★★☆

국민들의 노력으로 우리나라의 민주주의가 발전하는 과정에서 나타난 일들을 묻는 문제가 출제됩니다. 시간의 흐름에 따라 사건들을 정리해 보세요.

개념

13 다음에서 설명하는 사건은 무엇인지 쓰시오.

> 학생과 시민들이 대통령 직선제 개헌을 요구하며 전국적으로 벌인 시위로, 대통령 직선제 개헌을 주요 내용으로 하는 6·29 민주화 선언을 이끌어냈다.

(　　　　　　　　)

기출 초급 38회

14 (가)에 들어갈 사건으로 옳은 것은? (　　　　)

> **특강 주제: 대한민국의 정치 발전과 민주주의**

> 1960년에 일어난 　(가)　 은(는) 3·15 부정 선거와 이승만 독재 정권에 반대하는 학생과 시민들이 시위에 나서며 전개되었습니다. 이 사건은 민주주의를 한 단계 더 발전시킨 자랑스러운 역사입니다.

① 4·19 혁명　　② 12·12 사태
③ 5·18 민주화 운동　　④ 3선 개헌 반대 운동

남북통일을 위한 노력　　출제율 ★★★★☆

6·25 전쟁 이후 휴전 상태가 지속되고 있는 남북한이 통일을 위해 어떤 노력을 해왔는지 묻는 문제가 자주 출제됩니다. 시기별로 어떤 노력을 해왔는지 정리해 보세요.

개념

15 다음 (　　　) 안에 들어갈 알맞은 말은 무엇인지 쓰시오.

> 2000년 김대중 대통령과 김정일 국방 위원장은 분단 이후 처음으로 남북 정상 회담을 가진 후 (　　　　)을(를) 발표하였다.

(　　　　　　　　)

기출 초급 41회

16 (가)에 들어갈 내용으로 옳은 것은? (　　　　)

① 개성 공단 조성 합의
② 금강산 관광 사업 시작
③ 7·4 남북 공동 성명 발표
④ 남북한 유엔(UN) 동시 가입

[3점]

01 다음 사건이 일어난 시기를 연표에서 옳게 고른 것은? (   )

① (가)　　　　　② (나)

③ (다)　　　　　④ (라)

[3점]

02 밑줄 그은 '왕'의 업적으로 옳은 것은? (   )

① 훈요 10조를 지었다.
② 장용영을 설치하였다.
③ 호패법을 실시하였다.
④ 훈민정음을 창제하였다.

[3점]

03 다음 왕의 업적으로 옳은 것은? (   )

① 후삼국을 통일하였다.
② 측우기를 제작하였다.
③ 균역법을 실시하였다.
④ 백두산정계비를 세웠다.

[2점]

04 (가)에 해당하는 검색어로 가장 적절한 것은?
(   )

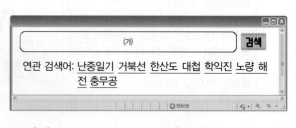

① 최영　　　　　② 이순신
③ 강감찬　　　　④ 장보고

[2점]

05 다음 가상 뉴스에서 보도하고 있는 사건으로 옳은 것은? (   )

① 병자호란   ② 임진왜란
③ 삼포왜란   ④ 신미양요

[3점]

06 (가)에 들어갈 내용으로 옳은 것은? (   )

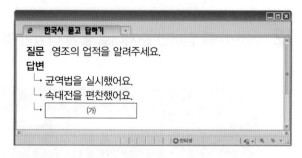

① 탕평비를 건립했어요.
② 영선사를 파견했어요.
③ 집현전을 설치했어요.
④ 별무반을 창설했어요.

[2점]

07 (가)에 들어갈 제도로 옳은 것은? (   )

① 납속   ② 환곡   ③ 과전   ④ 호패법

[2점]

08 (가)에 들어갈 사건으로 옳은 것은? (   )

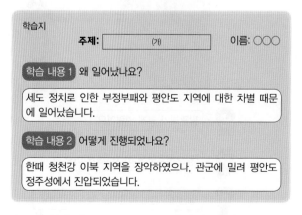

① 만적의 난   ② 이자겸의 난
③ 홍경래의 난   ④ 망이·망소이의 난

[3점]

09 타임머신을 타고 도착한 시기의 경제 모습으로 적절한 것은? (   )

장시가 열렸네. 사람들이 상평통보를 사용해 물건을 사고 있군.

① 목화가 처음 재배되기 시작하였다.
② 벽란도를 통해 송의 상인과 무역을 하였다.
③ 고구마, 감자 등 새로운 작물을 재배하였다.
④ 청해진을 중심으로 당과 해상 무역을 하였다.

[2점]

10 선생님의 질문에 대한 학생의 대답으로 옳은 것은? (   )

이 그림은 김홍도의 작품으로 서민 생활을 소재로 한 풍속화입니다. 이 작품이 제작된 시기의 문화에 대해 말해 볼까요?

「논갈이」

① 팔관회가 크게 열렸어요.
② 『왕오천축국전』이 저술되었어요.
③ 팔만대장경이 목판으로 제작되었어요.
④ 『춘향전』 등의 한글 소설이 널리 읽혔어요.

[3점]

11 다음 인물 카드의 주인공이 한 일로 옳지 <u>않은</u> 것은? (   )

(앞면)

• 고종의 아버지
• 어린 고종을 대신하여 통치
• 서양 세력의 침입에 대처하고 민생 안정과 왕권 강화를 위한 정책 실시

(뒷면)

① 서원 철폐   ② 경복궁 중건
③ 집현전 설치   ④ 척화비 건립

[3점]

12 ㈎~㈐를 일어난 순서대로 옳게 나열한 것은? (   )

㈎ 병인양요   ㈏ 강화도 조약 체결   ㈐ 척화비 건립

① ㈎ - ㈏ - ㈐   ② ㈎ - ㈐ - ㈏
③ ㈏ - ㈐ - ㈎   ④ ㈐ - ㈏ - ㈎

13 [2점]
(가)에 들어갈 사건으로 옳은 것은? ( )

다시 보는 (가)

사발통문   황토현 전적지   압송되는 전봉준

① 3·1 운동
② 6·10 만세 운동
③ 동학 농민 운동
④ 광주 학생 항일 운동

14 [3점]
다음 가상 일기를 통해 알 수 있는 사건의 배경으로 옳은 것은? ( )

> 1907년 ○○월 ○○일
>
> 황제 폐하의 특사로서 이곳 네덜란드 헤이그에 도착하였다. 나의 임무는 만국 평화 회의에 참석하여 우리나라의 상황을 세계에 알리는 것이다. 이제부터 여러 나라의 대표들을 만나 도움을 요청해 보아야겠다.

① 독립문이 세워졌다.
② 을사늑약이 체결되었다.
③ 조선 총독부가 설치되었다.
④ 6·29 민주화 선언이 발표되었다.

15 [2점]
다음 밑줄 그은 '비밀 단체'로 옳은 것은?
( )

안창호, 양기탁 선생 등이 만든 비밀 단체가 일제에 의해 해체되었다고 하는데 소식 들었나?

그래, 대성 학교와 오산 학교를 세워 민족 교육에도 힘썼다는데 안타까운 일이야.

① 신민회   ② 의열단
③ 독립 협회   ④ 조선어 학회

16 [3점]
(가)에 들어갈 내용으로 옳은 것은? ( )

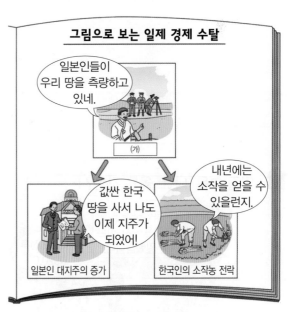

그림으로 보는 일제 경제 수탈

일본인들이 우리 땅을 측량하고 있네.

(가)

값싼 한국 땅을 사서 나도 이제 지주가 되었어!

내년에는 소작을 얻을 수 있을런지.

일본인 대지주의 증가   한국인의 소작농 전락

① 회사령 실시
② 농지 개혁법 추진
③ 산미 증식 계획 수립
④ 토지 조사 사업 실시

17 [2점]
(가)에 대한 설명으로 옳은 것은? (   )

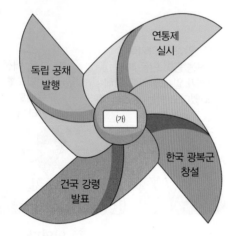

① 상하이에 수립되었다.
② 대성 학교를 설립하였다.
③ 군국기무처를 설치하였다.
④ 대한매일신보를 발행하였다.

18 [2점]
밑줄 그은 '나'로 옳은 것은? (   )

① 신돌석   ② 이상설
③ 최익현   ④ 홍범도

19 [2점]
(가)에 들어갈 내용으로 옳은 것은? (   )

① 단발령   ② 유신 헌법
③ 제헌 헌법   ④ 조선 태형령

20 [3점]
(가)에 들어갈 사건으로 옳은 것은? (   )

① 4·19 혁명   ② 6월 민주 항쟁
③ 5·18 민주화 운동   ④ 부·마 민주 항쟁

모의 평가 강의

01 [3점]
다음 대화 내용에 해당하는 문화유산으로 옳은 것은? (　　　)

성종 때 완성된 조선의 기본 법전이야.

국가 조직과 정치, 경제, 사회 활동에 대한 내용을 담고 있어.

① 『경국대전』
② 『동국통감』
③ 『악학궤범』
④ 『삼강행실도』

02 [2점]
다음 학생들이 공통으로 이야기하고 있는 기구로 옳은 것은? (　　　)

세종의 명을 받아 장영실이 만들었어.

이것은 물의 흐름을 이용해 종, 북, 징을 자동으로 쳐서 시간을 알려주는 기구야.

① 간의　　　② 자격루
③ 측우기　　④ 앙부일구

03 [2점]
(가)에 들어갈 내용으로 옳은 것은? (　　　)

조선 시대 의관, 역관, 서리, 향리 등이 포함된 신분을 이르는 말은?

• 한국사 퀴즈 대회 •
(가)

① 양반　② 중인　③ 상민　④ 천민

04 [3점]
밑줄 그은 '이 전쟁' 중에 있었던 사실로 옳은 것은? (　　　)

여기는 옥연정사입니다. 유성룡은 이 전쟁에서 드러난 문제점을 반성하고 훗날을 대비하기 위하여 이곳에서 징비록을 썼습니다.

증강 현실로 만난 역사

① 이종무가 쓰시마섬을 정벌하였다.
② 강감찬이 귀주에서 거란을 물리쳤다.
③ 권율이 행주산성에서 크게 승리하였다.
④ 김좌진이 청산리에서 일본군을 격퇴하였다.

[2점]

05 밑줄 그은 '이 성'에 해당하는 문화유산으로 옳은 것은? (   )

> 오늘 소개할 문화유산에 대해 설명해 주세요.

> 이 성은 병자호란 때 인조가 머무르며 청에 대항하던 장소입니다. 유네스코 세계 유산으로서 동아시아의 축성 기술을 잘 보여 주고 있습니다.

① ▲ 공산성

② ▲ 남한산성

③ ▲ 정족산성

④ ▲ 진주성

[3점]

06 (가)에 들어갈 내용으로 옳지 <u>않은</u> 것은?

(   )

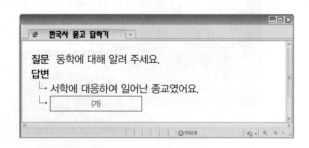

한국사 묻고 답하기

질문 동학에 대해 알려 주세요.
답변
 ↳ 서학에 대응하여 일어난 종교였어요.
 ↳ ┌─────── (가) ───────┐

① 단군을 숭배하는 민족 종교였어요.
② 몰락 양반인 최제우가 창시하였어요.
③ 용담유사라는 포교용 가사집이 있어요.
④ 사람이 곧 하늘이라는 사상을 강조하였어요.

[3점]

07 (가)에 들어갈 문화유산으로 옳은 것은?

(   )

> 녹로는 고정 도르래를 이용하여 물건을 낮은 곳에서 높은 곳으로 옮기는 기구입니다. 이 기구를 이용하여 만든 (가) 은 정조의 개혁 정치를 상징하는 문화유산입니다.

①
▲ 정족산성

②
▲ 해미읍성

③ ▲ 수원 화성

④ ▲ 공산성

[2점]

08 (가)에 들어갈 내용으로 옳은 것은? (   )

> 이것은 벼슬을 받는 사람의 이름을 비워둔 임명장입니다. 이러한 문서의 발행이 늘어나면서 (가)

공명첩

① 과거 제도가 폐지되었습니다.
② 양반의 수가 증가하였습니다.
③ 서원이 대부분 없어졌습니다.
④ 서얼에 대한 차별이 생겼습니다.

09 [2점]

다음 학생이 생각하고 있는 인물로 옳은 것은?
(   )

『북학의』를 저술했어.

생산을 늘리기 위해 소비를 권장해야 한다고 주장했어.

① 박지원   ② 박제가
③ 정약전   ④ 홍대용

11 [3점]

(가)에 들어갈 내용으로 옳은 것은? (   )

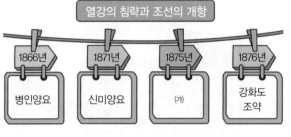

열강의 침략과 조선의 개항

1866년	1871년	1875년	1876년
병인양요	신미양요	(가)	강화도 조약

① 신유박해   ② 봉오동 전투
③ 운요호 사건   ④ 홍경래의 난

10 [3점]

(가)에 들어갈 내용으로 옳은 것은? (   )

문화 탐방 **전통 문화를 찾아서**

조선 후기에 유행했던 [(가)] 은/는 신재효에 의해 체계적으로 정리되었다. 노래와 이야기를 엮어 연출하고, 구경꾼들도 추임새를 하며 함께 참여할 수 있기 때문에 큰 호응을 얻었다. 대표적인 작품으로는 「춘향가」, 「심청가」, 「흥부가」, 「적벽가」, 「수궁가」 등이 있다.

① 별신굿   ② 판소리
③ 사물놀이   ④ 산대놀이

12 [2점]

다음 가상 뉴스에서 보도하고 있는 사건으로 옳은 것은? (   )

김홍집을 중심으로 한 군국기무처에서는 신분제와 과거제를 폐지하는 등 여러 가지 개혁을 추진한다고 발표하였습니다.

① 갑오개혁   ② 갑신정변
③ 광무개혁   ④ 을미사변

[2점]

13 밑줄 그은 '이 단체'로 옳은 것은? (   )

> 그림 속 만민 공동회를 개최한 이 단체는 외세에 의한 이권 침탈을 막고 자주독립 의식을 확산시키려고 했어요.

① 신간회   ② 신민회

③ 독립 협회   ④ 국채 보상 기성회

[2점]

14 선생님의 질문에 대한 학생의 답변으로 옳은 것은? (   )

> 지도의 (개) 지역에서 일어났던 항일 운동을 말해 볼까요?

하얼빈 • (개)

① 장인환 의사가 스티븐스를 저격했어요.

② 안중근 의사가 이토 히로부미를 저격했어요.

③ 이봉창 의사가 일본 국왕을 향해 폭탄을 던졌어요.

④ 나석주 의사가 동양 척식 주식회사에 폭탄을 던졌어요.

[3점]

15 다음 공모전에 출품할 작품으로 적절하지 <u>않은</u> 것은? (   )

광고 공모전

1. 주제: 개항 이후 처음 들어온 근대 문물
2. 접수 기간: 2019년 ○○월 ○○일~○○월 ○○일

① 천리 밖 소식을 귓전에서!
▲ 전화기

② 밤도 낮과 같이 불을 밝히세요!
▲ 전등

③ 먼 거리도 한달음에!
▲ 전차

④ 답답한 세상 환하게 보세요!
▲ 안경

[3점]

16 (개)에 들어갈 내용으로 적절한 것은? (   )

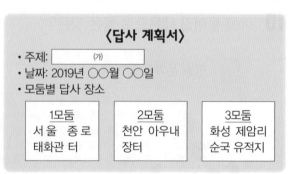

〈답사 계획서〉

• 주제: [(개)]
• 날짜: 2019년 ○○월 ○○일
• 모둠별 답사 장소

1모둠	2모둠	3모둠
서울 종로 태화관 터	천안 아우내 장터	화성 제암리 순국 유적지

① 3·1 운동의 현장을 찾아서

② 대한 제국의 흔적을 찾아서

③ 한인 애국단의 숨결을 찾아서

④ 6·10 만세 운동의 발자취를 따라서

17 [2점]
밑줄 그은 '이 정책'으로 옳은 것은? (   )

> 1920년대 일제가 실시한 이 정책으로 늘어난 쌀보다 더 많은 양의 쌀이 일본으로 빠져 나갔습니다. 그 결과 국내에서는 쌀 부족 현상이 심각해졌습니다.

① 방곡령   ② 회사령
③ 토지 조사 사업   ④ 산미 증식 계획

18 [3점]
(가)에 들어갈 단체로 옳은 것은? (   )

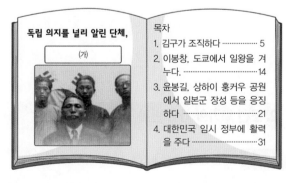

독립 의지를 널리 알린 단체,
(가)

목차
1. 김구가 조직하다 ·············· 5
2. 이봉창, 도쿄에서 일왕을 겨누다. ·············· 14
3. 윤봉길, 상하이 훙커우 공원에서 일본군 장성 등을 응징하다 ·············· 21
4. 대한민국 임시 정부에 활력을 주다 ·············· 31

① 신간회   ② 독립 협회
③ 한국광복군   ④ 한인 애국단

19 [3점]
밑줄 그은 '이 전쟁'에 대한 설명으로 옳지 않은 것은? (   )

> 1950년에 발발한 이 전쟁과 분단으로 생겨난 이산가족을 찾기 위해 방영된 특별 생방송 '이산가족을 찾습니다' 기록물이 세계 기록 유산으로 지정되었습니다.

민족의 아픔, 세계 기록 유산으로 남다

① 중국군이 개입하였다.
② 인천 상륙 작전이 전개되었다.
③ 부산이 임시 수도로 정해졌다.
④ 봉오동에서 홍범도 부대가 승리하였다.

20 [2점]
(가)~(다)를 일어난 순서대로 옳게 나열한 것은? (   )

평화 통일을 위한 노력		
(가)	(나)	(다)
7·4 남북 공동 성명 발표	남북 기본 합의서 채택	6·15 남북 공동 선언 발표

① (가) - (나) - (다)
② (가) - (다) - (나)
③ (나) - (가) - (다)
④ (다) - (가) - (나)

10일 완성 한국사능력검정시험
정답 및 풀이

1. 조선의 성립과 발전

01 고려의 우왕은 철령 북쪽의 땅을 돌려달라는 명의 요구를 거절하고, 요동 정벌 계획을 세웠습니다. 군사를 이끌고 요동 정벌을 떠난 이성계는 위화도에서 군사를 돌려 개경으로 가서 우왕과 최영을 몰아내고 권력을 차지하였습니다.

02 이성계는 1388년 정변을 일으키고 권력을 차지하였습니다. 이후 정몽주 등 온건파 신진 사대부 세력을 제거하고 급진파 신진 사대부들이 이성계를 왕으로 추대하였습니다.

03 태종은 호패법을 실시하여 세금을 거두고 군역을 부과하기 위한 노력을 하였습니다. 세종은 집현전을 설치하여 학문을 연구하였으며, 세조는 직전법을 실시하여 현직 관리에게만 토지를 지급하도록 하여 국가 재정을 안정시켰습니다.

04 『경국대전』은 조선 시대에 나라를 다스리는 기준이 된 최고의 법전으로, 세조 때 편찬을 시작하여 성종 7년(1476년)에 완성하였습니다.
> **오답 노트** ②는 1785년(정조 9년) 조선 후기 편찬된 법전, ③은 1865년(고종 2년)에 편찬된 조선 최후의 통일 법전, ④는 1394년(태조 3년)에 정도전이 왕에게 지어 올린 법전입니다.

05 조선 시대에는 한성의 4부 학당과 지방의 향교에서 『소학』과 사서 등 유교 경전을 가르쳤으며, 성균관은 최고 교육 기관의 역할을 하였습니다.

06 조선 시대 최고 교육 기관의 역할을 한 곳은 성균관입니다.
> **오답 노트** ③ 국자감은 고려 시대의 국립 교육 기관입니다.

07 세종 때 만들어진 혼천의, 간의 등은 천체의 운행과 위치를 측정하는 천체 관측 기구입니다.

08 측우기는 세종 때 발명되어 사용한 조선 시대의 강우량 측정 기구입니다.
> **오답 노트** ①은 정약용이 발명하여 화성 건설에 쓰인 기구, ②는 자동으로 시간을 알려주는 물시계, ④는 해의 움직임에 따라 그림자로 시간을 나타내는 해시계입니다.

09 조선 시대에 성리학적 질서가 강화되면서 신분제가 강화되었고, 여성의 사회적 지위는 낮아졌습니다.

10 조선 시대에는 남자 아이가 15세가 넘으면 좋은 날을 받아 어른이 되었음을 알리는 의례인 관례를 치렀습니다.

11 이순신은 임진왜란이 끝나가던 당시 노량에서 500여 척의 왜군과 싸워 200여 척의 적선을 불태우는 큰 승리를 거두었지만 이 전투에서 이순신은 적의 유탄에 맞아 전사하였습니다.

12 > **오답 노트** ① 병자호란(1636년) 때에 청의 침략으로 한성이 함락되고 인조는 신하들과 함께 남한산성으로 피란을 가서 45일간 항전하였습니다.

13 광해군은 후금과 명 사이에서 중립 외교를 펼치며 후금과의 전쟁을 피하고 조선의 피해를 막았습니다. 그러나 광해군은 임진왜란 때 도움을 준 명에 대한 의리를 중시한 서인의 반발을 받았습니다.

14 광해군은 명과 후금 사이에서 실리적인 중립 외교를 펼쳐 후금과의 무리한 충돌을 피했습니다.
> **오답 노트** ①과 ③은 세종 ④는 고려 공민왕이 한 일입니다.

15 조선은 청에 항복하고 굴욕적으로 임금과 신하의 관계를 맺었습니다.

16 병자호란 때 인조는 한성이 함락되자 남한산성으로 피신하고 청을 상대로 항전하였으나 45일 만에 항복하고 청과 굴욕적인 강화를 맺었습니다. 전쟁의 결과로 인조의 두 왕자인 소현 세자와 봉림 대군이 볼모로 청에 끌려갔습니다.

2. 조선 후기의 사회 변화

DAY 4 기출 문제 　　10~13쪽

01 ④	02 ②	03 환곡	04 ④	05 동학	06 ④
07 모내기법	08 ①	09 ㉠ 양반 ㉡ 노비			10 ④
11 (1)-㉡ (2)-㉠		12 ②	13 「대동여지도」		14 ④
15 ③	16 ③				

01 정조는 자신의 권력과 정책을 뒷받침하기 위한 학술 및 정책 연구 기관으로서 규장각의 기능을 강화했습니다.

02 정조는 수원에 정치적 이상을 실현하는 상징적인 도시를 만들기 위해 계획 도시인 화성을 건설했습니다.

03 환곡은 원래 나라에서 가난한 백성에게 봄에 곡식을 빌려주고 가을에 약간의 이자와 함께 빌려준 곡식을 되돌려 받는 구호 제도였으나, 관리들이 부정하게 환곡을 운영하면서 백성들에게 고통을 주었습니다.

04 환곡의 이자가 관청의 경비로 사용되면서 환곡을 고리대처럼 운영하여 높은 이자를 붙이거나 관리의 부정이 끼어들었습니다.

> **오답 노트** ① 공납은 각 지역의 토산물을 현물로 내는 세금 제도, ② 군정은 군대에 가는 대신 내는 세금 제도, ③ 책화는 동예에서 다른 마을의 생활권을 침범한 상대방에게 내리던 벌칙을 말합니다.

05 동학의 인내천 사상은 '사람이 곧 하늘'이라는 평등 사상이며 후천 개벽 사상은 '새로운 세상이 열릴 것이다.'라는 주장을 말합니다.

06 동학은 최제우가 서학에 반대하며 유교, 불교, 민간 신앙 등 우리 고유의 사상을 바탕으로 만든 새로운 종교입니다.

07 모내기법이 확산되면서 잡초를 뽑는 데 드는 노동력을 아낄 수 있고, 벼와 보리의 이모작이 가능하였습니다.

08 조선 후기에는 모내기법이 실시되면서 농업 생산량이 늘었으며, 대동법의 실시, 장시와 상인의 증가로 상업이 발달했습니다.

> **오답 노트** ① 건원중보는 고려 성종 때 만들어진 화폐이고 조선 후기에는 상평통보가 널리 쓰였습니다.

09 공명첩은 돈이나 곡식을 받고 제공한 관직 임명장, 납속책은 곡식을 바친 자에게 신분적 혜택을 준 정책, 군공은 전쟁에서 세운 공로로 신분을 해방시켜주는 것을 말합니다.

10 공명첩은 조선 정부가 부족한 재정을 늘리기 위해 발행한 관직 임명장으로, 돈이나 곡식을 받고 제공하였습니다. 이름을 기록하는 난이 비어 있어 공명첩이라 합니다.

11 유형원, 이익, 정약용은 농업 중심의 개혁론, 박지원, 유수원, 홍대용, 박제가는 상공업 중심의 개혁론을 주장한 실학자입니다.

12 실학자 박지원은 중국(청)을 다녀온 뒤 『열하일기』를 지어 상공업의 발달을 주장하고 수레·선박·화폐의 사용을 강조하였습니다.

13 김정호의 「대동여지도」는 우리나라 최초로 기호를 사용한 지도이고, 산과 도로, 물길, 교통로를 기록한 지도입니다.

14 『자산어보』는 1814년 정약전이 우리나라의 바다 생물을 주제로 지은 책으로, 흑산도 근해의 생물 155종에 대한 명칭·분포·형태·습성 및 이용 등에 관한 사실이 기록되어 있습니다.

> **오답 노트** ①은 유득공이 쓴 발해의 역사책, ②는 허준이 쓴 의학 서적, ③은 김부식이 쓴 역사책입니다.

15 **오답 노트** ③ 조선 후기에는 흰색 바탕에 푸른색 안료로 채색한 청화 백자가 유행하였고, 백자가 널리 사용되었습니다.

16 서민들의 생활 수준이 향상되면서 교육과 문화에 대한 욕구가 증가하였고, 한글 소설, 판소리, 탈놀이, 풍속화, 민화 등 서민 문화가 발달하였습니다.

3. 근대 국가 수립 운동과 국권 수호 운동

DAY 5 핵심 개념 출제 100% 키워드 다지기 　　15쪽

❶ 경복궁　　❷ 척화비　　❸ 전봉준　　❹ 독립신문
❺ 을사늑약

DAY 6 기출 문제 　　16~19쪽

01 흥선 대원군	02 ③	03 신미양요	04 ①
05 불평등	06 ④	07 동학 농민 운동	08 ④
09 독립문	10 ③	11 ㉢ → ㉠ → ㉣ → ㉡	12 ③
13 ③	14 ③	15 철도	16 ④

01 흥선 대원군은 아들인 고종이 어린 나이로 즉위하자 정치 권력을 장악하여 세도 가문을 몰아내고 개혁 정치를 펼쳤습니다.

02 흥선 대원군은 그동안 국가의 재정을 낭비할 뿐만 아니라 농민들을 괴롭히고 수탈을 일삼는 등 다양한 특권을 가졌던 지방의 서원을 대폭 정리하였습니다.

오답 노트 ① 삼별초는 고려의 특수 부대. ② 통감부는 일제가 설치한 식민 통치 기구. ④ 한산도 대첩은 임진왜란 당시 이순신이 일본 수군을 크게 물리친 전투입니다.

03 흥선 대원군은 병인양요와 신미양요를 겪고 독일인 오페르트의 도굴 사건을 계기로 전국에 척화비를 세우고 서양과의 통상 수교 금지를 알렸습니다.

04 1866년 프랑스가 병인박해를 구실로 조선에 통상을 요구하며 강화도를 침략한 사건을 병인양요라고 합니다. 양헌수 장군이 이끄는 조선군은 프랑스군을 물리쳤으나, 프랑스군은 물러가면서 외규장각을 불태우고 외규장각 의궤와 서적을 약탈해 갔습니다.

05 일본은 운요호 사건을 빌미로 조선에서 통상을 맺을 것을 요구하였고 1876년 두 나라의 대표가 강화도에서 조약을 맺었습니다.

06 강화도 조약은 조선이 일본의 자주국 규정, 항구 개항, 해안 측량권, 치외 법권 적용 등을 허락하고 일본에 유리한 조항들로 이루어져 있으며, 조선이 외국과 맺은 최초의 근대적 조약이자 불평등 조약입니다.

07 동학 농민 운동이 일어난 배경으로 당시 관리들의 횡포와 일본의 경제적 침탈로 농민들은 큰 고통을 받고 있었습니다.

08 전봉준은 동학 농민 운동의 지도자로서 부패한 관리를 처단하고 민생을 위해 정부가 개혁할 것을 요구했습니다.

09 1896년 미국에서 돌아온 서재필은 독립 협회를 조직하고 독립문을 세웠습니다.

10 독립 협회는 독립신문 창간과 독립문 설립, 만민 공동회와 관민 공동회 개최 등의 활동을 하였습니다.

11 러일 전쟁에서 승리한 일제는 우리나라의 외교권을 빼앗는 을사늑약(1905년)을 강제로 체결하였습니다. 또한 일제는 을사늑약의 부당함을 알리고자 했던 헤이그 특사 파견을 구실로 고종을 강제로 퇴위시켰습니다. 이후 군대를 해산시키고 경찰권과 사법권까지 장악하며 일제는 우리나라의 국권을 강탈하였습니다.

12 을사늑약은 1905년 일본이 대한 제국의 외교권을 박탈하기 위해 강제로 체결한 조약입니다.

13 안중근은 1909년 10월 26일 일본인으로 가장하고 하얼빈 역에 잠입하여, 을사늑약을 체결한 민족의 원흉인 이토 히로부미를 저격하여 사살하였습니다.

14 안중근은 독립운동가로 삼흥 학교를 세우는 등 인재 양성에 힘썼으며, 하얼빈에서 이토 히로부미를 사살하는 의거를 실행했습니다.

오답 노트 ①은 종로 경찰서에 폭탄을 던진 독립운동가, ②는 의열단을 조직하고 조선 의용대를 창설한 독립운동가. ④는 일왕의 생일 행사장에 폭탄을 던진 독립운동가입니다.

15 근대 문물의 수용으로 사람들의 생활은 편리해졌지만 여러 시설이 일제의 침략에 이용되는 등 여러 가지 부작용을 겪기도 했습니다.

16 대한 제국 수립 이전과 이후에 각각 전신과 철도가 개통되었습니다.

오답 노트 ④ 1631년에 정두원이 명에 사신으로 갔다가 조선에 자명종을 소개하였습니다.

4. 민족 운동의 전개와 대한민국의 발전

| DAY 7 | 핵심 개념 출제 100% 키워드 다지기 | 21쪽 |

❶ 조선 총독부   ❷ 산미 증식 계획   ❸ 한인 애국단
❹ 이승만   ❺ 민주화

| DAY 8 | 기출 문제 | 22~25쪽 |

01 토지 조사 사업   **02** ③   **03** 민족 자결주의   **04** ①
05 ③   **06** ①   **07** 김좌진   **08** ②   **09** 5 · 10 총선거   **10** ④   **11** ㉡ → ㉢ → ㉣ → ㉠   **12** ③
13 6월 민주 항쟁   **14** ①   **15** 6 · 15 남북 공동 선언
16 ③

01 토지 조사 사업의 실시로 조선 총독부는 세금 수입과 토지 소유가 증가하였고 신고되지 않은 토지는 동양 척식 주식회사에 넘겨 일본인들이 헐값에 토지를 살 수 있었습니다.

02 일제는 우리의 토지를 약탈하기 위해 토지 조사 사업을 시행하였고, 일본의 식량 부족 문제를 해결하기 위해 산미 증식 계획을 시행하였으며, 회사를 설립할 때 조선 총독의 허가를 받도록 하는 회사령을 시행했습니다.

오답 노트 ③ 당백전은 흥선 대원군이 경복궁 중건을 위해 1866년(고종 3년)에 발행한 화폐입니다.

03 미국의 월슨 대통령이 민족 자결주의를 제창하였고 한국인들 역시 일본에게서 독립해 스스로 자국의 운명을 결정할 권리가 있다는 용기를 갖게 되었습니다.

04 3·1 운동은 1919년 3월 1일 서울에서 독립 선언서 낭독을 시작으로 전국으로 확산된 항일 독립운동을 말합니다. 3·1 운동은 이후 대한민국 임시 정부 수립의 계기가 되었고, 다른 나라의 민족 운동에도 영향을 주었습니다.

05 **오답 노트** ③ 일제는 우리 민족의 뿌리를 말살하기 위해 한국 역사를 왜곡하거나 한국 역사 교육을 금지했습니다.

06 일제는 우리의 국권을 빼앗은 뒤 내선일체론을 내세우며 일본식으로 이름을 바꾸도록 하는 창씨개명, 황국 신민 서사 암송 등 민족 말살 정책을 실시하였고, 전쟁에 필요한 노동력과 물자를 수탈했습니다.

오답 노트 ① 대동법은 조선 시대에 공물(특산물)대신 쌀을 내도록 한 세금 제도입니다.

07 김좌진 장군이 이끄는 독립군 부대는 1920년 청산리에서 일본군을 상대로 큰 승리를 거두었습니다.

08 봉오동 전투 패배 후 일본의 대대적인 독립군 제거 작전이 펼쳐지자 김좌진과 홍범도 등이 이끄는 독립군 연합부대는 일본군을 청산리로 유인하여 일본군을 크게 격파하였습니다.

09 5·10 총선거로 구성된 제헌 국회에서는 헌법을 제정하고 이승만 대통령을 선출했으며, 1948년 8월 15일에는 대한민국 정부 수립을 선포하였습니다.

10 미·소 공동 위원회가 결렬되면서 한국의 정부 수립과 통치 문제는 국제 연합에서 다루게 되었습니다. 국제 연합에서는 남북한 총선거 실시를 결정했으나 소련의 거부로 남한에서만 우리나라 최초의 민주 선거인 5·10 총선거가 실시되었고, 제헌 국회가 구성되었습니다.

11 ⓒ 1950년 6월 25일, 북한의 남침으로 시작된 6·25 전쟁으로 남한은 순식간에 서울을 빼앗겼습니다. ② 국군은 유엔군과 함께 인천 상륙 작전을 실시해 서울을 수복하고 압록강까지 진격했으나, ⓒ 중국군의 개입으로 후퇴한 후 ㉠ 1953년에 휴전 협정을 맺고 남한과 북한은 오늘날까지 분단되어 있습니다.

12 북한의 남침으로 남한은 순식간에 낙동강 전선까지 후퇴하였으나 유엔군의 참전과 함께 인천 상륙 작전을 실시해 서울을 되찾았습니다.

13 전두환 정권의 독재에 반대하며 일어난 6월 민주 항쟁으로 5년 단임의 대통령 직선제를 내용으로 하는 헌법이 개정되었고 국민들이 직접 대통령을 선출할 수 있는 길이 열렸습니다.

14 이승만의 독재와 3·15 부정 선거에 맞서 일어난 4·19 혁명으로 이승만은 대통령 자리에서 물러나고 장면 내각

이 성립되었습니다. 이는 국민의 힘으로 독재 정권을 무너뜨린 우리나라 최초의 민주 혁명입니다.

15 6·15 남북 공동 선언 이후 올림픽 공동 입장, 이산가족 방문단 교환, 개성 공단 설치, 경의선 철도 복구 등의 일이 이루어졌습니다.

16 1972년에 남북이 최초로 합의한 평화 통일안인 7·4 남북 공동 성명이 발표되었고, 이는 남북 간 교류와 협력의 기본 원칙이 되었습니다.

DAY 9	(기본) 모의 평가 1회	26~30쪽

01 ②	**02** ③	**03** ②	**04** ②	**05** ①	**06** ①
07 ②	**08** ③	**09** ③	**10** ④	**11** ③	**12** ②
13 ③	**14** ②	**15** ①	**16** ④	**17** ①	**18** ④
19 ③	**20** ②				

01 위화도 회군은 1388년에 고려 우왕의 요동 정벌의 명령을 받고 군사를 이끌던 이성계가 압록강의 위화도에서 군사를 돌려 정변을 일으키고 권력을 장악한 사건입니다.

02 조선 태종은 나라의 행정 구역을 여덟 개의 도로 나누고 관찰사를 파견하여 나라를 다스렸으며, 사병을 철폐하여 군사권을 장악하였습니다. 또한 호패법을 실시하여 인구를 파악하고 세금과 군역을 확보하고자 했습니다.

03 훈민정음을 창제한 왕은 세종으로, 세종은 세계 최초의 강우량 측정기인 측우기를 제작하였습니다.

05 병자호란 당시 청의 침략을 받은 인조는 한성에서 남한 산성으로 피신하였습니다.

06 영조는 임금의 정치가 붕당 중 어느 쪽에도 치우치지 않겠다는 탕평책을 실시하고, 탕평책을 널리 알리기 위하여 성균관에 탕평비를 건립했습니다.

08 1811년 몰락 양반 홍경래가 평안도에 대한 차별 대우와 지배층의 수탈에 저항하여 봉기하였습니다.

09 상평통보를 사용해 물건을 사고파는 것은 조선 후기의 모습입니다. 조선 후기에는 고구마와 감자, 토마토, 고추 등 새로운 작물이 들어와 재배되기 시작했습니다.

10 김홍도의 풍속화가 제작된 시기는 조선 후기로, 당시는 일반 서민들의 생활 수준이 향상되면서 문화에 대한 욕구가 증가하여 한글 소설, 사설시조, 판소리, 탈놀이, 민화 등 서민 문화가 발달하였습니다.

12 병인양요와 신미양요, 오페르트 도굴 사건 등을 겪으면서 흥선 대원군은 전국 각지에 척화비를 세우고 통상 수교 거부 정책을 펼쳤습니다. 이후 운요호 사건을 빌미로 일본이 개항을 요구하면서 조선은 최초의 근대적 조약인 강화도 조약을 맺게 되었습니다.

14 고종은 을사늑약의 부당함을 알리기 위해 네덜란드 헤이그에서 열리는 만국 평화 회의에 이준, 이상설, 이위종 등 특사를 파견하였으나 일본의 방해로 실패하였고, 이것이 빌미가 되어 강제 퇴위를 당하였습니다.

15 신민회는 양기탁, 안창호 중심의 비밀 결사 단체로, 민족의 역량을 높이기 위해 학교 설립, 회사 운영, 독립운동 기지 건설 등의 활동을 하였습니다.

17 1919년 대한민국 임시 정부는 일본의 영향력이 미치지 않고 외교 활동에 유리한 중국 상하이에 수립되었습니다.

20 6월 민주 항쟁은 전두환 군사 정권의 독재와 장기 집권을 저지하기 위해 일어난 민주화 운동으로 시위에 참여한 대학생 박종철이 고문으로 사망하자 시위가 더욱 확산되었습니다.

DAY **10**	(기본) 모의 평가 2회			31~35쪽	
01 ①	**02** ②	**03** ②	**04** ③	**05** ②	**06** ①
07 ③	**08** ②	**09** ②	**10** ②	**11** ③	**12** ①
13 ③	**14** ②	**15** ④	**16** ①	**17** ④	**18** ④
19 ④	**20** ①				

02 자격루는 물을 이용하여 시간을 측정하고 종, 북, 징 등의 소리로 시간을 알려 주는 장치입니다.

03 조선 시대에는 신분을 크게 양인과 천민으로 구분했으며, 양인은 다시 양반, 중인, 상민으로 나뉘어졌습니다. 중인은 주로 전문 지식이나 기술을 가진 하급 관리가 속했습니다.

04 징비록은 조선 중기의 문신 유성룡이 임진왜란 동안에 경험한 사실을 기록한 책입니다. 행주대첩은 임진왜란 때 권율이 행주산성에서 왜군을 크게 물리친 전투입니다.

06 동학은 유교·불교·도교를 바탕으로 민간 신앙을 융합한 종교로 최제우가 창시하였습니다.

07 화성은 거중기, 녹로 등 당시의 과학 기술을 활용하여 지은 건축물이었습니다.

08 공명첩은 조선 정부가 부족한 재정을 확보하기 위해 발행한 관직 임명장으로, 돈이나 곡식을 받고 제공하였습니다.

09 『북학의』는 실학자 박제가가 청의 풍속과 제도를 경험하고 돌아와서 느낀 바를 정리한 책으로, 소비가 경제 발달에 도움이 된다고 하여 소비를 장려했습니다.

11 운요호 사건은 1875년 9월에 일본 군함인 운요호가 강화도에 침입해 조선군과 일본군이 충돌한 사건입니다. 일본은 이 사건을 트집 잡아 조선에 군대를 보냈고, 조선 정부를 압박해 강화도 조약을 맺었습니다.

13 서재필이 개화파 지식인들과 함께 독립 협회를 조직하여 독립신문 발간, 독립문 설립, 만민 공동회 개최 등의 활동을 하였습니다.

14 안중근은 하얼빈 역에서 침략의 원흉 이토 히로부미를 사살하고 체포된 뒤 뤼순 감옥에서 순국하였습니다.

15 개항 이후 경복궁에 우리나라 최초로 전등이 설치되었으며, 이후 전신이 개통되고 전차가 운행되어 생활이 편리해졌습니다.

> 오답 노트 ④ 안경이 처음 들어온 것은 임진왜란 시기로 알려져 있습니다.

16 서울 종로 태화관 터와 탑골 공원은 독립 선언서를 낭독하며 3·1 운동이 처음 시작된 곳이고, 화성 제암리는 3·1 운동 당시 일본 헌병이 제암리 주민 20여 명을 집단으로 학살한 곳입니다. 천안 아우내 장터는 3·1 운동 당시 유관순 열사가 만세를 부른 곳입니다.

18 한인 애국단은 침체에 빠진 임시 정부의 상황을 극복하기 위해 김구가 중심이 되어 조직한 단체로 여러 열사들의 의거 활동이 있었습니다.

19 6·25 전쟁은 '북한의 남침 → 유엔군과 국군의 인천 상륙 작전 → 중국군 개입, 북한 지원 → 휴전 협정 체결'의 과정으로 전개되었습니다.

> 오답 노트 ④ 봉오동 전투는 1920년대에 전개된 무장 독립 투쟁 중 하나입니다.

20 (가)는 1972년, (나)는 1991년, (다)는 2000년에 이루어진 일입니다.

한국사능력검정시험
기본(4·5·6급) 대비

10일 완성
워크북